simple et délicieux

220 RECETTES RAPIDES POUR **DIABÉTIQUES**

INFORMATION MÉDICALE ET ALIMENTAIRE : DR. HANS HAUNER, ROSALIE LOHR ET AXEL BACHMANN
RECETTES : FRIEDRICH BOHLMANN, ERIKA CASPAREK-TÜRKKAN ET BETTINA KÖHLER
PHOTOGRAPHIES DES RECETTES : MICHAEL BRAUNER

© 2001 Graefe und Unzer Verlag, GmbH, Germany
Paru sous le titre *Cooking and Baking for Diabetics* chez Key Porter Books, Toronto, en 2003

LES PUBLICATIONS MODUS VIVENDI INC.
5150, boul. Saint-Laurent, 2ᵉ étage
Montréal (Québec)
Canada
H2T 1R8

Design de la couverture : Marc Alain
Infographie : Modus Vivendi
Traduction : Jean-Robert Saucyer

Dépôt légal : 3ᵉ trimestre 2004
Bibliothèque nationale du Québec
Bibliothèque nationale du Canada

ISBN : 2-89523-293-8

Nous reconnaissons l'aide financière du gouvernement du Canada par l'entremise du Programme d'aide au développement de l'industrie de l'édition (PADIÉ) pour nos activités d'édition.
Gouvernement du Québec — Programme de crédit d'impôt pour l'édition de livres — Gestion SODEC

Table des matières

Vivre avec le diabète

Le diabète de type 2 est à présent l'une des principales maladies qui affectent la population. Le nombre de personnes atteintes au cours des dernières décennies a pris des proportions endémiques et cette progression ne semble pas vouloir s'arrêter. Une piètre alimentation et une absence d'exercice physique expliquent ce phénomène. Nous savons à présent qu'un excédent de poids couplé à un régime alimentaire carencé est la principale cause de cette maladie ; en effet, la majorité des personnes souffrant de diabète de type 2, lorsqu'elles ne sont pas obèses, accusent une surcharge pondérale.

Nous savons que le premier traitement qui s'impose à une personne atteinte de diabète de type 2 consiste à modifier ses habitudes alimentaires, ne serait-ce que pour contrôler son poids. Ceux qui y parviennent s'étonnent de constater une nette amélioration de leur taux de glucose sanguin, sans parler d'une réduction d'autres facteurs de risque tels que la pression artérielle et le métabolisme des gras. En fait, la perte de poids et la modification des habitudes alimentaires font généralement chuter le taux de glucose sanguin plus vite que n'importe quel médicament prescrit à cette fin. Toutefois, on tient rarement ces bonnes résolutions assez longtemps pour qu'elles s'inscrivent dans un mode de vie plus sain, plus compatible avec le diabète car la plupart des personnes atteintes de diabète préfèrent prendre leur médicament plutôt que de changer leurs habitudes alimentaires.

L'idée que nous nous faisons du régime à prescrire aux diabétiques a changé du tout au tout au cours des 20 dernières années. Il est révolu le temps où ils devaient limiter leur consommation d'alcool et de sucre, et où ils devaient tout peser à l'aide d'une balance de cuisine. De nos jours, il est plus facile que l'on pense d'avoir un régime sain et varié, un régime qui présente une variété d'aliments et qui tient compte des goûts de chacun. De plus, ce type de régime peut réduire les probabilités d'une maladie du cœur, d'un infarctus et de certains types de cancer.

Qu'est-ce qui caractérise un régime destiné aux diabétiques ? On peut en résumer les principaux éléments en quelques phrases. En premier lieu, il faut réduire considérablement la consommation de gras, en particulier les graisses animales que l'on trouve dans le beurre, la viande et les fromages. En deuxième lieu, il faut éviter les aliments qui contiennent beaucoup de sucre et de fécule et les remplacer par d'autres riches en fibres car ils réduisent peu à peu le taux de glucose sanguin. En troisième lieu, il faut manger quantité de fruits et de légumes afin de fournir à l'organisme les éléments nutritifs dont il a besoin et apaiser sa faim.

Nous verrons également d'autres facteurs qui ont une incidence sur l'équilibre alimentaire et nous proposerons des moyens de les intégrer à vos activités quotidiennes. Vite vous verrez combien le régime alimentaire d'une personne atteinte de diabète peut être réjouissant et diversifié. Sachez d'ores et déjà que vous n'aurez pas à renoncer à toutes les sucreries. Il s'agit surtout de doser les portions et d'associer les aliments de façon intelligente et équilibrée. Si vous voulez équilibrer le diabète par le biais d'une alimentation aussi saine que savoureuse, vous vous délecterez en parcourant cet ouvrage.

Dr Hans Hauner
Düsseldorf, Allemagne

À propos du diabète

Peut-être vous souvenez-vous de votre réaction lorsque votre médecin vous a appris que vous souffriez de diabète de type 2. Plusieurs sont alors sous le choc. Ils savent seulement qu'il s'agit d'une maladie métabolique chronique qu'ils auront pour le reste de leurs jours. Mais l'avenir n'est plus aussi sombre désormais. Le traitement actuel est si raffiné qu'on peut l'adapter aux besoins et au mode de vie de chacun.

Le diabète de type 2 ou diabète sucré tire son nom du fait que les personnes atteintes, dont la production d'insuline est atypique, éliminent le glucose dans leur urine.

Qu'est-ce qui provoque ce dérèglement?

Réguler le taux de glucose sanguin

L'insuline est la principale hormone qui sert à réguler le taux sanguin de glucose; produite dans le pancréas, elle est sécrétée au besoin. Plus on consomme de glucides (sucres et fécules) au cours d'un repas, plus le pancréas sécrète de l'insuline.

Chez les personnes atteintes de diabète de type 2, le pancréas produit en général suffisamment d'insuline. Le problème vient de ce que les cellules de l'organisme y

Tous les aliments riches en glucose, par exemple les pommes de terre, le riz, les pâtes, les fruits, le pain et les autres produits céréaliers, sont décomposés en leurs éléments constitutifs au niveau du pancréas, jusqu'à redevenir des molécules de glucose (un simple sucre).

Les cellules de l'organisme ont besoin de ce sucre pour produire de l'énergie. Le glucose, présent dans le sang, se trouve dans toutes les cellules de l'organisme. Les globules rouges, en particulier ceux qui circulent dans le cerveau, ont besoin d'un apport régulier en glucose.

Le pancréas sécrète de l'insuline afin de réguler le taux de glucose sanguin alors à la hausse. Jouant comme une clef dans un verrou qui ouvrirait une porte, elle contribue à transférer le sucre vers les cellules de l'organisme. Le taux de glucose sanguin revient alors à la normale, soit entre 3,5 et 6 millimoles par litre ou mmole/L (entre 65 et 110 milligrammes par décilitre ou mg/dL). Après un repas, le taux de glucose sanguin oscille entre 6 et 10 mmole/L (entre 110 et 180 mg/dL).

réagissent à peine. Les cellules des muscles, des tissus adipeux et du foie ont acquis une sensibilité ou une résistance à l'insuline; elles ne s'ouvrent plus lorsque l'insuline établit un contact avec leurs récepteurs et le glucose ne peut pénétrer dans les cellules.

Afin de réduire un taux de glucose sanguin qui est constamment élevé, le pancréas produit davantage d'insuline. Les cellules qui fabriquent cette hormone ne sont cependant pas conçues en vue de réagir de cette manière fragmentaire à long terme et le taux de glucose sanguin demeure élevé en raison de la carence d'insuline. Étant donné qu'une aussi forte concentration ne cadre plus avec les seuils de tolérance d'un organisme sain, le corps adopte d'autres mesures pour résoudre le problème en éliminant le surplus de sucre dans les reins.

La présence de sucre dans l'urine révèle une anomalie de la régulation du taux de glucose sanguin. Le moment où le seuil est franchi entre la norme et l'anomalie est fonction de l'individu et de son âge.

Parmi les premiers symptômes d'une hausse du taux de glucose sanguin, on trouve:

- une soif exacerbée;
- une miction fréquente;
- la fatigue et l'abattement;
- une faiblesse, une absence de motivation;
- une fonction visuelle altérée;
- des démangeaisons cutanées;
- des inflammations cutanées;
- une cicatrisation lente;
- des infections du tractus urinaire;
- des infections génitales;
- l'impuissance.

L'apparence et le degré de gravité de ces symptômes varient selon les individus.

Que faire si vous souffrez de diabète ?

Devant un diagnostic de diabète, il est essentiel d'en apprendre davantage sur cette maladie. Dès lors qu'on en sait plus, on se rend vite compte que ses activités quotidiennes ne seront pas bouleversées.

Il importe d'équilibrer le diabète. Pour ce faire, il faut mesurer régulièrement le taux de glucose sanguin et dresser des bilans médicaux afin de déterminer un taux de glucose sanguin optimal. Telle est la clef du bien-être et de la qualité de vie. L'association de diabétiques de votre région vous fournira de précieux renseignements à propos de la maladie et de la façon de l'équilibrer.

Vous conviendrez d'une bonne part du traitement en compagnie de votre généraliste et de ses collègues.

Le traitement s'articule autour d'un élément essentiel, soit l'acquisition de nouvelles habitudes alimentaires. En optimisant de la sorte votre métabolisme, vous pourrez retarder, voire éviter, d'autres ennuis de santé qui pourraient être liés aux reins, au système nerveux, aux yeux et aux vaisseaux sanguins.

Types de diabète

L'objectif d'un traitement contre le diabète vise à éviter les symptômes désagréables et les complications au quotidien.

Sur le plan nutritionnel, les recommandations relatives au

diabète de type 1 sont clairement énoncées, bien qu'elles tiennent compte des particularités de chacun. Si vous êtes âgé, enceinte ou si vous pratiquez beaucoup d'activités physiques, vous devriez consulter votre médecin au sujet des besoins qui vous sont propres.

Diabète de type 1

Seuls entre cinq et dix pour cent des Nord-Américains diabétiques sont atteints du diabète de type 1. Cette forme de la maladie, que l'on appelle également diabète juvénile, se manifeste souvent au cours de l'enfance, bien qu'on la rencontre également chez les adultes qui n'ont pas franchi le cap de la quarantaine.

Le diabète de type 1 trouve sa cause dans l'effet combiné d'infections virales, de facteurs héréditaires et de soi-disant troubles auto-immuns. Chez les personnes atteintes, les cellules responsables de la production de l'insuline ont été détruites et n'en sécrètent donc pas ; aussi, le glucose sanguin n'est plus transféré aux cellules.

Étant donné que l'organisme n'en

produit plus, l'insuline est le plus important composant du traitement du diabète de type 1. En général, les personnes aux prises avec cette forme de la maladie doivent recevoir un médicament car leur pancréas est incapable de produire de l'insuline en quantité suffisante et il est essentiel que quelques-unes équilibrent la quantité d'insuline qu'elles reçoivent et la quantité de glucides qu'elles ingèrent. Autrement, il n'existe aucune recommandation d'ordre alimentaire précise sinon prendre des repas sains et équilibrés.

Diabète de type 2

Étant donné qu'il atteint principalement les adultes, on désigne souvent le diabète de type 2 comme le diabète de la maturité. Entre 90 et 95 pour cent des Nord-Américains atteints de diabète souffrent de cette forme de la maladie.

Il existe 40 pour cent de probabilité que la prédisposition au diabète soit génétiquement transmissible mais certaines habitudes de vie qui se traduisent par l'incapacité de l'organisme à réguler le glucose sanguin entrent en ligne de compte. Ces facteurs sont souvent caractéristiques des nations industrialisées car le nombre d'Occidentaux atteints de diabète de type 2 grimpe rapidement, notamment chez les jeunes.

Parmi ces facteurs, on trouve :

- un excédent de poids ;
- une grande consommation de graisses animales et de produits à base de farine blanchie ;
- une carence de vitamines, de minéraux et d'autres éléments nutritifs essentiels ;
- une consommation insuffisante de fibres ;
- un manque d'exercice ;
- un degré élevé de stress.

Peu de personnes atteintes de diabète de type 2 sont minces ou ont un poids normal.

Le syndrome métabolique

Un excédent de poids, un taux élevé de glucose sanguin et le diabète de type 2 vont de pair. On parle parfois de syndrome métabolique pour désigner un tel

ensemble de facteurs de risque. Plus tôt on diagnostique le diabète, meilleures sont les chances de prévenir les troubles qui en découlent.

Un régime à vie ?

Ce qui précède explique pourquoi il importe de modifier son alimentation en faveur d'un régime pauvre en lipides et de prendre davantage d'exercice afin d'équilibrer un diabète de type 2. Les personnes qui ont un excédent de poids ont intérêt à maigrir si elles veulent régulariser leur taux de glucose sanguin. Chaque fois que l'on perd du poids, on constate que les cellules réagissent mieux à l'insuline.

Il importe de souligner que nous ne parlons plus d'aliments particuliers ou de diète sévère pour les personnes atteintes de diabète. Au contraire, les aliments recommandés sont à peine différents de ceux que dictent les directives alimentaires destinées à ceux qui ne souffrent pas de cette maladie. Les aliments consommés doivent être pauvres en lipides, nutritifs et variés, aussi délicieux qu'appétissants.

Hypoglycémie

On parle d'hypoglycémie lorsque le taux de glucose sanguin chute sous les 4 mmoles/L (70 mg/dL). Dans les cas les moins graves, l'hypoglycémie se manifeste par

la pâleur, la transpiration, des tremblements, des battements du cœur, une migraine, la nervosité, un appétit d'ogre et l'impression d'avoir des poils dans la bouche. Elle peut également entraîner de graves problèmes liés à la concentration, la vue et l'élocution, de même que le vertige, qui peuvent mener à un accident hypoglycémique. Ayez toujours du glucose ou un jus de fruit à portée de main pour équilibrer une chute soudaine de glucose qui serait provoquée par le médicament prescrit afin de faire baisser votre taux de glucose sanguin. On peut également souffrir d'hypoglycémie parce qu'il se trouve trop d'insuline, ou plutôt pas assez de glucides, dans le sang. Les causes les plus répandues de l'hypoglycémie sont la consommation d'alcool et un degré trop élevé de stress physique.

Une nutrition qui convient aux diabétiques

Qu'est-ce qu'une alimentation saine ?

Le secret d'un repas nutritif consiste simplement à manger la bonne quantité d'aliments en associant adéquatement ces derniers. Et cela vaut pour tout un chacun ! Consommez une variété d'aliments et ne choisissez que la première qualité. Une telle mesure vous permettra de vivre mieux, plus longtemps et en santé.

Cela dit, le traitement du diabète doit se coupler à un régime alimentaire pertinent. Il est possible d'atténuer le risque de troubles cardiaques et circulatoires, d'altérations des vaisseaux sanguins, de maladie rénale et de troubles nerveux tout en assurant le bien-être et une bonne qualité de vie aux personnes atteintes.

Le principal avantage d'un régime destiné aux diabétiques tient à une alimentation saine qui leur permet de surveiller leur poids. En suivant les conseils de professionnels qualifiés, des diététistes et de votre médecin, vous pourrez élaborer une stratégie alimentaire qui répond à vos besoins sans oublier que vos besoins alimentaires peuvent changer au fil du temps.

Des associations alimentaires pertinentes

Une alimentation saine se fonde sur une variété d'aliments à partir desquels on tire son énergie. Ces aliments fournissent à l'organisme les glucides, les protéines, les gras, les vitamines, les minéraux, les oligo-éléments et les matières végétales protectrices dont il a besoin. Les légumes, les légumineuses, les céréales et certains types de fruits riches en glucides et en fibres ont une incidence positive sur le taux de glucose sanguin, sans compter qu'ils sont agréables au goût.

Combien de repas par jour ?

Il n'existe pas de règle générale quant au nombre de repas qu'il faut prendre au cours d'une journée. Consultez votre médecin pour savoir si trois repas suffisent ou s'il vous faut manger plus souvent afin de contrer l'effet des comprimés ou de l'insuline.

La pyramide alimentaire

Mangez peu : Les tartinades telles que le beurre et la margarine. Il est bien sûr préférable de cuisiner avec des huiles végétales. Prenez garde aux gras cachés dans les sucreries et dans les aliments préparés.

Avec modération : Les produits laitiers contiennent également des glucides. Les produits et les fromages à forte teneur lipidique, fabriqués à partir de lait entier ou de crème, contiennent beaucoup de gras. Choisissez plutôt des produits laitiers allégés.

Deux ou trois fois par semaine : On ne doit manger de la viande et de la volaille qu'à deux ou trois reprises au cours d'une semaine et ce, comme plat principal.

Avec modération : Il faut remplacer le plus possible les charcuteries dans les sandwiches par du fromage allégé, des tartinades de légumes, des fines herbes et des légumes.

Au moins six fois par mois : Mangez beaucoup de poisson car les acides gras et l'iode qu'il contient sont bons pour la santé.

Pas toujours mais parfois : Les fruits frais contiennent du fructose. Mangez-en un maximum de trois portions par jour (environ 125 g ou 4 oz par portion) en guise de collation.

Servez-vous : Vous pouvez grignoter des légumes frais chaque fois que vous avez une fringale. À l'heure des repas, les légumes devraient occuper la plus grande partie de votre assiette.

Choisissez des produits céréaliers : Choisissez toujours des produits complets.
Teneur élevée en glucides mais bons pour vous : Les pommes de terre et les légumineuses.

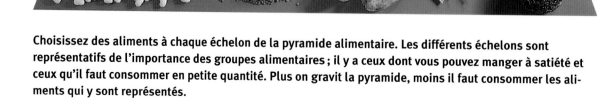

Choisissez des aliments à chaque échelon de la pyramide alimentaire. Les différents échelons sont représentatifs de l'importance des groupes alimentaires ; il y a ceux dont vous pouvez manger à satiété et ceux qu'il faut consommer en petite quantité. Plus on gravit la pyramide, moins il faut consommer les aliments qui y sont représentés.

Les glucides

Un diabétique n'a aucune raison d'éviter les glucides. Au contraire, étant donné que les glucides produisent de l'énergie et font s'accroître le taux de glucose sanguin, l'organisme a besoin d'eux comme d'un carburant qui agit rapidement. Parmi les aliments qui contiennent des glucides, on trouve au premier plan les céréales complètes et les aliments et produits à base de farine complète, suivis des pommes de terre, du riz brun et des légumineuses. Les fruits frais sont également une bonne source de glucides (par exemple, le fructose) et sont également riches en fibres, en minéraux, en vitamines et en matière végétale secondaire. Optez pour des produits qui n'ont pas été transformés ou qui l'ont été légèrement car la transformation supprime plusieurs de leurs éléments nutritifs.

Quelle est la quantité idéale?

La somme de glucides dont vous avez besoin est celle qui vous permet de conserver votre bien-être et d'accroître votre activité physique. La proportion de glucides par rapport aux besoins énergétiques quotidiens devrait être de 50 pour cent ou plus, soit celle des gens dont le métabolisme est normal. Par exemple, si vous consommez 1 800 calories par jour, il vous faudra entre 225 et 270 g (8 et 9 oz) de glucides au cours d'une journée. Ils pourront provenir de différentes sources (céréales et grains, fruits et légumes, lait, sucre), et si vous comptez les glucides, vous devrez choisir entre 15 et 18 sources de glucides de 15 g chacune.

Les fibres

Les fibres ralentissent le rythme auquel les glucides sont dégradés en simple sucre; aussi, plus vous consommez de fibres, plus votre taux de glucose sanguin augmentera lentement. En plus de protéger votre santé, les fibres et les matières végétales tirées des légumineuses, de l'avoine, des pâtes, du riz brun et

des fruits réduisent grandement le taux de glucose sanguin. On recommande de consommer entre 30 et 35 g (environ 1 oz) de fibres par jour afin de prévenir les troubles digestifs et d'éliminer les toxines.

L'indice glycémique

Un outil utile au quotidien. L'incidence des aliments riches en glucides sur le taux de glucose sanguin n'est pas seulement tributaire de la somme de glucides ingérés. La quantité de matières grasses, de protéines et de fibres tient également un rôle prépondérant. En raison de ses composants différents, chaque type d'aliment a une incidence particulière sur le taux de glucose sanguin. Le rythme auquel les glucides s'infiltrent dans la circulation sanguine après un repas est déterminé par la structure du repas. La chose s'exprime en fonction de l'indice glycémique, en vertu duquel le

nombre attribué à chacun des aliments indique ceux qui font croître et ceux qui font décroître le taux de glucose sanguin. Plus l'indice glycémique d'un aliment est élevé, plus vite le taux de glucose sanguin s'accroîtra après son ingestion et plus haut il grimpera dans l'échelle.

Les aliments dont l'indice glycémique est élevé, par exemple le glucose, la limonade, le miel, le sucre, les jujubes, les bonbons à la gelée, les nounours et les fruits en

> • Les athlètes qui prennent part à des compétitions, en particulier ceux qui pratiquent un sport d'endurance, tiennent compte de l'indice glycémique lorsqu'ils doivent choisir des glucides qui accroîtront leurs niveaux d'énergie.
>
> • Les personnes occupées à un travail intellectuel peuvent se concentrer plus longtemps lorsqu'elles consomment des aliments riches en glucose à indice glycémique peu élevé.
>
> • Bon nombre d'individus qui surveillent leur poids prêtent une attention particulière à l'indice glycémique de leurs aliments, étant donné que ceux dont l'indice est faible peuvent prévenir une envie de sucre tyrannique et calmer l'appétit.

gelée, font vite grimper le taux de glucose sanguin lorsqu'on veut éviter l'hypoglycémie. Il ne faut les consommer qu'en petites quantités, le cas échéant. Il est de loin préférable de consommer des aliments dont l'indice glycémique est faible (voir la page 12) car ils font s'accroître peu à peu le taux de glucose sanguin et calment plus longtemps l'appétit.

Le sucre ne devrait pas représenter plus de 10 pour cent du total de calories consommées, soit de 30 à 50 g par jour (entre 1 et 2 oz). On atteint facilement cette limite, étant donné que la plupart des aliments préparés contiennent du sucre.

Quel édulcorant employer ?

Bien que les diabétiques puissent ajouter de petites quantités de sucre à leurs aliments, ils devraient employer un édulcorant sans sucre et donc sans calories. Par exemple, vous pouvez sucrer vos boissons à l'aide d'additifs tels que la saccharine, le cyclamate, l'aspartame, le sucralose (Splenda) ou l'acesulfame K. Tous les édulcorants en vente au Canada, aux États-Unis et en Grande-Bretagne subissent des tests rigoureux. Dès lors que leur usage est approuvé, on les juge dignes d'être employés dans ces pays, même par les diabétiques, s'ils en

usent avec modération. Ils ne devraient poser aucun risque pour la santé, si vous les employez à petites doses. Consultez votre diététiste à ce sujet.

D'autres succédanés du sucre, tels que le fructose, le sorbitol, le xylitol, le mannitol, IsomaltMD, le lactitol, le maltitol et le polydextrose, ont en partie besoin d'insuline pour être métabolisés. Les produits de boulangerie préparés à partir de succédanés du sucre contiennent souvent beaucoup de matières grasses ; aussi, faut-il en consommer en petites quantités, voire pas du tout.

Les protéines

Étant donné que les protéines ont peu d'incidence sur le taux de glucose sanguin, on recommande depuis longtemps aux diabétiques de consommer un pourcentage plus

élevé de protéines. Toutefois, une quantité excessive de protéines peut avoir des incidences négatives sur la santé des diabétiques qui sont atteints de troubles rénaux.

Il faut consommer des protéines chaque jour car elles sont essentielles à la constitution des cellules de l'organisme, mais dans certains pays la consommation de protéines est supérieure à la quantité maximale recommandée qui oscille entre 10 et 20 pour cent de l'ensemble des calories. Il n'en faut pas davantage, même aux athlètes et aux diabétiques.

> Veuillez noter que le lait, le yaourt et les autres produits laitiers contiennent également des glucides qui ont une incidence sur le taux de glucose sanguin.

On trouve en grande partie les protéines dans les produits d'origine animale tels que les produits laitiers, le poisson, la viande et les œufs. Si vos reins sont atteints, une hausse de votre apport protéique risque d'aggraver la situation. Vous devez donc équilibrer la quantité de protéines que vous consommez.

On trouve également des aliments riches en protéines végétales, par exemple les grains, les légumineuses et les noix. Les protéines issues de l'association entre les légumineuses et le maïs, les pommes de terre et les œufs, les pommes de terre et le fromage blanc, les pommes de terre et

Ce tableau des indices glycémiques renvoie aux glucides présents dans divers aliments. En associant des aliments riches en matières grasses, en protéines et en fibres, on peut réduire leurs indices glycémiques et atténuer leur incidence sur le taux de glucose sanguin.

Aliments dont l'indice glycémique est élevé	Aliments dont l'indice glycémique est faible
Glucose, maltose, frites, produits à base de farine blanche allégés, purée de pommes de terre, miel > 90	Pain complet, pain de son, riz brun, pois, granola sans sucre > 40
Carottes, flocons de maïs, maïs éclaté > 90	Farine d'avoine, haricots rognons, jus de fruits non sucrés, nouilles de blé complet, pain de pumpernickel, pois, produits laitiers, crème glacée > 30
Potiron, pastèque, sucre (sucrose), baguette, granola avec sucre ajouté, tablettes de chocolat, pommes de terre bouillies (pelées), biscuits, maïs, riz blanc > 70	Légumineuses, fruits frais, confitures (teneur en sucre de 40 g), chocolat noir (teneur en cacao > 70 %), fructose > 20
Fruits séchés, pain multigrains, pommes de terre bouillies (avec la pelure), bananes, melons, confiture > 60	Arachides, produits à base de soja > 15
Nouilles (semoule) approximativement 55	Légumes frais, champignons > 15

les légumineuses, les grains complets et les produits laitiers ou les légumineuses et les produits laitiers valent encore mieux pour l'organisme.

Consommation de protéines

Faites des plats végétariens la pièce maîtresse de vos menus et mangez du poisson au moins deux fois par semaine. Le poisson maigre contient ample quantité de protéines et peu de matières grasses qui ne sont pas saines. Les acides gras oméga 3 présents dans le poisson ont une incidence heureuse sur le taux de cholestérol sanguin et les vaisseaux sanguins, alors que les poissons de mer contiennent de l'iode.

Les matières grasses

L'organisme a besoin de matières grasses pour accomplir ses fonctions mais, à trop en consommer, on se retrouve avec un excédent de poids. Le type de matières grasses que l'on consomme a également son importance. Les matières grasses servent de carburant au cœur et aux muscles, de même qu'elles véhiculent les vitamines A, D, E et K, lesquelles sont liposolubles, responsables de la santé du tissu cutané et d'autres fonctions organiques. Il se trouve que bon nombre de gens consomment plus de matières grasses qu'ils ne devraient. Pis, les gras qu'ils consomment sont

surtout d'origine animale et cela entraîne un excédent de poids et des troubles métaboliques. En général, il convient de réduire son apport en matières grasses et de consommer surtout des graisses d'origine végétale.

Quelle quantité de matières grasses faut-il consommer ?

Les matières grasses ne devraient pas représenter plus de 30 pour cent de votre apport calorique quotidien, soit entre 60 et 80 g (2 à 3 oz) par jour. Cela se traduit pour une personne par 15 mL (1 c. à soupe) d'huile pour la cuisson et la friture et 15 autres mL (1 c. à soupe) pour la garniture. Vous pouvez également en ajouter 5 mL (1 c. à thé) par portion de salade.

Choisissez des fromages allégés, dont le contenu en matières grasses ne représente pas plus de 20 pour cent de leurs poids (la mozzarella à base de lait écrémé compte 17 pour cent de matières grasses et d'autres fromages en comptent moins), et réduisez votre consommation de viande.

Quel est le meilleur gras ?

Chaque sorte de gras est composée de différents acides gras. Par exemple, on trouve des gras saturés, monoinsaturés et polyinsaturés. Les huiles végétales contiennent beaucoup de matières grasses monoinsaturées et polyinsaturées, de même qu'elles sont exemptes de cholestérol. Par contre, les produits d'origine animale contiennent surtout des gras saturés, à l'exception du poisson. Le poisson contient principalement des matières grasses insaturées, entre autres des acides gras oméga 3, qui sont propices à la santé du cœur et du système circulatoire. Pour être en meilleure santé et pour accroître votre niveau d'énergie, votre alimentation devrait être riche en matières grasses monoinsaturées. Pour faire

Riches en gras saturés	Riches en gras insaturés	Riches en gras polyinsaturés
beurre	huile d'olive	huile de germe de blé
huile de palme	huile de colza	huile de maïs
huile de noix de coco	huile d'arachide	huile de charbon
	margarine	huile de lin
	huile de sésame	huile de graines de tournesol
	huile de soja	huile de graines de citrouille
		margarine allégée (mais gare aux gras trans)
		huile de noix

la cuisine et la friture, ou pour faire la vinaigrette, prenez des huiles végétales de qualité mais faites-en usage avec modération. Les meilleures sont les huiles d'olive et de colza.

Lorsque vous choisissez des produits d'origine animale, retenez ceux qui contiennent le moins de matières grasses : les produits laitiers qui contiennent 1 ou 2 pour cent de gras ou qui n'en contiennent pas, les fromages qui n'en contiennent pas plus de 20 pour cent de leur poids (entre 30 et 40 pour cent de leur poids sec). Parmi les saucisses et les charcuteries maigres, on trouve notamment le bœuf salé, la saucisse de dinde et de poulet, le jambon et le bœuf fumés. Évitez les aliments gras tels que le lard et, si vous ne pouvez vous empêcher d'employer de la margarine ou du beurre, consommez-en avec modération.

Les vitamines et minéraux

On recommande de consommer des fruits et des légumes frais au moins à cinq reprises au cours d'une journée. Le plus vous consommez de fruits et de légumes au cours d'une journée, le plus vous aurez de vitamines, de fibres et d'autres matières végétales qui veillent à la protection de l'organisme.

Il n'est pas difficile de consommer au moins cinq portions de légumes, de salade et de fruits au cours d'une journée. Voyez vous-même : une portion de salade à chacun des repas principaux, au moins une portion de légumes en accompagnement de vos repas principaux, et des bâtonnets de poivron, de chou-rave ou d'autres légumes que vous grignoterez entre les repas. Ce qui importe avant tout, c'est leur bon

goût. Il faut seulement surveiller votre consommation de pois, de fèves de Windsor (ou gourganes) et de maïs à cause de leur teneur en glucides. Vous pouvez également consommer un maximum de deux fruits juteux par jour. Choisissez-les de taille raisonnable et évitez les fruits trop mûrs qui feraient grimper trop rapidement votre taux de glucose sanguin.

Consommez des fruits et des légumes crus ou légèrement cuits afin de préserver leurs vitamines et leurs précieuses matières végétales.

Les boissons

L'organisme a besoin d'au moins 1,5 L (6 tasses) d'eau par jour. La pyramide reproduite ci-dessous montre clairement que l'eau minérale et les tisanes étanchent la soif mieux que n'importe quelle autre boisson et elles sont exemptes de calories.

Vous n'avez pas à compter les boissons gazeuses diète qui contiennent des édulcorants lorsque vous calculez la quantité de glucides mais vous devriez en boire avec modération à cause des succédanés de fructose et de sucre que l'on y trouve, lesquels peuvent faire grimper le taux de glucose sanguin.

Après une activité sportive, offrez-vous un spritzer fait d'une partie de jus de fruit pur et de quatre parties d'eau minérale. Il remplacera les minéraux et les glucides que vous avez perdus.

Afin d'étancher la soif, rien n'égale les boissons diète et les tisanes, d'autant qu'elles ne comptent aucune calorie.

Alcool

Les femmes ne devraient pas consommer plus de 15 mL (1/2 oz) d'alcool pur par jour et les hommes pas plus de 30 mL (1 oz). Si vos taux de glucose sanguin et de triglycérides sont élevés, évitez de boire de l'alcool. Le fait que l'alcool puisse faire chuter le taux de glucose sanguin peut avoir de graves incidences chez les diabétiques. En l'absence d'alcool, le foie mobilise ses réserves de sucre afin de maintenir le taux de glucose sanguin à des niveaux normaux; toutefois, il ne peut libérer les réserves d'énergie emmagasinées dans l'organisme sous forme de glycogène et de gras en présence d'alcool. L'oxydation de l'alcool atténue l'oxydation des substances productrices d'énergie dans l'organisme et peut, par conséquent, entraîner une période d'hypoglycémie prolongée et l'inconscience (un coma ou un choc hypoglycémique). Il est particulièrement dangereux de consommer de l'alcool après une séance d'exercices exigeants, en particulier si on ne remplace pas par un repas ou une collation les glucides éliminés au cours de l'activité physique.

- Ne buvez de l'alcool qu'en petites quantités.

- N'en consommez jamais à jeun. Mangez quelque chose avant de boire et pendant que vous buvez.

- L'alcool pourra faire chuter le taux de glucose sanguin tant qu'il sera présent dans le sang; il faut compter une heure afin de décomposer une unité d'alcool, la quantité que l'on trouve en général dans 375 mL (12 oz) de bière étatsunienne (3,5 degrés d'alcool par volume), 50 mL (4 oz) de vin ou 30 mL (1 oz) d'alcool à 50 degrés.

- Ne calculez pas la teneur glucidique des boissons alcoolisées à votre apport quotidien en glucides.

- Lorsque vous consommez de l'alcool, diminuez la dose du médicament que vous prenez afin de réduire votre taux de glucose sanguin, le cas échéant. Consultez d'abord votre médecin.

- Si vous avez bu beaucoup d'alcool, mesurez votre taux de glucose sanguin avant le coucher et mangez davantage de glucides avant d'aller au lit. Demandez à votre médecin quel est le taux de glucose sanguin idéal dans votre cas.

Teneur moyenne en alcool des boissons suivantes :

Quantité	Boissons	Teneur en alcool
500 mL (1 chopine)	bière sans alcool	2 g
500 mL (1 chopine)	bière de Pilsen diète	24 g
500 mL (1 chopine)	bière à 3,5 degrés d'alcool par volume	17,5 g
500 mL (1 chopine)	bière à 5,5 degrés d'alcool par volume	27,5 g
500 mL (1 chopine)	bière blanche 20 g 175 mL (3/4 tasse) cidre	10 g
125 mL (1/2 tasse)	vin rouge ou blanc	12 g
125 mL (1/2 tasse)	vin mousseux, champagne	10 g
50 mL (1/4 tasse)	xérès	9 g
45 mL (3 c. à soupe)	whisky irlandais à 45 ° d'alcool par vol.	20 g
20 mL (4 c. à thé)	kirsch à 40 degrés d'alcool par volume	8 g
4 tsp (20 mL)	kirsch, 40% alc./vol.	8 g

Le diabète et l'excédent de poids

La maîtrise du poids est l'un des éléments prépondérants du traitement du diabète. La plupart des personnes atteintes de diabète de type 2 ont une surcharge pondérale. Perdre ne serait-ce que quelques kilos a une incidence favorable sur le taux de glucose sanguin et les complications qui en découlent.

Votre médecin devrait décider s'il vous faut perdre du poids et dans quelle mesure. S'il s'agit d'un léger excédent (un indice de masse corporelle oscillant entre 25 et 19,9), vous devriez perdre entre 3 et 5 kg (7 et 11 lb). Si vous pesez beaucoup trop (un indice de masse corporelle de 30 et plus), il vous faudra perdre davantage de poids. Afin d'évaluer votre indice de masse corporelle, voyez le tableau ci-contre.

Quel apport énergétique me faut-il?

Révolus sont les jours où l'on comptait méticuleusement ses calories et ses glucides. S'affamer afin de perdre du poids signifie trop souvent qu'on reprend les kilos perdus lorsque la diète est terminée. En fait, on reprend souvent plus de poids que l'on en a perdu.

La nouvelle devise de ceux qui veulent maigrir est la suivante: Consommer quantité d'aliments à faible teneur en matières grasses. Les besoins énergétiques varient selon les individus mais on pourrait grosso modo les déterminer selon la formule suivante: 30 calories par kilogramme (environ 13,6 calories par lb) au cours d'une journée. Afin de calculer le nombre de calories qu'il vous faut consommer si vous souhaitez perdre du poids, multipliez votre poids en kilogrammes par 30 (ou votre poids en lb par 13,6) et soustrayez 500. Vous ne devriez jamais consommer moins de 1 200 calories par jour. N'oubliez pas ces objectifs: maintenir l'équilibre entre votre apport en énergie et votre dépense énergétique, et veillez à ce que votre indice de masse corporelle reste inférieur à 25.

Faites un régime avec l'accord de votre médecin. Si vous souffrez d'obésité (un indice de masse corporelle supérieur à 35), vous auriez intérêt à faire une thérapie dans une clinique spécialisée.

Comment atteindre le poids désiré

Afin d'atteindre le poids que vous désirez, vous devez réduire votre consommation de matières grasses et faire davantage d'activité physique. Les régimes-chocs sont dangereux pour le cœur et le système circulatoire, et sont sans effet à long terme. Théoriquement, vous devriez essayer de perdre entre 1 et 2 kilos (2 et 4 livres) par mois pendant une période de trois à six mois, un an tout au plus.

Le régime pour diabétique d'hier à aujourd'hui

Lorsqu'il est question de perdre du poids, la plupart des gens songent d'office à des privations. Le moment est venu de modifier cette perception. Chacun a le droit de manger ce qu'il veut mais selon les proportions indiquées. Vous n'êtes pas tenu de faire un régime ennuyeux et vous pouvez continuer de manger vos aliments préférés. Quelques modifications à votre alimentation vous permettront de consommer une variété d'aliments sains et goûteux sans vous priver tout à fait des gâteries que vous affectionnez.

Afin d'apporter des modifications à votre mode de vie et à vos habitudes alimentaires, vous devez faire comme les gens qui souffrent d'un trouble métabolique:

- Perdez du poids lentement mais de manière permanente. Pour y parvenir, vous devez équilibrer la quantité de matières grasses, de fibres et de glucides que vous consommez à chaque repas.

Conseils afin de perdre du poids

- Fixez-vous des objectifs modestes, réalistes, que vous pourrez atteindre; par exemple, perdre 1 kg (2 lb) en un mois.
- Évitez les distractions telles que regarder la télévision ou lire pendant que vous mangez. Ce faisant, vous pourriez manger plus qu'il n'est nécessaire sans vous en rendre compte.
- Boire un verre d'eau ou manger quelques crudités ou une salade avant un repas emplit quelque peu l'estomac.
- Préparez des repas appétissants, même lorsque vous mangez seul. Dressez une jolie

table et savourez votre repas.
- Essayez de voir si vous avez vraiment faim ou si vous avez plutôt envie de grignoter quelque chose.
- Mastiquez bien vos aliments.
- Étanchez votre soif en buvant des boissons sans calories, par exemple de l'eau minérale, des tisanes aromatisées de jus de citron ou des boissons gazeuses diète contenant des édulcorants.
- Ne passez jamais à l'épicerie lorsque vous avez faim et, le cas échéant, tenez-vous-en à votre liste.
- L'appellation « allégé » dont on affuble certains produits ne signifie pas toujours qu'ils contiennent peu de matières grasses ou peu de sucre. Lisez attentivement la liste des ingrédients. Si une matière grasse figure au premier rang des ingrédients, il s'agit d'un produit à teneur élevée en calories. Si le sucre figure au dernier rang des ingrédients, le produit en contient proba-blement peu.

- L'activité physique aide à perdre du poids et à libérer l'esprit. Sans compter que vos cellules réa-giront mieux à l'insuline.

Afin de déterminer si votre poids est normal, reportez-vous à l'indice de masse corporelle (IMC) qui mesure le poids d'un individu par rapport à sa taille.

$$IMC = \frac{poids\ en\ kg}{taille\ (m^2)}$$

Remarque: Les chiffres obtenus ne conviennent pas aux enfants, aux adolescents et aux personnes âgées.

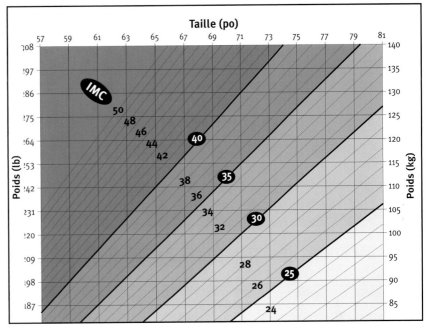

Sur le tableau ci-dessus, vous trouverez votre IMC en un coup d'œil sans avoir à faire de savants calculs. Trouvez votre taille sur l'axe vertical et votre poids sur l'axe horizontal. Si votre IMC s'inscrit dans la zone réservée à l'obésité, alors vous devez perdre du poids. Votre médecin peut vous aider à évaluer votre IMC.

Classification des risques pour la santé en fonction de l'indice de masse corporelle (IMC)

Classification	Catégorie d'IMC (kg/m2)	Risque d'avoir des ennuis de santé
insuffisance	⟨···· 18,5	accrû
poids normal	18,5–24,9	faible
surcharge	25,0–29,9	accrû
obèse catégorie I	30,0–34,9	élevé
obèse catégorie II	35,0–39,9	très élevé
obèse catégorie III	····⟩= 40,0	extrêmement élevé

Source : Santé Canada, Lignes directrices canadiennes pour la classi-fication du poids chez les adultes, Ottawa, Ministère des Travaux publics et des Services gouvernementaux, 2003.

Remarque : Chez les personnes de 65 ans et plus, le calibre normal peut être quelque peu supérieur à un IMC de 18,5 et atteindre le cali-bre de l'obésité.

Afin de bien mesurer le risque propre à chacun, il faut tenir compte d'autres facteurs tels que les habitudes de vie, le degré de forme physique et la présence ou l'absence d'autres facteurs de risque pour la santé.

L'activité physique

L'activité physique touche un autre important volet du traitement du diabète. Sans compter que prendre régulièrement de l'exercice est amusant, que cela favorise le bien-être intérieur et aide à contrôler son poids. Bref, l'exercice physique a une incidence positive sur le poids, le taux de cholestérol, la tension artérielle et le taux de glucose sanguin. Nul ne doit devenir un athlète de haut calibre pour mieux se sentir dans sa peau. De tout petits accrocs à votre routine quotidienne peuvent avoir une incidence positive sur votre taux de glucose sanguin et partant sur votre santé.

Vous pouvez faire des choses simples afin d'accroître votre niveau d'activité physique, bien que certaines activités soient déconseillées en fonction de l'état de santé de chacun. Commencez par un programme d'exercices léger ou modéré et accroissez peu à peu le niveau d'activité. Si vous n'avez pas pris d'exercice depuis un bon moment, consultez votre médecin avant d'entreprendre ce genre de programme et donnez à votre corps le temps de s'habituer à des exercices vigoureux.

Quel que soit le type d'activité que vous pratiquez, ajoutez des exercices fondés sur l'endurance. Ainsi, vous exercerez votre cœur et votre système circulatoire, les cellules de vos muscles réagiront mieux à l'insuline et votre organisme sécrétera davantage de ces hormones qui laissent un sentiment de bien-être. Les exercices fondés sur l'endurance permettent également d'éliminer le gras. Plus vous persévérez, plus vous puisez dans les réserves de graisse de votre organisme. Des séances régulières de 20 à 30 minutes vous feront perdre du poids, mais vous devriez être en mesure de parler sans souffler fort et votre pouls ne devrait pas excéder 130 battements à la minute.

> Les exercices les plus indiqués n'imposent aucune pression aux articulations. Il s'agit d'activités telles que :
> - la marche ;
> - la marche rapide ;
> - le vélo ;
> - la natation ;
> - la danse.

Les activités pour lesquelles il faut vite changer de direction exercent une pression sur les articulations. Si vous avez une surcharge pondérale ou une faiblesse au dos ou aux genoux, évitez de pratiquer :

- le jogging ;
- le tennis ;
- le soccer.

On développe sa masse musculaire en s'entraînant avec des poids. Étant donné que les muscles brûlent davantage de calories que de gras, le besoin en énergie demeure élevé. L'entraînement en force musculaire ne vous aidera pas à perdre du poids mais votre silhouette s'amincira et vous aurez un meilleur tonus musculaire.

L'idéal consiste à combiner les exercices fondés sur l'endurance et l'entraînement en force musculaire. Ainsi, vous pourriez marcher d'un pas rapide pendant 30 minutes trois ou quatre fois par semaine et faire des exercices avec des poids une fois la semaine.

L'activité quotidienne

Profitez des nombreuses possibilités qui se présentent chaque jour :

- Parcourez les courtes distances à pied ou à vélo.
- Si vous prenez souvent votre auto ou si vous empruntez les transports en commun, garez votre véhicule ou descendez de l'autobus plusieurs pâtés de maisons avant votre lieu de destination et faites le reste du trajet à pied.
- Empruntez les escaliers plutôt que les ascenseurs ou les escaliers mécaniques.
- Si vous êtes assis une bonne partie de la journée, faites des exercices pour les jambes pendant vos pauses. En plus de vous faire bouger, ils vous aideront à conserver votre souplesse.

L'activité récréative

Prévoyez pratiquer davantage d'activités physiques pendant vos moments de loisir et les week-ends. Il n'en tient qu'à vous de faire de l'exercice en solitaire ou en compagnie de quelqu'un, dans un cadre structurant, au sein d'une équipe ou en adhérant à un club de santé.

- Faites une promenade en soirée plutôt que regarder la télévision.
- Faites vos courses dans votre quartier à pied ou à vélo.
- Pratiquez la natation une fois la semaine.
- Plutôt qu'acheter vos provisions en une seule fois, rendez-vous plus souvent à l'épicerie à pied.
- Allez visiter un club de santé. Vous pourriez y pratiquer différentes activitésdont de la gymnastique aérobique et de la danse exercice.

- Adhérez à un club où l'on pratique des activités qui vous plaisent : tennis, aviron, randonnée pédestre, cyclisme, tai-chi, sports d'équipe.

Le sport et l'activité physique vigoureuse

Si vous faites davantage d'activité physique, vos muscles fonctionneront plus. Il s'agit d'un avantage important car le travail musculaire permet d'accroître la quantité d'insuline que les cellules absorbent.

Les muscles contraints de fonctionner davantage ont besoin d'une plus grande quantité d'énergie. L'organisme consomme davantage de glucides et le taux de glucose sanguin chute, de telle sorte que les athlètes diabétiques doivent soigneusement coordonner leur

apport glucidique et leur dose d'insuline afin de prévenir l'hypoglycémie.

Afin d'éviter l'hypoglycémie, assurez-vous que vous disposez d'une provision de glucides lorsque vous soumettez votre corps à une activité physique plus vigoureuse qu'à l'ordinaire. Si vous prenez un médicament pour réduire votre taux de glucose sanguin, demandez à votre médecin quelle quantité vous devez prendre avant, pendant

et après une séance d'exercices physiques épuisante.

S'il s'agit d'une activité qui n'était pas planifiée, n'oubliez pas de prendre avec vous une collation, notamment des boissons gazeuses, afin de fournir davantage de glucose à votre organisme. Si vous projetez une activité fondée sur l'endurance ou si vous en pratiquez une de façon régulière, prévoyez réduire votre dose de médicament.

Tout médicament destiné à réduire le taux de glucose sanguin doit être dosé en fonction de l'effet positif que l'activité physique a sur ce même taux. Autrement, on risque l'hypoglycémie car l'accroissement du travail musculaire au cours de la séance d'exercice entraîne une plus forte concentration de glucose sanguin dans les cellules des muscles. Si l'on n'ajuste pas la dose de médicament en fonction de cette hausse, le taux de glucose sanguin pourrait être trop faible.

Évaluez votre taux de glucose sanguin avant et après chaque séance d'exercice (si une activité se déploie sur une longue période, mesurez-le au mitan également). Mangez une banane ou buvez un verre de jus de pomme ou d'orange, selon le résultat.

L'hypoglycémie présente les symptômes suivants :

- la transpiration ;
- des tremblements ;
- un appétit d'ogre ;
- une sensation de faiblesse ;
- une faiblesse au niveau des genoux ;
- un rythme cardiaque rapide ;
- des troubles de la vue.

Ligne de conduite :
Consommez un aliment de plus riche en glucides (15 g), par exemple 250 mL (1 tasse) de yaourt allégé non sucré, un petit fruit, 125 mL (1/2 tasse) de jus de fruit, une tranche de pain ou la moitié d'un bagel ou d'un muffin, pour chaque demi-heure d'activité physique ou réduisez la dose de votre médicament après en avoir touché un mot à votre médecin.

Ayez toujours du glucose sur vous afin de réagir rapidement aux premiers indices d'hypoglycémie.

Conseils pratiques

Faible teneur en matière grasse

- Employez une variété d'huiles et de vinaigres aux parfums particuliers. Les huiles pressées à froid ont un goût plus prononcé.
- N'employez pas de vinaigrettes du commerce et optez pour du vinaigre et de l'huile ou du yaourt plutôt que pour une vinaigrette crémeuse.
- Il suffit de 5 mL (1 c. à thé) d'huile pour napper une portion de salade.
- Si vous préférez les vinaigrettes crémeuses, ajoutez du babeurre, du kéfir, du yaourt allégé ou de la crème sure allégée plutôt que de la crème fraîche ou d'autres produits laitiers à forte teneur lipidique.
- Afin de préparer une bonne sauce, faites mijoter différents légumes. Les sauces brunes sont plus parfumées lorsqu'on leur ajoute des carottes, des tomates et de l'oignon hachés fin, une branche de céleri et du poireau en morceaux. Pour obtenir une sauce plus légère, prenez du blanc de poireau, de l'oignon, du céleri ou des carottes.
- Plutôt que d'épaissir une sauce avec de la crème, réduisez les légumes cuits en purée et liez-la au bouillon. Un trait de lait concentré sucré allégé peut également faire l'affaire.
- On peut épaissir une soupe comme on le fait d'une sauce, en lui ajoutant de la purée de légumes.
- On peut préparer la sauce qui accompagne un rôti avec du babeurre, du kéfir, de la crème sure ou du yaourt allégé. Déposez-en quelques cuillerées dans un petit bol, versez un peu de bouillon chaud et versez la sauce dans la cocotte. Il n'est pas nécessaire de cuire davantage. La sauce aura autant de goût que si vous l'aviez préparée avec de la crème sure à forte teneur lipidique.
- On peut cuire ses aliments avec peu de matière grasse et conserver leurs vitamines en les faisant sauter, braiser ou dorer dans un wok ou une poêle antiadhésive.
- Plus les aliments sont taillés fin, moins il faut les cuire longtemps. Tranchez vos légumes en julienne ou en dés. Si vous cuisez au wok, découpez la viande en fines languettes.
- N'employez plus de crème à fouetter ! Le fromage blanc allégé devient léger et crémeux lorsqu'on le fouette avec quelques gouttes d'eau gazeuse.
- Deux parties égales de fromage blanc allégé (ou de fromage cottage en purée) et de yaourt allégé font une excellente base à vinaigrette, à sauce et à dessert.

Fibres

- Privilégiez les produits céréaliers complets afin d'accroître votre apport en fibres. Il n'est pas essentiel d'y retrouver la graine entière. Goûtez aux pains préparés à partir de farine complète finement moulue.
- Le riz brun a un parfum de noisette qui vous plaira.
- Lorsque vous avez envie de manger des pâtes de céréales complètes préparées sans œufs, goûtez aux nouilles d'épeautre. Vous apprécierez leur goût délicat.

Sucre et épices

- Les épices et les fines herbes rehaussent le goût de tous les mets et remplacent avantageusement le sel. On ajoute les fines herbes à un plat chaud au moment de le servir, sinon elles perdent leur saveur.
- Les aliments riches en fibres, en protéines et en gras retardent le transfert du sucre dans les vaisseaux sanguins. Si on l'associe à ces nutriments, le sucre fait moins augmenter le taux de glucose sanguin. Des biscuits ou du pain complets accompagnés de marmelade et d'une petite portion de fromage blanc ou de purée de fromage cottage allégé font très bien l'affaire.
- Lorsque vous préparez une recette à base de fruits, réduisez la moitié des fruits en purée. Le fructose est très sucré ; vous pourrez donc vous passer d'autres édulcorants.
- Les succédanés ne comptent pas d'avantages par rapport au sucre véritable. Employez des édulcorants dans les boissons et du sucre ordinaire (avec modération) lorsque vous préparez des gâteaux. Réduisez peu à peu votre consommation de sucre afin d'en éprouver moins le besoin.
- L'aspartame ne sert pas à la préparation de plats cuisinés.
- Employez des épaississants végétaux tels que la farine de caroube et la gomme de guar (on en trouve dans les boutiques d'aliments naturels) plutôt que de l'amidon de blé ou de pommes de terre.

Conseil: Ajoutez une pincée d'épaississant par portion de soupe ou de sauce et prévoyez une dizaine de minutes de cuisson.

Cuisson au four

- Employez de la farine complète moulue grossièrement ou la moitié de la quantité de farine moulue finement. Il vous faudra probablement ajouter davantage de liquide que ce que prévoit la recette.

Produits destinés aux diabétiques

- Offrez-vous une sucrerie de temps en temps. Il y a long-temps que les personnes atteintes de diabète ne sont plus obligées de se passer de sucre.
- En général, il n'est pas nécessaire de ne consommer que des produits qui contiennent des succédanés de sucre. Ces produits sont souvent plus chers et leur teneur en matière grasse et leur nombre de calories sont aussi élevés, de sorte qu'ils n'offrent aucun avantage.
- Tous les produits dits diététiques ne conviennent pas aux diabétiques.
- Plutôt que de manger du chocolat diète, vous pouvez vous offrir du chocolat semi-sucré qui contient beaucoup moins de sucre que le chocolat au lait. N'oubliez toutefois pas qu'ils sont tous deux très gras.
- Si vous avez envie de vous offrir une sucrerie une ou deux fois par semaine, accordez-vous ce plaisir !

- Lorsque vous préparez une recette standard, réduisez d'un tiers ou d'un quart la quantité de sucre prévue. Le plat n'en sera pas moins goûteux.

Suppléments alimentaires

- On propose une multitude de vitamines, de minéraux et d'oligo-éléments aux personnes atteintes de diabète. Leur efficacité n'est pas prouvée et ils ne sont nécessaires qu'en de rares cas. Si vous devez prendre des suppléments, il revient à votre médecin de vous recommander lesquels.
- Les nutriments que l'on trouve dans les aliments frais, naturels sont les meilleurs qui soient. La meilleure source de nutriments se trouve dans un menu varié qui prévoit trois portions de légumes et deux petites portions de fruits frais par jour.
- Les aliments qui n'ont subi aucune transformation ou qui ont été légèrement transformés conservent leurs fibres et de nombreux nutriments. Il vaut mieux manger des fruits frais que de boire du jus de fruit, du riz brun plutôt que du riz blanc, des pommes de terre bouillies plutôt que des frites et du pain complet plutôt qu'une baguette.

Conseils supplémentaires

- Il ne faut manger des œufs qu'une ou deux fois par semaine. N'oubliez pas que la majorité des nouilles, des gâteaux et des biscuits sont préparés avec des œufs.
- Le traitement et la transformation des matières grasses peuvent produire des acides gras trans. On décèle leur présence lorsqu'on lit : « graisse végétale partiellement hydrogénée » et ils peuvent avoir une incidence nocive sur le taux de cholestérol sanguin.
- Ne servez des aliments préparés qu'en dernier recours, à condition que leur association à d'autres aliments n'entraîne pas de répercussions négatives. Bon nombre d'aliments préparés contiennent quantité de gras, de sucre et de sel.
- Si vous buvez souvent de l'eau minérale ou du thé afin d'étancher votre soif, un verre de vin au dîner ne vous fera pas de mal.

- Si vous prenez un repas au cours duquel se succèdent plusieurs plats, vous absorberez assurément davantage de glucides qu'à l'ordinaire ; aussi, privez-vous de dessert et demandez une tasse de café ou de thé.
- Afin de compenser le surplus de calories et de matières grasses que vous avez absorbées au cours d'une journée passée à l'extérieur, mangez moins le lendemain, évitez en particulier les aliments gras dont l'apport calorique est élevé.

Hypoglycémie

- Vous pourriez prévenir une crise d'hypoglycémie au cours de la nuit en prenant avant le coucher une collation composée d'une tartine de pain complet servie avec du fromage blanc allégé, de la purée de fromage cottage ou du yaourt allégé, ou la moitié d'une tablette granola. Ce genre de collation, dont l'indice glycémique est peu élevé, accroît lentement le taux de glucose sanguin et sert bien les personnes qui doivent s'injecter de l'insuline avant la nuit.
- Ayez toujours du glucose ou du jus de fruit à portée de main afin d'accroître rapidement votre taux de glucose sanguin en cas d'urgence.
- Votre taux de glucose sanguin peut malgré tout chuter abruptement quelques heures après que vous avez consommé de l'alcool ou participé à une séance d'exercices vigoureux si votre apport en glucides est insuffisant.

Petits déjeuners et collations

Prenez un petit déjeuner digne d'une reine

Les oiseaux de nuit et les lève-tôt peuvent partir du bon pied après un petit déjeuner alléchant et nutritif. Alignez une petite portion de fruit, un produit céréalier tel que du pain et un produit laitier pour vous faire un premier repas exemplaire. Le petit déjeuner doit être léger et servi dans une atmosphère détendue.

Müesli à la noix de coco et carpaccio de papaye

Glucides	●●◖	20 minutes
Matières grasses	●●	
Fibres	●●	

Environ 220 calories par portion
7 g de protéines • 7 g de gras • 29 g de glucides

POUR 2 PORTIONS :
1 petite papaye mûre
30 mL (2 c. à s.) de noix de coco non sucrée, en flocons ou émincée
375 mL ou 50 g (1 1/2 tasse) de flocons multigrains
175 mL ou 200 g (3/4 de tasse) de kéfir ou de yaourt allégé
pincée de gingembre moulu
pincée de cannelle moulue
15 mL (1 c. à s.) de nectar de poire

1 Pelez la papaye, tranchez-la en deux et retirez les graines. Taillez la moitié du fruit en fines tranches et le reste en dés.

2 Faites dorer la noix de coco sans corps gras dans une poêle antiadhé-sive. Versez les flocons multigrains et les dés de papaye dans deux bols.

3 Mélangez le kéfir, le gingembre, la cannelle et le nectar de poire. Versez sur le müesli et garnissez de tranches de papaye.

!! REMARQUE :
Avec un bol de müesli, vous par-tirez du bon pied. Si vous prenez du müesli du com-merce, lisez attentivement la liste d'ingrédients. N'achetez pas de müesli auquel on aurait ajouté du sucre sous quelque forme que ce soit.

Müesli avec abricots et yaourt

Glucides	●●	15 minutes
Matières grasses	—	
Fibres	●	

Environ 119 calories par portion
4 g de protéines • 17 g de gras • 23 g de glucides

POUR 2 PORTIONS :
45 mL ou 30 g (3 c. à s.) de grains de blé
30 mL (2 c. à s.) d'eau
75 mL ou 100 g (1/3 de tasse) de yaourt allégé
5 mL ou 15 g (1 c. à s.) de miel liquide
5 mL (1 c. à s.) de jus d'argou-sier ou de canneberge non sucré
2 traits d'édulcorant liquide
50 mL ou 20 g (1/4 de tasse) d'abricots séchés
1/2 orange
5 mL (1 c. à s.) de copeaux de chocolat mi-amer

1 Moulez grossièrement les grains de blé, versez l'eau en remuant et laissez tremper jusqu'au lendemain, à couvert, dans le frigo.

2 Au matin, ajoutez en remuant le yaourt, le miel, le jus d'argousier et l'édulcorant jusqu'à obtention d'une consis-tance homogène.

3 Taillez les abricots en fines lanières. Ajoutez-les à la préparation à base de yaourt et de blé.

4 Pelez l'orange, retirez sa membrane blanche et taillez-la en petites bouchées. Ajoutez-la au müesli.

5 Servez-le müesli dans deux bols, garnissez de copeaux de chocolat et servez.

Müesli croquant aux pommes et à la banane

Glucides	●●●◖	15 minutes
Matières grasses	●●	
Fibres	●●	

Environ 249 calories par portion
4 g de protéines • 9 g de gras • 38 g de glucides

POUR 2 PORTIONS :
1 banane
2 pommes
75 mL ou 75 g (5 c. à s.) de yaourt allégé
15 mL ou 15 g (1 c. à s.) de beurre
2 mL (_ c. à s.) de vanille
15 mL (1 c. à s.) d'amandes effilées ou de gruau de sarrasin
60 mL (4 c. à s.) de flocons d'avoine
quelques groseilles rouges

1 Pelez la banane et réduisez-la en purée à l'aide d'une fourchette. Enlevez le cœur de la pomme, taillez-en quelques quartiers et réservez. Râpez finement le reste de la pomme, avec ou sans la pelure, et ajoutez-la en remuant à la purée de banane et à la vanille.

2 Dans un petit plat ou une poêle qui va au four, faites fondre le beurre et versez en remuant les amandes et les flocons d'avoine. Faites-les revenir à feu moyen, au four à 190 °C (375 °F) ou sous la salamandre jusqu'à ce qu'ils soient dorés, en prenant garde qu'ils ne brûlent pas. Laissez-les refroidir, puis ajoutez le mélange de fruits et de yaourt.

3 Garnissez de groseilles et de quartiers de pomme.

Macédoine de fruits et sauce aux cajous

Glucides	●●◖	25 minutes
Matières grasses	●	
Fibres	●	

Environ 162 calories par portion
4 g de protéines • 5 g de gras • 25 g de glucides

POUR 2 PORTIONS :
1 petite orange
150 mL ou 100 g (2/3 de tasse) de raisins rouges
1 petit kiwi
1 petite pomme rouge
30 mL (2 c. à s.) de jus de citron
30 mL (2 c. à s.) de beurre de cajous non sucré
75 mL ou 75 g (5 c. à s.) de yaourt allégé
30 mL (2 c. à s.) de cajous

1 Pelez l'orange, retirez sa membrane blanche et divisez-la en quartiers en prenant soin de réserver le jus qui s'en échapperait. Taillez les raisins en deux et épépinez-les. Pelez le kiwi, taillez-le en deux et puis en tranches.

2 Taillez la pomme en quartiers, évidez-la et tranchez-la. Sans tarder, faites tremper les tranches de pommes dans le jus de citron, remuez-les et retirez-les. Mélangez tous les fruits et versez-les dans de petits bols.

3 Mélangez les jus de citron et d'orange que vous avez réservés au beurre de cajous et ajoutez-les au yaourt en remuant.

4 Faites revenir à feu moyen les cajous coupés en morceaux dans une poêle antiadhésive. Versez la sauce aux cajous sur la macédoine. Garnissez de noix hachées grossièrement.

Sandwich aux fruits et au fromage à la crème

Glucides	● ●	15 min
Matières grasses	–	
Fibres	●	

Environ 134 calories par portion
4 g de protéines • 2 g de gras •
24 g de glucides

POUR 2 PORTIONS :
4 tranches de pain complet
125 mL ou 50 g (1/2 tasse)
    de framboises
30 mL (2 c. à s.) de fromage à la
    crème allégé
1 pêche

1 Faites griller le pain. Rincez les framboises et réduisez-les en purée avant de les incorporer au fromage à la crème. Ajoutez un peu d'eau s'il le faut et remuez jusqu'à obtention d'une consistance onctueuse. Tartinez deux tranches de pain.

2 Taillez la pêche en deux et retirez le noyau. Taillez-la en fines tranches que vous disposerez sur la préparation au fromage. Posez les deux tranches de pain grillé et servez.

!! **REMARQUE** : Vous pouvez préparer ce sandwich avec des groseilles rouges ou des framboises.

Petits pains fourrés de ricotta

Glucides	● ● ●	15 min
Matières grasses	● ● ●	
Fibres	● ●	

Environ 288 calories par portion
11 g de protéines • 12 g de gras •
34 g de glucides

POUR 2 PORTIONS :
75 mL ou 80 g (1/3 de tasse) de
    ricotta
15 à 30 mL (1 ou 2 c. à s.) de lait
    écrémé
quelques gouttes d'édulcorant
    liquide
1 petite pomme
15 mL (1 c. à s.) de jus de citron
2 petits pains complets
30 mL (1 c. à s.) de pignons

1 Mélangez la ricotta, le lait et l'édulcorant.

2 Pelez la pomme et râpez-la grossièrement; arrosez-la de jus de citron et incorporez-la à la préparation à base de ricotta.

3 Taillez les petits pains en deux et tartinez-les de ricotta. Hachez grossièrement les pignons et faites-les revenir sans corps gras dans une poêle antiadhésive à feu moyen jusqu'à ce qu'ils soient dorés, en prenant soin qu'ils ne brûlent pas. Parsemez-en la ricotta.

!! **REMARQUE** : La ricotta est un fromage italien à pâte molle et au goût peu prononcé. Elle peut être faite de lait entier, de lait partiellement écrémé ou de lait écrémé et contenir entre 16 et 50 pour cent de m.g.

Poire et fromage blanc sur pumpernickel

Glucides	●	15 min
Matières grasses	–	
Fibres	● ●	

Environ 92 calories par portion
8 g de protéines • 1 g de gras •
14 g de glucides

POUR 2 PORTIONS :
125 mL ou 100 g (1/2 tasse) de
    fromage blanc ou de purée
    de fromage cottage allégé
1 poire ferme
1 généreuse pincée de cannelle
    moulue
sel
30 mL ou 24 g (1 c. à s.) de sauce de
    canneberges exempte de sucre
2 tranches de pumpernickel

1 Remuez le fromage blanc jusqu'à obtention d'une consistance crémeuse. Taillez la poire en deux et retirez son cœur. Râpez-la et incorporez-la au fromage.

2 Ajoutez une généreuse pincée de cannelle et une pincée de sel. Versez la sauce aux canneberges en remuant légèrement.

3 Tartinez les tranches de pumpernickel.

!! **REMARQUE** : Le pumpernickel est indiqué pour équilibrer le taux de glucose sanguin. Il contient beaucoup moins de glucides que les autres pains mais il est fait de céréales complètes. Bien qu'il contienne plus d'eau et moins de sel, il s'agit d'une importante source de vitamines et de minéraux. Les petites miches rondes font une bonne solution de rechange aux grands pains. Vous pouvez en manger entre les repas pour apaiser une fringale.

En haut : Sandwich aux fruits et au fromage à la crème

En bas à gauche : Petits pains fourrés de ricotta

En bas à droite : Poire et fromage blanc sur pumpernickel

Pains à la citrouille tartinés au bleu

Glucides	●●◖	40 minutes
Matières grasses	–	(+ 1 h pour faire lever la pâte
		+ 20 min pour laisser reposer)
Fibres	●	(+ 20 minutes de cuisson)

Environ 166 calories par portion
9 g de protéines • 3 g de gras • 26 g de glucides

POUR FAIRE 8 PAINS :

125 mL ou 350 g (1/2 tasse) de purée de citrouille cuite ou en conserve
1 c. à t. de sel
500 mL ou 250 g (2 tasses) de farine de blé complet grossièrement moulue
1 sachet de levure vivante (7 g, 1/4 d'oz ou 2 1/4 c. à t.)
1 pincée de sucre
15 mL (1 c. à s.) de graines de citrouille séchées, hachées
60 mL (4 c. à s.) d'eau tiède
125 mL ou 40 g (1/2 tasse) de fromage bleu
1 échalote
10 mL (2 c. à t.) de jus de citron
175 mL ou 160 g (3/4 de tasse) de fromage blanc ou de purée de fromage cottage allégé
30 mL (2 c. à s.) de persil plat haché fin
poivre moulu

1 Afin de préparer vous-même la purée de citrouille, taillez en dés environ 450 g (1 lb) de chair de citrouille que vous déposerez dans une casserole. Versez un peu d'eau et deux pincées de sel. Amenez à ébullition, réduisez l'intensité du feu et laissez cuire à couvert à feu doux pendant 15 minutes ou jusqu'à ce que la chair soit tendre. Retirez la citrouille de la casserole, égouttez-la et laissez-la refroidir. Déposez-la dans une mousseline que vous tordrez pour la réduire en purée. Il vous en faut 125 mL (1/2 tasse).

2 Dans un grand bol, mélangez la farine, la levure, 2 mL (1/2 c. à t.) de sel et une pincée de sucre. À l'aide d'un batteur, incorporez la purée et les graines de citrouille et malaxez jusqu'à obtention d'une consistance homogène. Ajoutez l'eau peu à peu. Laissez gonfler la pâte pendant une heure en prenant soin de la couvrir.

3 Faites chauffer le four à 180 °C (350 °F). Pétrissez la pâte sur une surface légèrement farinée. Divisez-la et façonnez huit petits pains que vous poserez sur une plaque chemisée de papier sulfurisé. Laissez-les reposer pendant 30 minutes et enfournez-les pendant 20 autres minutes.

4 Taillez l'échalote. Dans un bol, réduisez le fromage en crème à l'aide d'une fourchette. Ajoutez en remuant l'échalote, le jus de citron, le fromage blanc et le persil. Poivrez et servez avec les petits pains à la citrouille.

 REMARQUE : Les petits pains à la citrouille se conservent pendant une journée; on peut les congeler et les réchauffer au four.

Pain grillé et fromage à la crème

Glucides	●	20 minutes
Matières grasses	–	
Fibres	●	

Environ 78 calories par portion
6 g de protéines • 1 g de gras • 12 g de glucides

POUR 2 PORTIONS :

4 ou 5 radis
50 mL ou 50 g (1/4 de tasse) de fromage à la crème allégé
poivre moulu
2 tranches de pain complet
50 mL ou 30 g (1/4 de tasse) de concombre
15 mL (1 c. à s.) de cresson
1 tomate moyenne
sel

1 Hachez finement les radis et mélangez-les au fromage à la crème. Poivrez légèrement. Versez un peu d'eau et remuez jusqu'à obtention d'une consistance crémeuse. Faites griller les tranches de pain, laissez-les refroidir un peu et tartinez-les de ce mélange.

2 Taillez le concombre en fines tranches et disposez-les sur la préparation au fromage. Posez le cresson sur le concombre.

3 Taillez la tomate en quartiers et disposez-les sur le cresson. Saupoudrez du sel et du poivre.

REMARQUE : Afin de rehausser le goût de la préparation, ajoutez 2 mL (1/2 c. à t.) de moutarde de Dijon au fromage à la crème. Vous pouvez également allonger le fromage de yaourt.

REMARQUE : Le pain grillé apaise davantage la faim que le pain qui ne l'est pas. Cela vaut pour toutes les sortes de pain. Essayez, vous verrez !

En haut : Pains à la citrouille tartinés au bleu
En bas : Pain grillé et fromage à la crème

Sandwich à la dinde et à la rémoulade

Glucides	●●	30 min
Matières grasses	●●	
Fibres	●	

Environ 189 calories par portion
9 g de protéines • 9 g de gras • 18 g de glucides

POUR 2 PORTIONS :
1 œuf dur
30 mL ou 30 g (2 c. à s.) de crème sure allégée
45 mL ou 20 g (3 c. à s.) de cornichons hachés fin
2 mL (1/2 c. à t.) de moutarde
7 mL (1 1/2 c. à t.) de fines herbes hachées, p. ex. de la ciboulette, du persil, de l'aneth et du cerfeuil
1 gros quartier de pomme
sauce Worcestershire
sel
édulcorant liquide
2 tranches de pain complet (85 g ou 3 oz)
10 mL ou 10 g (2 c. à t.) de margarine
2 tranches de poitrine de dinde désossée, sans la peau
2 feuilles de laitue

1 Pelez et hachez fin l'œuf dur. Mélangez environ la moitié de la crème sure, les cornichons, la moutarde et les fines herbes dans un petit bol. Râpez finement 5 mL (1 c. à t.) de la pomme et ajoutez-les à la rémoulade. Tranchez le reste de la pomme, faites-en de petits dés et réservez. Assaisonnez la rémoulade avec un trait de sauce Worcestershire, un peu de sel et d'édulcorant.

2 Étendez la margarine sur le pain. Posez une feuille de laitue sur chaque tranche de pain et couvrez-la d'une tranche de dinde.

3 Versez la rémoulade sur la dinde et garnissez avec le hachis d'œuf dur et les morceaux de pomme.

Petits pains farcis à la crème de jambon

Glucides	●●	10 min
Matières grasses	●	
Fibres	●	

Environ 212 calories par portion
17 g de protéines • 6 g de gras • 22 g de glucides

POUR 2 PORTIONS :
60 g (2 oz) de jambon maigre cuit
125 mL ou 100 g (1/2 tasse) de fromage blanc ou de purée de fromage cottage allégé
poivre blanc
paprika
2 petits pains complets
2 petits cornichons
15 mL (1 c. à s.) de petites câpres
15 mL (1 c. à t.) de ciboulette hachée

1 Le cas échéant, retirez la couenne et taillez le jambon en dés.

2 Réduisez en purée le fromage et le jambon au mélangeur, au robot culinaire ou à l'aide d'un pilon. Assaisonnez de poivre blanc et de paprika et remuez.

3 Taillez les petits pains en deux et garnissez-les de la préparation au jambon. Tranchez les cornichons, posez-les sur les pains et garnissez de câpres et de ciboulette hachée.

!! REMARQUE : Des fines herbes et des pousses de radis ou de la luzerne rehausseront la saveur de tous les sandwiches. Elles fournissent de l'énergie en plus des vitamines et des minéraux qu'elles contiennent.

Pesto et luzerne sur pain de seigle

Glucides	●●●	15 min
Matières grasses	●●	
Fibres	●●	

Environ 252 calories par portion
16 g de protéines • 7 g de gras • 31 g de glucides

POUR 2 PORTIONS :
125 mL ou 100 g (1/2 tasse) de fromage à la crème allégé
15 mL (1 c. à s.) de graines de lin
15 mL (1 c. à s.) de germe de blé
sel et poivre blanc
2 petits pains de seigle complet
10 mL (2 c. à t.) de pesto (préparé)
175 mL ou 75 g (3/4 de tasse) de pousses mélangées : luzerne, blé, pois chiches, radis, lin
2 petites tomates

1 Dans un petit bol, mélangez le fromage à crème, les graines de lin et le germe de blé. Salez et poivrez. S'il le faut, ajoutez un peu d'eau et remuez jusqu'à obtention d'une consistance crémeuse.

2 Taillez les petits pains en deux. Tartinez du pesto sur chaque morceau de pain, puis garnissez-les de préparation au fromage.

3 Rincez et égouttez les pousses que vous avez choisies et garnissez-en les pains. Taillez les tomates en quartiers et servez-les sur le pain ou en accompagnement.

En haut : Sandwich à la dinde et à la rémoulade

En bas à gauche : Petits pains farcis à la crème de jambon

En bas à droite : Pesto et luzerne sur pain de seigle

Flip à la poire et au babeurre

Glucides	●◖	5 minutes
Matières grasses	–	
Fibres	●	

Environ 82 calories par portion
2 g de protéines • 0 g de gras •
16 g de glucides

POUR 2 PORTIONS :
1 poire mûre
125 mL ou 100 g (1/2 tasse)
de jus de poire
175 mL ou 200 g (3/4 de
tasse) de babeurre
pincée de cannelle moulue

1 Taillez la poire en deux, évidez-la et hachez-la finement.

2 Mélangez la poire, le jus de poire et le babeurre à l'aide d'un mélangeur ou d'un robot culinaire ou encore, réduisez-les en purée à l'aide d'un pilon.

3 Assaisonnez de cannelle, versez dans deux verres et servez avec des pailles.

Boisson santé

Glucides	◖	15 minutes
Matières grasses	–	
Fibres	–	

Environ 37 calories par portion
1 g de protéines • 0 g de gras •
7 g de glucides

POUR 2 PORTIONS :
150 mL ou 100 g (2/3 de
tasse) de fraises
150 mL ou 100 g (2/3 de
tasse) de pastèque
eau minérale
pincée de gingembre ou de
cannelle fraîchement
moulus
1/2 citron (de culture biologique, de préférence)
édulcorant liquide
glaçons

1 Équeutez et rincez les fraises, et déposez-les dans le récipient d'un mélangeur ou d'un robot culinaire.

2 Épépinez la pastèque, taillez-la grossière-ment et ajoutez-la aux

fraises. Ajoutez le gingembre et suffisamment d'eau minérale pour faire 400 mL (1 2/3 tasse). Réduisez-les en purée.

3 Taillez deux fines tranches de citron et réservez-les. Râpez une pincée de zeste à même le citron qui reste et exprimez-en entre 10 et 15 mL (2 à 3 c. à t.) de jus.

4 Assaisonnez la bois-son avec le zeste et le jus de citron, et trois ou quatre gouttes d'édulco-rant liquide.

5 Déposez des glaçons dans deux verres et versez la boisson. Taillez la moitié des tranches de citron que vous avez réservées et garnissez le bord de chaque verre.

Cocktail de cerise et de petit-lait

Glucides	◖◖	10 minutes
Matières grasses	–	
Fibres	–	

Environ 81 calories par portion
1 g de protéines • 0 g de gras •
18 g de glucides

POUR 2 PORTIONS :
1 banane
125 mL (1/2 tasse) de jus de
    cerise
300 mL (1 1/4 tasse) de
    petit-lait
1 gousse de vanille
2 bâtonnets de cannelle

1 Pelez la banane, tranchez-la et déposez-la dans le récipient d'un mélangeur ou d'un robot culinaire. Versez du jus de cerise, du petit-lait et réduisez-les en purée.

2 Taillez la gousse de vanille sur le sens de la longueur. À l'aide d'un couteau pointu, raclez les graines à l'intérieur de la gousse, ajoutez-les au mélange et mélangez de nouveau. Versez dans deux verres, garnissez chacun d'un bâtonnet de cannelle et servez.

!! REMARQUE :
Vous pouvez trouver du petit-lait dans les magasins de produits organiques ou dans la section réfrigérée de certains magasins d'alimentation.

!! REMARQUE :
Quand c'est possible, préférez acheter du jus de fruits pur à 100 %. Si vous ne pouvez pas en trouver à votre épicerie préférée, demandez au magasin d'aliments naturels le plus près de chez-vous.

Babeurre fouetté au parfum d'argousier

Glucides	●●	10 minutes
Matières grasses	–	
Fibres	–	

Environ 112 calories par portion
3 g de protéines • 1 g de gras •
22 g de glucides

POUR 2 PORTIONS :
1 orange (de culture
    biologique, de
    préférence)
250 mL (1 tasse) de
    babeurre froid
50 mL (1/4 de tasse) de jus
    d'argousier ou de can-
    neberge non sucré
30 mL (2 c. à s.) de nectar
    de poire
1 mL (1/4 c. à t.) de vanille
pincée de gingembre moulu

1 Rincez l'orange à l'eau chaude et asséchez-la. Prélevez deux longues lanières de zeste spiralées. Exprimez le jus du fruit.

2 Déposez dans le récipient d'un mélangeur ou d'un robot culinaire le babeurre, le jus d'argousier et le nectar de poire. Ajoutez le jus d'orange et mélangez jusqu'à ce que le liquide soit mousseux.

3 Parfumez de vanille et de gingembre, et versez dans deux verres. Garnissez d'une lanière de zeste d'orange spiralée et servez bien froid.

Macédoine de melon et de petits fruits

Glucides	●●◖	20 min
Matières grasses	–	
Fibres	●	

Environ 157 calories par portion
3 g de protéines • 2 g de gras • 27 g de glucides

POUR 2 PORTIONS :

300 mL ou 200 g (1 1/4 tasse) de melon d'Antibes mûr (ou de melon de votre choix)

325 mL ou 50 g (1 1/3 tasse) de fraises

75 mL ou 50 g (1/3 de tasse) de mûres

50 mL (1/4 tasse) de marsala ou de xérès liquoreux

45 mL ou 45 g (3 c. à s.) de yaourt

10 mL (2 c. à s.) de jus de citron frais

15 mL (1 c. à s.) de sirop d'érable

pincée de cardamome moulue

quelques feuilles de menthe

1 Taillez le melon en deux et épépinez-le. Servez-vous d'une cuiller parisienne pour faire des boules avec la chair du melon.

2 Rincez et égouttez les baies. Taillez les fraises en deux et mélangez les baies aux boules de melon. Mouillez de marsala, mélangez quelque peu et réfrigérez à couvert pendant 15 minutes.

3 Entre-temps, mélangez le yaourt, le jus de citron et le sirop d'érable dans un petit bol jusqu'à obtention d'une consistance homogène. Parfumez avec la cardamome.

4 Disposez les fruits sur des assiettes, nappez de sauce au yaourt et garnissez de feuilles de menthe.

!! REMARQUE : Afin de donner à cette macédoine un parfum moyen-oriental, remplacez la cardamome par 5 mL (1 c. à t.) d'eau de rose.

Macédoine de riz et de fruits

Glucides	●●●●	30 min
Matières grasses	●	
Fibres	●	

Environ 268 calories par portion
12 g de protéines • 5 g de gras • 44 g de glucides

POUR 2 PORTIONS :

150 mL (2/3 de tasse) d'eau bouillante salée

75 mL ou 60 g (1/3 de tasse) de riz à grain long étuvé

sel

100 g (3 1/2 oz) de crevettes surgelées

1/2 melon galia ou d'Antibes

1 petite pomme sure

15 mL (1 c. à s.) de vinaigre

15 mL (1 c. à s.) d'huile de noix

poivre moulu

cari doux

1 Versez le riz dans l'eau, couvrez la cocotte et faites cuire à feux doux pendant 20 minutes en remuant de temps en temps.

2 Faites décongeler les crevettes. Épépinez le melon et, à l'aide d'une cuiller parisienne, faites des boules avec sa chair. Évidez la pomme et taillez-la en petits dés que vous jetterez dans le vinaigre.

3 Égouttez le riz et mélangez-le aux boules de melon et aux dés de pomme. Nappez d'huile de noix et saupoudrez le sel, le poivre et une pincée de cari. Laissez reposer pendant 15 minutes.

!! REMARQUE : Si vous en avez le temps, employez du riz brun (qui mettra entre 35 et 45 minutes à cuire) et remplacez le melon par la moitié d'une papaye juteuse. Il s'agit d'une heureuse association alimentaire.

Pamplemousse farci

Glucides	●	15 min
Matières grasses	–	
Fibres	●	

Environ 74 calories par portion
2 g de protéines • 3 g de gras • 11 g de glucides

POUR 2 PORTIONS :

1 gros pamplemousse rose

75 mL ou 50 g (1/3 de tasse) de bleuets

30 mL (2 c. à s.) de flocons d'avoine

15 mL (1 c. à s.) de noix de coco non sucrée, en flocons ou émincée

1 Taillez le pamplemousse en deux et détachez la chair de l'écorce à l'aide d'un couteau à lame recourbée ou d'un petit couteau à lame dentelée. Séparez les différents quartiers du fruit de leur membrane et réservez le jus. Raclez ce qui reste de membrane sur l'écorce.

2 Rincez et égouttez les bleuets. Mélangez-les aux flocons d'avoine, aux morceaux de pamplemousse et au jus. Garnissez les écorces de cette préparation.

3 Faites griller la noix de coco sans corps gras dans une poêle antiadhésive à feu moyen, en prenant soin qu'elle ne brûle pas. Saupoudrez la noix de coco sur les demi-pamplemousses.

!! REMARQUE : Le pamplemousse rose contient quantité de caroténoïdes, lesquels font office d'antioxydants et contribuent à prévenir le cancer, à renforcer le système immunitaire et à faire chuter le taux de cholestérol sanguin.

!! REMARQUE : Si le mélange vous semble trop sec, ajoutez en remuant entre 30 et 45 mL (2 à 3 c. à s.) de yaourt allégé ou de babeurre.

En haut : **Macédoine de melon et de petits fruits**
En bas à gauche : **Macédoine de riz et de fruits**
En bas à droite : **Pamplemousse farci**

Salade persane

Glucides	●●	25 min
Matières grasses	–	
Fibres	●●	

Environ 117 calories par portion
2 g de protéines • 2 g de gras
• 20 g de glucides

POUR 2 PORTIONS :

50 mL (1/4 de tasse) de jus de pomme

15 mL (1 c. à s.) de raisins

3 carottes moyennes (environ 425 mL ou 300 g ou 1 3/4 de tasse)

1 pomme

le jus d'un demi-citron

5 mL (1 c. à t.) d'huile de noix

1 Faites chauffer le jus de pomme et mettez-y les raisins à tremper pendant 15 minutes.

2 Pelez les carottes et râpez-les finement. Pelez, évidez et râpez finement la pomme. Mélangez-la aux carottes.

3 En remuant, versez le jus de citron, l'huile de noix, les raisins et le jus de pomme dans le mélange de carottes et de pommes.

!! **REMARQUE :** Vous pouvez ajouter un parfum d'exotisme à cette salade en remplaçant la pomme râpée par des quartiers d'orange. Faites tremper les raisins dans du jus d'orange et parfumez la salade d'une pincée de cari.

Salade de céleri et de poire

Glucides	●●◖	30 min
Matières grasses	●●●	
Fibres	●●●	

Environ 251 calories par portion
5 g de protéines • 13 g de gras
• 27 g de glucides

POUR 2 PORTIONS :

125 mL ou 250 g (1/2 tasse) de jus de poire

45 mL (3 c. à s.) de vinaigre de xérès

500 mL ou 100 g (2 tasses) de céleri tranché fin (environ 4 branches)

2 poires fermes

30 g (1 oz) de roquefort

30 mL (2 c. à s.) d'huile de noix

poivre moulu

1 Faites chauffer le jus de poire et le vinaigre dans une petite casserole. Ajoutez le céleri et laissez cuire à feu doux pendant cinq minutes.

2 Pelez, taillez en deux, évidez et tranchez finement les poires. Retirez le céleri du liquide de cuisson et mélangez-le aux poires alors qu'il est encore chaud. Réservez le liquide de cuisson.

3 Réduisez le roquefort en purée à l'aide d'une fourchette, versez l'huile de noix en remuant et 60 mL (4 c. à s.) du jus de poire allongé de vinaigre. Versez sur la salade. Laissez refroidir pendant 15 minutes avant de servir.

Bouchées à la dinde et trempette

Glucides	◖	30 min
Matières grasses	●●	
Fibres	–	

Environ 160 calories par portion
17 g de protéines • 5 g de gras
• 7 g de glucides

POUR 2 PORTIONS :

125 g (4 oz) de poitrine de dinde désossée, sans la peau

1 mL (1/4c. à t.) de thym séché

sel

1 mL (1/4 c. à t.) de cari

1 mL (1/4 c. à t.) de paprika doux

1 petit oignon

le quart d'une pomme pelée

15 mL (1 c. à s.) d'huile

5 mL (1 c. à t.) de jus de citron

5 ou 6 feuilles de basilic frais

150 mL ou 150 g (2/3 de tasse) de yaourt

sucre

le quart d'un concombre

6 tomates cerises

1 Taillez la dinde en 12 cubes de taille moyenne. Mélangez le thym, le sel, le cari et le paprika afin d'en assaisonner la viande.

2 Taillez l'oignon et la pomme en dés fins. Faites-les sauter dans de l'huile chaude à feu doux pendant cinq minutes.

3 Ajoutez les dés de dinde et faites-les revenir. Faites cuire à couvert à feu doux pendant cinq minutes. Retirez-les de la poêle et laissez-les refroidir.

4 Ciselez les feuilles de basilic en fines lanières. Mélangez la pomme, l'oignon, le jus de citron et le basilic au yaourt. Assaisonnez d'un peu de sel et de sucre.

5 Pelez le concombre, tranchez-le sur le sens de la longueur et taillez-en 12 morceaux. Taillez les tomates en deux. Embrochez les uns après les autres un dé de dinde, un morceau de concombre et une demi-tomate cerise sur 12 brochettes de bois. Disposez-les sur la trempette au yaourt.

Page ci-contre : Bouchées à la dinde et trempette

Sandwich à la tomate et à la livèche

Glucides	●●	20 minutes
Matières grasses	●	
Fibres	●	

Environ 156 calories par portion
5 g de protéines • 6 g de gras • 20 g de glucides

POUR 2 PORTIONS :
5 feuilles de livèche
50 mL ou 50 g (1/4 de tasse) de crème sure
sel
muscade fraîchement moulue
2 tomates moyennes
1 petit oignon rouge
5 mL (1 c. à s.) de margarine
2 tranches de pain complet
poivre du moulin
quelques feuilles de livèche

1 Ciselez cinq feuilles de livèche en fines lanières. Ajoutez-les en remuant à la crème sure et assaisonnez-les d'une pincée de sel et d'un soupçon de muscade.

2 Tranchez les tomates. Taillez l'oignon en deux avant de le trancher finement.

3 Tartinez de margarine les tranches de pain. Posez les tranches de tomates et poivrez-les. Versez la crème sure sur les tomates et garnissez de demi-lunes d'oignon et de feuilles de livèche.

!! **REMARQUE** : Le goût prononcé de la livèche ajoute du punch à ce goûter mais vous pouvez la remplacer par des feuilles de céleri finement hachées.

Canapés de pumpernickel et de crème Parmentier

Glucides	●●●	45 minutes
Matières grasses	–	
Fibres	●●●	

Environ 177 calories par portion
6 g de protéines • 1 g de gras • 36 g de glucides

POUR 2 PORTIONS :
1 pomme de terre farineuse
sel
la moitié d'une botte de fines herbes mélangées, p. ex. du cerfeuil, de la ciboulette, du persil, de l'oseille et de la bourrache
10 à 15 mL (2 à 3 c. à t.) de fromage blanc ou de purée de fromage cottage allégé
5 mL (1 c. à t.) de chutney aux mangues
2 mL (1/2 c. à t.) de graines de coriandre moulues
12 pumpernickels ronds
la moitié d'une botte de radis

1 Pelez la pomme de terre et faites-la bouillir pendant 20 minutes à couvert dans de l'eau salée. Égouttez-la et passez-la au presse-purée ou au pilon pendant qu'elle est chaude.

2 Retirez les feuilles des fines herbes et réservez-en quelques-unes. Hachez finement le reste des feuilles et incorporez-les à la purée et au fromage blanc. Ajouter le chutney en remuant et assaisonnez de sel, de graines de coriandre moulues et de poivre.

3 Tartinez la crème de pomme de terre sur les tranches de pumpernickel. Garnissez de radis joliment taillés et des feuilles que vous avez réservées.

Crostini à la courgette, aux olives et à la féta

Glucides	●	30 minutes
Matières grasses	●●	
Fibres	●	

Environ 170 calories par portion
9 g de protéines • 9 g de gras • 12 g de glucides

POUR 2 PORTIONS :
6 olives noires dénoyautées
60 g (2 oz) de féta
1 1/2 courgette
1 petit oignon rouge
5 mL (1 c. à t.) d'huile d'olive
1 gousse d'ail
sel et poivre du moulin
2 tranches de pain complet

1 Faites chauffer le four à 250 °C (475 °F).

2 Taillez les olives en deux ou en quatre, selon leur taille. Tranchez la féta en petits dés. Râpez grossièrement la courgette. Tranchez l'oignon en petits dés.

3 Faites chauffer l'huile dans une poêle antiadhésive. Ajoutez l'oignon et faites-le cuire jusqu'à ce qu'il devienne transparent. Ajoutez la courgette. Pelez et écrasez la gousse d'ail et faites-la cuire avec l'oignon et la courgette à feu doux pendant cinq minutes. Ajoutez les olives en remuant, salez et poivrez.

4 Faites griller le pain. Tartinez la préparation sur les tranches de pain grillé. Saupoudrez des dés de féta. Faites cuire au centre du four pendant quelques minutes, jusqu'à ce que le fromage ait un peu fondu.

En bas à gauche : Canapés de pumpernickel et de crème Parmentier
En bas à droite : Crostini à la courgette, aux olives et à la féta
En haut : Sandwich à la tomate et à la livèche

Canapés au fromage blanc et au poivron rouge

Glucides	●◖	20 minutes
Matières grasses	–	
Fibres	●	

Environ 99 calories par portion
6 g de protéines • 3 g de gras • 13 g
de glucides

POUR 2 PORTIONS :
50 mL ou 50 g (1/4 de tasse) de
   fromage blanc ou de purée de f
   romage cottage allégé
20 mL ou 20 g (4 c. à t.) de crème
   sure
le quart ou la moitié d'un poivron
   rouge
5 mL (1 c. à t.) de câpres
3 pincées d'herbes de Provence
sel et poivre du moulin
muscade fraîchement râpée
6 pumpernickels ronds
persil plat

1 Mélangez le fromage et la crème sure dans un petit bol.

2 Taillez en petits dés environ la moitié du poivron rouge et réservez-en une partie. Tranchez le reste en fines lanières en guise de garniture. Hachez finement les câpres. Ajoutez en remuant les dés de poivron et les câpres à la préparation à base de fromage. Assaisonnez à l'aide des herbes, d'une pincée de sel et d'un soupçon de poivre et de muscade.

3 Déposez la préparation sur les pumpernickels ronds. Garnissez de lanières de poivron rouge et de persil plat.

Pâté de pois chiches sur pain de seigle

Glucides	●●●◖	75 minutes
Matières grasses	●	(+ 12 h de
Fibres	●●●	trempage)

Environ 238 calories par portion
10 g de protéines • 4 g de gras • 40 g
de glucides

POUR 2 PORTIONS :
125 mL ou 75 g (1/2 tasse) de pois
   chiches séchés
5 mL (1 c. à t.) d'huile d'olive
1 gros oignon
50 mL (1/4 de tasse) d'eau
5 mL (1 c. à t.) de sel
1 petite gousse d'ail
15 mL (1 c. à s.) de persil frais, haché
15 mL (1 c. à s.) de jus de citron
2 tranches de pain de seigle

1 Mettez les pois chiches à tremper dans de l'eau pendant 8 à 12 heures.

2 Égouttez et rincez les pois chiches. Couvrez-les d'eau fraîche et amenez-les à ébullition. Faites-les cuire à couvert pendant une heure à feu doux. Laissez-les refroidir.

3 Hachez l'oignon grossièrement. Faites chauffer l'huile dans une poêle antiadhésive. Ajoutez-y l'oignon et faites-le cuire à feu moyen jusqu'à ce qu'il devienne transparent; assaisonnez d'une pincée de sel. Versez 50 mL (1/4 de tasse) d'eau, amenez à ébullition, couvrez et laissez cuire à feu doux pendant cinq minutes.

4 Égouttez les pois chiches. Pelez la gousse d'ail. À l'aide d'un mélangeur ou d'un robot culinaire, mélangez les pois chiches, l'ail, l'oignon et le liquide de cuisson ou encore réduisez-les en purée à l'aide d'un pilon. Ajoutez davantage d'eau de cuisson, s'il le faut. Ajoutez en remuant le persil, le sel et le jus de citron.

5 Faites griller le pain et tartinez-le de pâté alors qu'il est encore chaud.

Crostini au ragoût de tomates

Glucides	●●◖	45 minutes
Matières grasses		●
Fibres	●●	

Environ 174 calories par portion
6 g de protéines • 5 g de gras • 25 g de
glucides

POUR 2 PORTIONS :
1 petite courgette
2 petites tomates
2 échalotes
1 gousse d'ail
5 mL (1 c. à t.) d'huile d'olive
sel et poivre blanc
pincée de piment de Cayenne écrasé
entre 4 et 6 tranches de baguette
   complète
entre 4 et 6 olives noires dénoyautées, tranchées

1 Râpez la courgette grossièrement ou taillez-la en julienne. Taillez les tomates en petits dés. Pelez les échalotes et la gousse d'ail. Taillez les échalotes en petits dés.

2 À l'aide d'un pinceau, badigeonnez le fond d'une petite poêle antiadhésive d'huile d'olive et faites-la chauffer à feu moyen. Faites cuire les échalotes à feu doux jusqu'à ce qu'elles deviennent transparentes. Écrasez la gousse d'ail et ajoutez-la aux échalotes. Augmentez l'intensité du feu et faites fondre la courgette, puis ajoutez les tomates en remuant. Assaisonnez de sel, de poivre et de piment de Cayenne, et amenez à ébullition.

3 Faites griller légèrement les tranches de baguette. Tartinez-les de ragoût à la courgette et aux tomates, et garnissez-les d'olives.

En haut : Canapés de pumpernickel au fromage blanc et au poivron rouge

En bas à gauche : Pâté de pois chiches sur pain de seigle

En bas à droite : Crostini au ragoût de tomates

Roulé au jambon et aux légumes

Glucides	–	25 minutes
Matières grasses	●●●	
Fibres	●	

Environ 168 calories par portion
16 g de protéines • 10 g de gras • 2 g de glucides

POUR 2 PORTIONS :
1 petit poivron rouge
1 branche de céleri
2 petits cornichons
4 tranches de jambon cuit
poivre du moulin
la moitié d'un bouquet de ciboulette

1 Évidez le poivron et retirez les membranes intérieures. Tranchez le céleri, le poivron et les cornichons en petits bâtonnets de la longueur d'un doigt.

2 Retirez la couenne du jambon, le cas échéant, et taillez chaque tranche en deux. Répartissez les bâtonnets de légumes entre les morceaux de jambon et poivrez-les.

3 Roulez les morceaux de jambon. Nouez deux ou trois tiges de ciboulette autour de chaque roulé afin de retenir le tout.

!! REMARQUE : Ces roulés font un excellent goûter dans la boîte à lunch. Enroulez une feuille de laitue autour du jambon et conservez les roulés dans un contenant étanche. Ils resteront frais des heures durant.

Crevettes en crème à l'aneth sur baguette

Glucides	●●◖	20 minutes
Matières grasses	●●	
Fibres	●	

Environ 222 calories par portion
14 g de protéines • 7 g de gras • 26 g de glucides

POUR 2 PORTIONS :
15 mL (1 c. à s.) de mayonnaise
30 mL ou 30 g (2 c. à s.) de yaourt maigre
5 mL (1 c. à t.) de jus de limette
1 mL (1/4 de c. à t.) de poivre noir du moulin
sel aromatisé aux herbes
la moitié d'une botte d'aneth
2 ou 3 feuilles de laitue ou de verdure
le quart d'un concombre
quelques radis
la moitié d'une limette
100 g (3 1/2 oz) de crevettes cuites
2 baguettes miniatures

1 Mélangez la mayonnaise et le yaourt au jus de limette, poivrez et remuez jusqu'à obtention d'une consistance homogène. Assaisonnez de sel aromatisé. Hachez finement l'aneth et ajoutez-le remuant.

2 Rompez les feuilles de laitue en morceaux. Tranchez finement le concombre, avec ou sans la pelure, à votre goût. Tranchez finement les radis.

3 Taillez de fines tranches de limette et pelez-les. Rincez les crevettes en eau chaude, épongez-les pour enlever l'eau et mélangez-les à la moitié de la crème à l'aneth.

4 Taillez les baguettes dans le sens de la longueur. Tartinez ce qui reste de crème à l'aneth sur la base de chaque baguette et posez la moitié des feuilles de laitue. Disposez les tranches de concombre et de radis sur la laitue, puis ajoutez les crevettes et les tranches de limette. Posez ce qui reste de laitue, ajoutez l'autre moitié de la baguette et servez sans tarder.

À droite : Crevettes en crème à l'aneth sur baguette

Sandwich au saumon fumé, au pé-tsai et à la crème de poivron vert

Glucides	●●●	20 minutes
Matières grasses	●●	
Fibres	●●	

Environ 233 calories par portion
15 g de protéines • 8 g de gras • 26 g de glucides

POUR 2 PORTIONS :

2 petits pains complets aux graines de citrouille ou de tournesol
4 ou 5 feuilles de pé-tsai (une variété de chou de Chine)
2 oignons verts
45 mL (3 c. à s.) de fromage à la crème allégé (à tartiner)
30 mL (2 c. à s.) de lait
2 mL (1/2 c. à t.) de poivron vert mariné ou de relish de poivron vert
2 branches d'aneth frais
2 mL (1/2 c. à t.) de jus de citron
sel
60 g (2 oz) de saumon fumé ou de gravlax finement tranché

1 Faites griller les pains au four à 150 °C (300 °F) et laissez-les refroidir. Rincez, épongez et taillez les feuilles de pé-tsai en fines lanières.

2 Retirez toute partie dure des oignons verts, taillez le reste en quartiers dans le sens de la longueur et taillez les quartiers en deux.

3 Incorporez le lait au fromage à la crème. À l'aide d'une fourchette, réduisez les poivrons marinés en purée et ajoutez-les à la préparation à base de fromage. Réservez une branche d'aneth. Hachez ce qui reste d'aneth et ajoutez-le à la préparation. Assaisonnez de jus de citron et de sel.

4 Tranchez les pains en deux et tartinez 7 mL (1 1/2 c. à t.) de préparation à la crème sur la base de chaque sandwiche. Disposez la moitié du pé-tsai et des oignons verts sur la garniture. Ensuite, tartinez 7 mL (1 1/2 c. à t.) de garniture et posez une tranche de saumon fumé. Ajoutez ce qui reste de pé-tsai et de garniture. Garnissez avec de l'aneth. Posez les deux autres moitiés des pains et servez sans tarder.

 REMARQUE : Vous pourriez remplacer les pains aux graines de citrouille ou de tournesol par des pains à l'oignon.

Baguette au thon et à la crème de ciboulette

Glucides	●●●	20 minutes
Matières grasses	●●●	
Fibres	●●	

Environ 307 calories par portion
16 g de protéines • 12 g de gras • 33 g de glucides

POUR 2 PORTIONS :

2 baguettes miniatures complètes
30 mL (2 c. à s.) de crème fraîche ou de crème sure parfumée aux herbes
2 feuilles de laitue iceberg
le quart d'un concombre anglais
la moitié d'une pomme sure
1 petite boîte (100 g ou 3 1/2 oz) de thon conservé dans l'eau
30 mL ou 30 g (2 c. à s.) de crème sure
15 mL (1 c. à s.) de câpres
le quart d'un bouquet de ciboulette
5 mL (1 c. à t.) de jus de citron
sel et poivre du moulin

1 Évidez la pomme, râpez-la grossièrement et réservez-la. Égouttez le thon et émiettez-le dans un bol.

2 Dans un petit bol, mélangez 7 mL (1 1/2 c. à t.) de crème fraîche à la crème sure et ajoutez les câpres. Hachez finement la ciboulette et ajoutez-la au mélange en remuant. Versez le jus de citron, salez et poivrez.

3 Tranchez les pains en deux et tartinez ce qui reste de crème fraîche (7 mL ou 1 1/2 c. à t.) sur la moitié inférieure des pains. Posez une feuille de laitue sur chaque morceau de pain. Tranchez finement le concombre, avec ou sans la pelure, et disposez-le sur la laitue.

4 Incorporez les deux tiers de la préparation à la crème au thon et tartinez-la sur le concombre. Garnissez de pomme râpée, de crème à la ciboulette et de laitue. Posez la moitié supérieure des pains et servez sans tarder.

 REMARQUE : Vous pouvez remplacer le thon par du hareng haché grossièrement.

En haut : Sandwich au saumon fumé, au pé-tsai et à la crème de poivron vert

En bas : Baguette au thon et à la crème de ciboulette

PETITS DÉJEUNERS ET COLLATIONS

Sandwich végétarien

Glucides		20 minutes
Matières grasses		
Fibres		

Environ 192 calories par portion
11 g de protéines • 7 g de gras • 22 g de glucides

POUR 2 PORTIONS :
1 petite carotte
1 poireau tendre
la moitié d'un bouquet de persil plat
5 mL (1 c. à t.) d'huile d'olive
sel et poivre du moulin
1 mL (1/4 de c. à t.) de cari
4 tranches de pain complet
60 mL (4 c. à s.) de fromage à la crème
2 feuilles de laitue iceberg
30 mL (2 c. à s.) de yaourt allégé
15 mL (1 c. à s.) d'emmenthal râpé

1 Pelez et râpez finement la carotte. Taillez le poireau dans le sens de la longueur, rincez-le soigneusement et tranchez-le en fines lanières. Hachez le persil.

2 À l'aide d'un pinceau, enduisez d'huile le fond d'une poêle antiadhésive et mettez-la à chauffer pendant quelques secondes. Versez-y le poireau et faites-le cuire à feu moyen. Ajoutez le persil en remuant, puis le sel, le poivre et le cari. Faites cuire à feu doux pendant une minute en remuant sans cesse. Laissez refroidir.

3 Ajoutez un peu d'eau au fromage à la crème et remuez-le jusqu'à obtention d'une consistance homogène. Faites griller le pain et tartinez-le de fromage à la crème. Découpez la laitue en lanières et posez-les sur les tranches de pain grillé.

4 Mélangez les légumes au yaourt et au fromage. Tartinez-en deux tranches de pain grillé et couvrez-les des deux autres tranches. Exercez une légère pression sur les sandwiches avant de les tailler à la diagonale.

 REMARQUE : La salade de légumes peut faire trois portions; il en restera donc pour le lendemain.

Sandwich au poulet et à la crème de cari

Glucides		40 minutes
Matières grasses		
Fibres		

Environ 288 calories par portion
17 g de protéines • 12 g de gras • 27 g de glucides

POUR 2 PORTIONS :
30 mL (2 c. à s.) de crème à fouetter (35 %)
5 mL (1 c. à t.) de cari doux
2 mL (1/2 c. à t.) de jus de citron
sel
pincée de poivre de Cayenne
1 oignon vert
15 mL ou 15 g (1 c. à s.) de crème sure
100 g (3 1/2 oz) de poitrine de poulet ou de dinde désossée, sans la peau
5 mL (1 c. à t.) de beurre
pincée de gingembre moulu
la moitié d'une mangue mûre
2 petits pains complets
feuilles de laitue
feuilles de persil plat

1 Mélangez la crème, le cari et le jus de citron, assaisonnez de sel et de poivre de Cayenne, et réservez. Taillez l'oignon vert en fines rondelles et ajoutez-les à la crème sure. Salez, poivrez et réservez.

2 Tranchez le poulet en deux dans le sens de la largeur. Faites chauffer le beurre dans une poêle antiadhésive et faites revenir le poulet de chaque côté pendant deux ou trois minutes. Assaisonnez de sel et de gingembre.

3 Pelez la mangue et taillez-la en fines tranches en prenant soin d'éviter le noyau. Taillez les petits pains en deux et faites-les griller jusqu'à ce qu'ils soient dorés.

4 Tartinez la crème parfumée au cari sur la partie inférieure de chaque sandwich, posez les feuilles de laitue et la préparation à l'oignon vert. Garnissez ensuite de poulet. Disposez les tranches de mangue sur le poulet et saupoudrez de persil. Posez le dessus des petits pains et servez sans tarder.

En haut : Sandwich végétarien
En bas : Sandwich au poulet et à la crème de cari

Marmelade de citrouille et d'orange

Glucides	s/o	
Matières grasses	s/o	**40 minutes**
Fibres	s/o	**(+ 30 minutes d'attente)**

Environ 310 calories par bocal
1 g de protéines • 0 g de gras • 73 g de glucides

POUR FAIRE ENVIRON 6 BOCAUX DE 250 ML (1 TASSE) :
500 g (1 lb) de citrouille ou de courge épépinée, pelée (environ 1 L ou 4 tasses lorsqu'elle est râpée)
2 oranges (environ 375 mL ou 1 1/2 tasse) pelées, en quartiers
3 ou 4 larges bandes de zeste d'orange
20 mL ou 10 g (4 c. à t.) de gingembre frais
15 mL ou 7,5 g (3 c. à t.) de pectine Pomona mélangée à 375 mL de sucre ou autant de sucre gélifiant 3 : 1
15 mL (3 c. à t.) d'eau contenant du calcium (voir les indications sur le sachet de pectine)
750 mL (3 tasses) de jus d'orange
45 mL (3 c. à s.) de liqueur d'orange ou de rhum

1 Râpez finement la citrouille. Dans une grande casserole, déposez les quartiers d'orange, leur jus et les larges bandes de zeste que vous aurez prélevées à l'aide d'un zesteur ou d'un couteau économe. Pelez et râpez finement le gingembre, et incorporez-le aux oranges. Versez le sucre, la pec-tine et l'eau contenant du calcium en remuant. Laissez la préparation faire son jus pendant 30 minutes.

2 Ajoutez le jus d'orange et amenez au point d'ébullition. Faites cuire à feu moyen pendant cinq minutes en remuant souvent. Retirez le zeste d'orange et versez la liqueur. Emplissez des bocaux stérilisés de marmelade chaude et vissez les couvercles étanches. Posez les bocaux à l'envers pendant 15 minutes, remettez-les à l'endroit et laissez-les refroidir.

!! REMARQUE : Faites tremper 125 mL (1/2 tasse) de raisins de Corinthe pendant 20 minutes, arrosez-les de liqueur à l'orange ou d'eau de fleurs d'oranger, et ajoutez-les à la marmelade avant la cuisson.

Confiture de fraises et d'ananas

Glucides	s/o	
Matières grasses	s/o	**30 minutes**
Fibres	s/o	**(+ ½ à 1 h d'attente)**

Environ 434 calories par bocal
1 g de protéines • 2 g de gras • 103 g de glucides

POUR FAIRE ENVIRON 6 BOCAUX DE 250 ML (1 TASSE) :
700 g ou 1 L (4 tasses combles) de fraises
le quart d'un petit ananas mûr ou 250 mL (200 g ou 1 tasse) de morceaux d'ananas en conserve égouttés
10 mL ou 5 g (2 c. à t.) de gingembre frais
1 morceau de zeste de citron
10 mL ou 5 g (2 c. à t.) de pectine Pomona mélangée à 250 mL (1 tasse) de sucre ou autant de sucre gélifiant 3 : 1
20 mL (2 c. à t.) d'eau contenant du calcium (voir les indications sur le sachet de pectine)

1 Équeutez et taillez les petites fraises en quatre ou hachez grossièrement les plus grosses (vous devriez obtenir 875 mL ou 3 1/2 tasses de fruits préparés). Déposez-les dans une grande casse-role.

2 Pelez, évidez et hachez l'ananas, et mélangez-le aux fraises. Pelez le gingembre, hachez-le fine-ment et ajoutez-le aux fruits. Ajoutez en remuant un généreux morceau de zeste que vous aurez prélevé à l'aide d'un zesteur ou d'un couteau économe, la pectine, le sucre et l'eau contenant du calcium. Laissez aux fruits le temps de faire leur jus (entre 30 minutes et 2 heures) en les remuant à l'occasion, jusqu'à ce que le sucre soit dissous.

3 Amenez à ébullition en remuant et faites cuire à feu moyen pendant trois ou quatre minutes. Retirez le zeste de citron.

4 Emplissez des bocaux stérilisés de marmelade chaude et vissez les couvercles étanches. Posez les bocaux à l'envers pendant 15 minutes, remettez-les à l'endroit et laissez-les refroidir.

 REMARQUE : Vous pouvez remplacer le sucre par 125 mL (1/2 tasse) de sirop d'érable.

Marmelades, gelées et confitures

Un petit déjeuner composé de confiture peu sucrée que l'on tartine sur du pain complet légèrement beurré ou que l'on marie à du fromage blanc ou du fromage cottage allégé aura peu d'incidence sur le taux de glucose sanguin. Voici quelques conseils portant sur la confection de confitures cuites qui contiennent peu de sucre.

Choix du fruit

La réussite de la confiture repose avant tout sur le choix des fruits. Plus ils sont frais et mûrs, meilleure sera la saveur. Préparez de succulentes tartinades à partir de fruits cueillis au jardin, achetés d'un maraîcher ou surgelés. Vous pouvez n'employer qu'un seul fruit ou en associer plusieurs, selon votre goût et votre imagination.

Préparation du fruit

Rincez soigneusement les fruits et retirez leurs tiges et leurs fleurs, le cas échéant. Il faut mettre les fruits surgelés à décongeler dans un tamis et recueillir leur jus. Étant donné que les fruits décongelés sont déjà mous, commencez à faire la confiture à partir de leur jus, d'environ la moitié des fruits et des autres ingrédients; ajoutez à la fin le reste des fruits et faites cuire le tout une fois de plus.

Acidité du fruit

En plus de la pectine présente dans le fruit, un peu d'acidité améliore la consistance de la confiture. L'acide rehausse aussi le goût et contribue à la conservation de sa couleur. Vous pouvez augmenter le taux d'acidité de vos confitures en ajoutant un peu de jus de citron frais. En général, de 30 à 45 mL (2 à 3 c. à s.) suffisent, selon la quantité de confiture que vous préparez. Ou encore, vous pouvez combiner des fruits peu acides à d'autres qui sont très acidulés.

Peu acides	Très acides
banane	groseilles
poire	kiwi
ananas	orange

Nulle confiture sans sucre

Le sucre est le principal composant de presque toutes les sortes de marmelade, de confiture et de gelée. Même dans les produits de régime destinés aux diabétiques, la teneur en sucre est assez élevée. On remplace souvent le sucre ordinaire par du fructose mais cela ne contribue pas à équilibrer le taux de glucose sanguin. Laissez donc tomber le fructose. Il faut ici du sucre afin de conserver le fruit et prévenir l'accumulation de moisissure.

Toutefois, des produits qui contiennent du sucre et de la pectine en différentes proportions peuvent avoir différentes quantités de sucre. En Europe, un produit dit sucre gélifiant est proposé en trois formules :

Sucre gélifiant 1 : 1

1 partie de fruit :	1 partie de sucre gélifiant
500 g (1 lb) fruit :	500 g (1 lb) de sucre gélifiant

Sucre gélifiant 2 : 1

2 parties de fruit :	1 partie de sucre gélifiant
1 kg (2 lb) fruit :	500 g (1 lb) de sucre gélifiant

Sucre gélifiant 3 : 1

3 parties de fruit :	1 partie de sucre gélifiant
1,5 kg (3 lb) fruit :	500 g (1 lb) de sucre gélifiant

En Amérique du Nord, on peut préparer soi-même ce mélange à partir d'un produit tel que la pectine de marque Pomona, faite d'un composé de calcium (du phosphate monocalcique) qui amorce la gélification et grâce auquel on obtient une teneur en sucre semblable à celle du sucre gélifiant 3 : 1 ou moins. Étant donné que la durée de conservation d'une confiture décroît en fonction de sa teneur en sucre, il faut réfrigérer les confitures peu sucrées. Il est préférable de confectionner ce genre de confiture en petite quantité. Lorsqu'il n'en reste plus, on en prépare d'autre avec les fruits de la saison. Les confitures que l'on vient de confectionner ont plus de goût que les autres. Les géants de l'agroalimentaire y ajoutent des conservateurs tels que l'acide sorbique, que l'on trouve à la liste d'ingrédients de la majorité des produits, afin d'accroître la durée de conservation des confitures peu sucrées.

Pectine

Si vous ne trouvez pas de sucre gélifiant ou de pectine Pomona, il vous faut ajouter une autre forme de pectine afin que la confiture se tienne. On trouve la pectine sous forme liquide ou en poudre et en différentes formules, par exemple sous les marques *Certo allégé* et *Sure Jell*, pour préparer les recettes à faible teneur en sucre. Suivez à la lettre les indications paraissant sur l'emballage. Éprouvez la fermeté d'une confiture avant de la mettre en pots. Pour ce faire, vous en déposez une cuillerée dans un ramequin froid et vous le mettez au frigo pendant quelques minutes. Si après cela la confiture est encore liquide, il faut encore la faire cuire pendant quelques minutes.

Autres ingrédients

Les fines herbes et les épices rehaussent le goût des confitures. Parmi les parfums les plus répandus, on trouve l'anis étoilé, la vanille et le piment de la Jamaïque mais les mariages suivants apportent d'heureux résultats :

cannelle : pomme, prune, cerise
anis : prune, cassis
clou de girofle : poire, pomme, prune
gingembre : gelée de citron, orange, ananas
mélisse : pomme, citron, groseilles rouges

Si vous n'éprouvez pas de problème dentaire, vous pouvez rehausser la saveur de vos confitures en ajoutant des amandes effilées ou hachées, des noisettes grillées, des noix, des pistaches ou des noix macadamia.

Écumer et mettre en pot

La cuisson des fruits fait monter une fine écume à la surface. Il faut soigneusement écumer les confitures. Pour la mise en pots, employez des bocaux de verre propres dont les couvercles étanches se vissent. Si le bord du bocal est ébréché, il ne sera pas hermétique. Les couvercles étanches composés de deux éléments sont les plus efficaces mais vérifiez que la bande de caoutchouc n'est pas abîmée. Ici, la propreté est le critère prépondérant. Lavez les bocaux en eau savonneuse, rincez-les et stérilisez-les en les déposant dans une grande marmite pleine d'eau que vous ferez bouillir pendant 10 à 15 minutes. Laissez-les dans l'eau jusqu'à ce que vienne le temps de les emplir. Versez la confiture chaude dans les bocaux jusqu'à environ 1 cm (1/2 po) sous le bord et vissez sans tarder les couvercles étanches. En général, on conseille de replonger les bocaux dans de l'eau bouillante. Après que les bocaux ont refroidi, on y appose des étiquettes autocollantes qui désignent leur contenu ainsi que la date de la mise en pots. On les range dans un endroit frais et sombre. Il est préférable de conserver au frigo les confitures et les marmelades qui contiennent peu de sucre.

Purée de carottes aux pistaches

Glucides	◖	30 minutes
Matières grasses	–	
Fibres	●	

Environ 49 calories par portion
1 g de protéines • 2 g de gras
• 7 g de glucides

POUR 6 PORTIONS :

3 carottes moyennes
   (environ 500 mL, 300 g
   ou 2 tasses) en dés
125 mL (1/2 tasse) d'eau
1 pomme
30 à 45 mL (2 à 3 c. à s.) de
   flocons d'avoine
15 à 30 mL (1 à 2 c. à s.) de
   pistaches hachées
quelques gouttes d'édulcorant liquide

1 Versez l'eau et
déposez les carottes
dans une casserole
moyenne, couvrez et
faites cuire à feu moyen
pendant 10 minutes.

2 Entre-temps, évidez la
pomme, taillez-la en
quartiers puis en dés.
Ajoutez-la aux carottes et
faites cuire pendant cinq
minutes.

3 Égouttez les carottes
et la pomme et
réduisez-les en purée à
l'aide d'un pilon. En
remuant, ajoutez les
flocons d'avoine et les
pistaches. Sucrez au goût.

REMARQUE : La
purée de carottes
se conservera
pendant cinq jours dans
un bocal dont le couver-
cle se visse ou se fixe par
des brides.

Confiture de groseilles

Glucides	s/o	30 minutes
Matières grasses	s/o	
Fibres	s/o	

Environ 261 calories par portion
3 g de protéines • 1 g de gras
• 57 g de glucides

**POUR ENVIRON 5 BOCAUX DE
250 ML (1 TASSE) :**

800 mL ou 500 g
   (3 1/4 tasses) de gro-
   seilles
6 kiwis (environ 500 mL,
   500 g ou 2 tasses) pelés,
   en dés
75 mL (5 c. à s.) de vin blanc
   sec
300 mL ou 300 g
   (1 1/4 tasse) de sirop
   d'érable
le zeste d'un citron
1 sachet de pectine pour
   confiture à faible teneur
   en sucre

1 Rincez et égouttez les
groseilles. Déposez-les
dans une grande casse-
role et ajoutez les kiwis
en remuant. Réduisez-les
en purée à l'aide d'un
pilon. Ajoutez le vin
blanc, le sirop d'érable et
le zeste de citron. Ajoutez
la pectine en remuant.

2 Amenez les fruits à
ébullition à feu doux
en remuant à l'occasion.
Faites cuire pendant trois
minutes.

3 Emplissez les bocaux
de confiture chaude et
posez sans tarder les couvercles étanches. Posez
les bocaux à l'envers pendant 15 minutes avant de
les remettre à l'endroit et
laissez-les refroidir.

Relish à l'orange et aux poires

Glucides	s/o	
Matières grasses	s/o	2 h
Fibres	s/o	

Environ 215 calories par portion
3 g de protéines • 1 g de gras
• 49 g de glucides

POUR 4 BOCAUX DE 500 ML (2 TASSES) :

750 g (1 1/2 lb) d'oranges (4 ou 5)

1 citron

750 g (1 1/2 lb) de poires (4 ou 5)

1 oignon (environ 250 mL, 150 g ou 1 tasse) haché fin

37 mL ou 20 g (2 1/2 c. à s.) de gingembre frais

50 mL ou 50 g (1/4 de tasse) de sucre

5 mL (1 c. à t.) d'édulcorant liquide

5 mL (1 c. à t.) de sel

175 mL (3/4 de tasse) de vinaigre de vin blanc

1 bâtonnet de cannelle

2 mL (1/2 c. à t.) de moutarde en poudre

10 mL (2 c. à t.) de cari doux de Madras

1 Pelez les oranges, le citron et les poires. Taillez les agrumes en deux dans le sens de la largeur et dénoyautez-les. Évidez les poires. Taillez les fruits en petits dés.

2 Hachez finement l'oignon et pelez le gingembre. Ajoutez-le aux fruits en remuant. Ajoutez le sucre, l'édulcorant, le sel, le vinaigre, la cannelle, la moutarde et le cari. Couvrez et amenez à ébullition.

3 Faites cuire à feu doux pendant une heure et demie en couvrant partiellement la casserole et en remuant à l'occasion. Emplissez des bocaux stérilisés et vissez les couvercles étanches sans tarder. Posez les bocaux à l'envers pendant 15 minutes avant de les remettre à l'endroit.

Purée de fruits séchés

Glucides	S/O	
Matières grasses	S/O	45 minutes
Fibres	S/O	

Environ 418 calories par portion
5 g de protéines • 1 g de gras
• 84 g de glucides

POUR 3 BOCAUX DE 250 ML (1 TASSE) :

750 mL ou 500 g (3 tasses) de fruits séchés non soufrés : prunes, abricots, pommes, figues, etc.

75 mL ou 100 g (1/3 de tasse) de vin blanc sec

30 mL (2 c. à s.) de jus de citron

5 mL (1 c. à t.) de cannelle moulue

pincée de piment de la Jamaïque

1 Faites tremper les fruits pendant la nuit dans suffisamment d'eau froide pour les couvrir. Égouttez-les et réservez l'eau.

2 Réduisez les fruits en purée à l'aide d'un mélangeur, d'un robot culinaire ou d'un pilon. Dans une casserole, déposez la purée de fruits et l'eau de trempage, le vin blanc, le jus de citron, la cannelle et le piment de la Jamaïque. Faites cuire à feu doux pendant 15 à 20 minutes en remuant sans cesse, jusqu'à ce que le liquide soit évaporé.

3 Versez la préparation chaude dans des bocaux stérilisés et vissez sans tarder les couvercles étanches. Posez les bocaux à l'envers pendant 15 minutes avant de les remettre à l'endroit et laissez-les refroidir.

REMARQUE :
Cette purée se conservera pendant deux ou trois mois. Les fruits séchés sont tellement sucrés qu'il n'est pas nécessaire d'ajouter de sucre.

Salades et soupes

Froides et croustillantes ou chaudes et buvables?

Les soupes et les salades sont des hors-d'œuvre classiques. Elles titillent l'estomac et font en sorte que le dîneur se sent vite mieux. Mais une salade n'est pas qu'une salade et une soupe est davantage qu'une soupe. Dans ce chapitre, en plus de découvrir les recettes de petits hors-d'œuvre simples, vous trouverez de quoi assouvir un appétit gourmand. Et si vous les accompagnez d'une tranche de pain complet et d'un dessert santé, vous aurez un repas nutritif facile à préparer.

Salade de pommes et de céleri-rave

Glucides	●●	25 minutes
Matières grasses	●●	
Fibres	●●●	

Environ 154 calories par portion
4 g de protéines • 7 g de gras
• 18 g de glucides

POUR 2 PORTIONS :
2 petites pommes
1 petit céleri-rave
le jus d'un demi-citron
5 mL (1 c. à t.) de jus de citron
5 mL (1 c. à t.) d'huile de
noix
30 mL (2 c. à t.) d'amandes
effilées

1 Tranchez les pommes en deux afin de les évider. Pelez le céleri-rave et retirez toute partie coriace. Réservez quelques feuilles pour la garniture. Râpez grossièrement ou taillez en julienne les pommes et le céleri.

2 Mélangez le jus de citron, le vinaigre et l'huile de noix, et versez cette vinaigrette sur les pommes et le céleri.

3 Faites griller les amandes sans corps gras dans une poêle antiadhésive. Hachez grossièrement les feuilles de céleri. Saupoudrez-les sur la salade et attendez 10 minutes avant de servir.

!! REMARQUE : La salade sera plus goûteuse si vous employez des pommes sures ou épicées telles que la Granny Smith, la golden ou la reinette.

Salade d'endives et de germes de haricots

Glucides	●	15 minutes
Matières grasses	●	
Fibres	●	

Environ 107 calories par portion
7 g de protéines • 5 g de gras
• 12 g de glucides

POUR 2 PORTIONS :
le jus d'une limette
15 mL (1 c. à s.) d'huile de
noix
150 mL ou 150 g (2/3 de
tasse) de yaourt maigre
la moitié d'une botte de
cresson
3 endives
250 mL ou 100 g (1 tasse) de
germes de haricots
sel et poivre du moulin

1 Ajoutez le jus de limette et l'huile de noix au yaourt et remuez. Rincez le cresson et ajoutez-le à la préparation.

2 Rincez et évidez les endives. Réservez six des premières feuilles. Hachez finement le reste des endives et mélangez-les à la préparation à base de yaourt et de cresson. Ajoutez les germes de haricots. Assaisonnez de sel et de poivre, et garnissez les feuilles d'endive que vous avez réservées.

!! REMARQUE : Si vous ne souhaitez pas servir cette salade dans des feuilles d'endive, prenez deux endives et des quartiers d'un petit pamplemousse. Pour faire une salade plus sucrée, remplacez le pamplemousse par une orange.

Salade à l'orange et au poireau

Glucides	●◖	15 minutes
Matières grasses	–	
Fibres	●	

Environ 84 calories par portion
3 g de protéines • 2 g de gras
• 15 g de glucides

POUR 2 PORTIONS :
1 petit poireau
2 oranges
le jus d'une limette
45 mL ou 40 g (3 c. à s.) de yaourt allégé
5 mL (1 c. à t.) d'huile de noix
10 mL (2 c. à t.) de cari doux

1 Nettoyez le poireau, tranchez-le dans le sens de la longueur et rincez-le soigneusement. Tranchez le blanc et le vert en fines lanières.

2 Pelez les oranges et retirez-en la membrane blanche. Mélangez les quartiers d'oranges aux lanières de poireau.

3 Mélangez le jus de limette au yaourt et à l'huile de noix. Assaisonnez de cari. Déposez les oranges et le poireau dans deux assiettes, nappez-les de vinaigrette et servez sans tarder.

 REMARQUE :
Lorsque, par temps chaud, vous avez peu d'appétit ou si vous souhaitez un déjeuner léger au bureau, faites-vous un repas équilibré en mariant cette salade à une tranche de pain complet et à un dessert riche en protéines.

Mesclun et croûtons

Glucides	●◖	20 minutes
Matières grasses	–	
Fibres	●	

Environ 104 calories par portion
4 g de protéines • 3 g de gras
• 14 g de glucides

POUR 2 PORTIONS :
10 mL (2 c. à t.) de jus de pomme
125 mL ou 100 g (1/2 tasse) de yaourt allégé
17 mL (3 1/2 tasses) de vinaigre de cidre
sel et poivre du moulin
1 petit oignon rouge
550 mL ou 125 g (2 1/4 tasses) de mesclun
2 tranches de pain complet
5 mL (1 c. à t.) d'huile d'olive
1 petite gousse d'ail

1 Mélangez le jus de pomme, le yaourt et le vinaigre dans un petit bol jusqu'à obtention d'une consistance homogène. Assaisonnez de sel et de poivre.

Tranchez l'oignon en petits dés. Rompez les feuilles des laitues en petites bouchées.

2 Tranchez la croûte du pain et taillez-le en cubes. Faites chauffer l'huile dans une petite poêle antiadhésive. Pelez et écrasez l'ail, et faites-le légèrement sauter afin de parfumer l'huile. Ajoutez les cubes de pain et faites-les griller.

3 Disposez le mesclun dans les assiettes, nappez de vinaigrette et garnissez de croûtons. Servez sans tarder.

Carpaccio de concombre habillé de tomate

Glucides	●	30 minutes
Matières grasses	–	
Fibres	●	

Environ 72 calories par portion
3 g de protéines • 2 g de gras
• 9 g de glucides

POUR 2 PORTIONS :
3 tomates fermes
1 oignon
5 mL (1 c. à t.) d'huile d'olive
sel et poivre blanc
cumin moulu
15 mL (1 c. à s.) de purée de tomate
les trois quarts d'un concombre anglais
10 mL (2 c. à t.) de vinaigre balsamique
2 brins de thym citron

1 Scarifiez légèrement la pelure des tomates dans le sens de la largeur; faites-les blanchir, pelez-les et tranchez-les en dés. Réservez-en une partie.

2 Hachez l'oignon et faites-le légèrement sauter dans de l'huile d'olive chaude à feu moyen, jusqu'à ce qu'il devienne transparent. Ajoutez en remuant les tomates, le sel, le poivre, le cumin et la purée de tomate. Faites cuire à feu doux pendant 10 minutes, avant de réduire le tout en purée.

3 Tranchez finement le concombre et disposez-le dans deux assiettes. Nappez-le de sauce à la tomate et de vinaigre balsamique. Garnissez des dés de tomate qui restent et de brins de thym.

Chou-rave en vinaigrette à la moutarde de Meaux

Glucides	◖	25 minutes
Matières grasses	–	
Fibres	●	

Environ 86 calories par portion
5 g de protéines • 3 g de gras
• 8 g de glucides

POUR 2 PORTIONS :
15 mL (1 c. à s.) de graines de tournesol
250 mL ou 300 g (1 tasse) de chou-rave pelé, râpé
la moitié d'une botte de cerfeuil frais
4 ou 5 feuilles de mélisse
30 g ou le quart d'une pomme
125 mL ou 100 g (1/2 tasse) de yaourt allégé
5 mL (1 c. à t.) de moutarde de Meaux
herbes salées

1 Faites griller à feu moyen les graines de tournesol sans corps gras dans une poêle antiadhésive. Laissez-les refroidir dans une assiette.

2 Tranchez finement le cerfeuil et la mélisse, et ajoutez-les au chou-rave et aux graines de tournesol. Tranchez finement la pomme et disposez les tranches dans deux assiettes. Garnissez de la préparation au chou-rave.

3 Mélangez le yaourt et la moutarde dans un petit bol, et assaisonnez de deux pincées d'herbes salées. Versez sur la salade.

Salade de roquette et de melon

Glucides	●●◐	**25 minutes**
Matières grasses	●●●	
Fibres	●	

Environ 256 calories par portion
13 g de protéines • 12 g de
gras • 26 g de glucides

POUR 2 PORTIONS :
150 g (1 botte) de roquette
60 g (2 oz) de jambon fumé,
écouenné
la moitié d'un melon Galia,
d'Antibes ou autre
sel et poivre du moulin
10 mL (2 c. à t.) d'huile de
noix
30 mL (2 c. à s.) de vinaigre
de vin blanc
30 mL (2 c. à s.) de noix
hachées

1 Rincez la roquette, retirez la tige des feuilles et faites-les égoutter.

2 À l'aide d'une cuiller, épépinez le melon et préparez des boules à l'aide d'une cuiller parisienne. Mélangez les boules de melon, le jambon et la roquette. Touillez légèrement.

3 Versez en remuant le sel, le poivre et l'huile de noix dans le vinaigre.

4 Disposez la salade dans les assiettes, nappez-la de vinaigrette et laissez les saveurs se marier. Saupoudrez de noix hachées et servez.

!! **REMARQUE :**
Lorsque vous achetez un melon, humez-le avant d'arrêter votre choix. Un melon mûr dégage une odeur sucrée.

Salade Parmentier aux poix mange-tout

Glucides	●●●●	**40 minutes**
Matières grasses	●●●	
Fibres	●●	

Environ 239 calories par portion
20 g de protéines • 11 g de
gras • 27 g de glucides

POUR 2 PORTIONS :
2 pommes de terre fermes
300 mL ou 100 g
(1 1/4 tasse) de pois
mange-tout
45 mL ou 40 g (3 c. à s.) de
yaourt allégé
5 mL (1 c. à t.) de moutarde
10 mL (2 c. à s.) d'huile de
graines de citrouille
45 mL (3 c. à s.) de bouillon
de légumes
sel et poivre blanc
la moitié d'une botte de radis
30 mL (2 c. à s.) de graines
de citrouille

1 Faites bouillir les pommes de terre pendant 20 minutes environ dans peu d'eau. Égouttez-les, laissez-les refroidir un peu, pelez-les et tranchez-les.

2 Taillez les pois mange-tout à la diagonale pour faire trois morceaux de chacun. Faites-les cuire à la vapeur ou bouillir dans un peu d'eau salée (pas plus de cinq minutes). Égouttez-les.

3 À l'aide d'un fouet, liez le yaourt, la moutarde, l'huile, le bouillon, le sel et le poivre. Tranchez les radis et touillez-les légèrement avec les pommes de terre et les pois. Parsemez des graines de citrouille et servez.

Salade au thon
et aux champignons

Glucides	◖	20 minutes
Matières grasses	●	
Fibres	●	

Environ 112 calories par portion
12 g de protéines • 5 g de gras • 5 g de glucides

POUR 2 PORTIONS :
1 oignon rouge
250 g (1/2 lb) de champignons
1 brin d'origan frais
1 brin de thym frais
3 feuilles de sauge fraîche
10 mL (2 c. à t.) d'huile d'olive
sel et poivre du moulin
170 g (6 oz ou la moitié d'une boîte) de thon conservé
    dans l'eau
125 mL ou 100 g (1/2 tasse) de yaourt allégé
15 mL (1 c. à s.) de vinaigre de vin
15 mL (1 c. à s.) de ketchup
quelques feuilles de laitue
30 mL (2 c. à s.) de petites câpres

1 Pelez l'oignon et tranchez-le en petits quartiers. Taillez les champignons en deux ou en quatre, à l'exception des petits que vous laisserez entiers. Tranchez finement l'origan, le thym et la sauge.

2 Faites chauffer l'huile, ajoutez en remuant l'oignon et faites-le sauter jusqu'à ce qu'il soit transparent. Ajoutez les champignons et faites-les cuire pendant deux ou trois minutes à feu vif. Assaisonnez-les à l'aide des herbes, du sel, du poivre et laissez refroidir un peu.

3 Égouttez le thon et déposez-le dans un petit bol. Ajoutez le yaourt, le vinaigre et le ketchup, et mélangez ou réduisez en purée. Salez et poivrez.

4 Rompez les feuilles de laitue en petites bouchées. Disposez-les dans deux assiettes et couvrez-les de champignons. Nappez de sauce au thon et garnissez de câpres.

Salade d'asperges,
de fraises et d'avocat

Glucides	◖	20 minutes
Matières grasses	●●●	
Fibres	●●	

Environ 167 calories par portion
6 g de protéines • 12 g de gras • 13 g de glucides

POUR 2 PORTIONS :
4 pointes d'asperges
sel
250 mL ou 150 g (1 tasse) de fraises
la moitié d'un avocat mûr
30 g (1 oz) de poitrine de dinde fumée
45 mL ou 40 g (3 c. à s.) de babeurre
45 mL ou 40 g (3 c. à s.) de crème sure allégée
pincée de zeste de citron
10 mL (2 c. à t.) de jus de citron
5 feuilles de basilic frais
sel
édulcorant liquide

1 Retirez l'extrémité coriace des asperges. Faites-les cuire pendant trois minutes dans de l'eau salée qui bout. Retirez-les de l'eau et plongez-les aussitôt dans de l'eau glacée. Déposez-les sur un essuie-tout pour les faire égoutter.

2 Taillez les fraises en deux ou en quatre, selon leur taille. Dénoyautez l'avocat, pelez-le et taillez-le en dés. Taillez les pointes d'asperge à la diagonale et la dinde en julienne. Déposez les asperges, les fraises, l'avocat et la dinde dans deux assiettes. Ciselez finement le basilic.

3 Mélangez le babeurre et la crème sure dans un petit bol. Ajoutez le zeste de citron, le jus de citron et le basilic. Assaisonnez d'une pincée de sel et d'un trait d'édulcorant liquide. Nappez la salade.

!! **REMARQUE :** L'avocat tient le deuxième rang parmi les fruits les plus gras, après les olives, mais il contient des acides gras non saturés que nous ne consommons généralement pas en quantité suffisante.

À droite : Salade d'asperges, de fraises et d'avocat

Salade de chou vert et de shiitakes

		40 minutes
Glucides	◖	
Matières grasses	●●	
Fibres	●●●	

Environ 292 calories par portion
10 g de protéines • 8 g de gras • 5 g de glucides

POUR 2 PORTIONS :
la moitié d'un petit chou vert
100 g (3 1/2 oz) de champignons shiitakes
15 mL (1 c. à s.) d'huile de sésame
sel
10 mL (2 c. à t.) de jus de citron
125 mL ou 100 g (1/2 tasse) de babeurre
édulcorant liquide
la moitié d'un bouquet de persil
la moitié d'un poivron rouge
poivre du moulin

1 Taillez le chou en deux dans le sens de la longueur, évidez-le et taillez-le en fines lanières à la diagonale. Retirez les queues des champignons et tranchez finement leurs chapeaux.

2 Faites chauffer l'huile dans une poêle antiadhésive, déposez-y les champignons et faites-les légèrement sauter à feu moyen. Retirez-les du feu. Ajoutez un peu de sel et environ 15 mL (1 c. à t.) de jus de citron.

3 À l'aide d'un fouet, mélangez le babeurre, ce qui reste de jus de citron, le sel et un trait d'édulcorant liquide jusqu'à obtention d'une consistance homogène. Hachez finement le persil et ajoutez-le en remuant. Taillez le poivron en dés.

4 Déposez le chou, le poivron rouge et les shiitakes dans deux assiettes, et nappez-les de vinaigrette. Poivrez avant de servir.

 REMARQUE : Si vous digérez mal le chou cru, faites-le blanchir avant de préparer cette salade.

 REMARQUE : Vous pouvez remplacer les shiitakes par des champignons de Paris.

Lentilles et céleri-rave

		1 h
Glucides	●◖	
Matières grasses	–	
Fibres	●●	

Environ 88 calories par portion
5 g de protéines • 2 g de gras • 13 g de glucides

POUR 2 PORTIONS :
37 mL ou 30 g (2 1/2 c. à s.) de lentilles crues
150 mL (2/3 de tasse) d'eau
sel
5 mL (1 c. à t.) + 15 mL (1 c. à s.) de vinaigre de fruit
175 mL ou 100 g (3/4 de tasse) de céleri-rave
le tiers d'une poire
4 feuilles de laitue (feuilles de chêne, de préférence)
30 mL (2 c. à s.) de jus d'orange fraîchement pressé
15 mL (1 c. à s.) d'huile de colza ou végétale
2 mL (1/2 c. à t.) de moutarde
15 mL (1 c. à s.) de marjolaine fraîche hachée
15 mL (1 c. à s.) de ciboulette hachée

1 Mettez les lentilles et une pincée de sel dans l'eau et amenez-les à ébullition. Couvrez et laissez cuire à feu doux pendant 15 minutes. Égouttez et ajoutez 15 mL (1 c. à t.) de vinaigre. Laissez refroidir quelque peu.

2 Entre-temps, pelez et râpez finement le céleri-rave. Taillez la poire en fines tranches. Posez deux feuilles de laitue dans chaque assiette. Touillez légèrement le céleri-rave, les tranches de poire et les lentilles, et déposez-les sur les feuilles de laitue.

3 Mélangez le jus d'orange, l'huile, 15 mL (1 c. à s.) de vinaigre de fruit, la moutarde et la marjolaine. Versez sur la salade, garnissez de ciboulette et servez.

REMARQUE : Les lentilles contiennent beaucoup de magnésium, le minéral qui combat le stress. Un repas qui comprend 125 mL (1/3 de tasse) de lentilles sèches fournit jusqu'au tiers de l'apport quotidien recommandé en magnésium.

En haut : Salade de chou vert et de shiitakes
En bas : Lentilles et céleri-rave

Salade de fruits exotiques et poitrine de poulet

Glucides	●●◖	
Matières grasses	●●	35 minutes
Fibres	●	

Environ 135 calories par portion
15 g de protéines • 5 g de gras • 25 g de glucides

POUR 2 PORTIONS :
5 mL (1 c. à t.) de flocons de noix de coco
125 g (4 oz) de poitrine de poulet désossée, sans la peau
sel
2 mL (1/2 c. à t.) de cari
10 mL (2 c. à t.) d'huile de tournesol
1 kiwi mûr
la moitié d'une papaye bien mûre
15 mL (1 c. à s.) de vinaigre de fruit
2 mL (1/2 c. à t.) de gingembre frais râpé
2 traits de sambal œlek ou d'une autre sauce pimentée
édulcorant liquide

1 Faites griller la noix de coco sans corps gras dans un poêlon antiadhésif jusqu'à ce qu'elle soit dorée, en veillant bien à ne pas la brûler. Laissez refroidir dans une assiette.

2 Assaisonnez le poulet de deux pincées de sel et de cari. Faites chauffer 5 mL (1 c. à t.) d'huile dans une poêle à frire. Ajoutez le poulet et faites cuire à feu moyen pendant trois minutes. Tournez et couvrez. Laissez cuire à feu doux pendant quatre autres minutes. Retirez du poêlon et réservez dans une assiette.

3 Pelez le kiwi, taillez-le en deux dans le sens de la longueur et faites des tranches fines. Pelez la papaye, épépinez-la à l'aide d'une cuiller et taillez-la en tranches fines.

4 Alors que le poulet est chaud, tranchez-le et disposez-le dans une assiette de service avec les fruits.

5 Dans un petit bol, mélangez le vinaigre à 5 mL (1 c. à t.) d'huile. Ajoutez en remuant le gingembre, le sambal œlek et deux pincées de sel. Versez deux traits d'édulcorant liquide et nappez la salade. Saupoudrez la noix de coco grillée et servez sans tarder.

Salade de choux de Bruxelles, de poire et de prosciutto

Glucides	●◖	
Matières grasses	●●●	40 minutes
Fibres	●●●	

Environ 214 calories par portion
16 g de protéines • 11 g de gras • 15 g de glucides

POUR 2 PORTIONS :
250 g (1/2 lb) de choux de Bruxelles
125 mL (1/2 tasse) de jus de légumes
1 petite poire
15 mL (1 c. à s.) de jus de citron
60 g (2 oz) de prosciutto aussi mince que du papier
125 mL ou 100 g (1/2 tasse) de yaourt allégé
30 mL (1 c. à t.) de fromage blanc ou de purée de fromage cottage allégé
5 mL (1 c. à t.) de raifort frais râpé
sel et poivre du moulin

1 Retirez soigneusement la plupart des feuilles des choux et réservez-les. Taillez les tiges de ce qui reste des choux de Bruxelles en deux dans le sens de la largeur.

2 Dans une casserole moyenne, amenez le jus de légumes à ébullition. Déposez les choux dans un cuiseur à vapeur, couvrez-le et faites cuire à feu moyen pendant cinq minutes. Ajoutez les feuilles et faites-les cuire à la vapeur pendant une ou deux minutes.

3 Pelez la poire, taillez-la en quartiers, évidez-la, tranchez-la en morceaux et arrosez-la de jus de citron. Ajoutez-la aux choux. Déposez-les sur deux assiettes contenant du prosciutto.

4 Mélangez le yaourt, le fromage blanc, le raifort, le sel et le poivre. Nappez la salade de cette sauce.

 REMARQUE : Vous pouvez remplacer le jus par du bouillon de légumes.

En haut : Salade de fruits exotiques et poitrine de poulet
En bas : Salade de choux de Bruxelles, de poire et de prosciutto

Soupe du printemps avec riz

Glucides	●◖	40 minutes
Matières grasses	●●	
Fibres	●●●	

Environ 127 calories par portion
4 g de protéines • 7 g de gras
• 13 g de glucides

POUR 2 PORTIONS :
1 carotte moyenne
1 petit chou-rave
1 botte d'oignons verts
10 mL (2 c. à t.) d'huile d'olive
cari, selon le goût
30 mL (2 c. à s.) de riz à
grains courts
625 mL (2 1/2 tasses) de
bouillon de légumes
muscade fraîchement râpée
sel et poivre du moulin
la moitié d'un bouquet de
persil

1 Pelez la carotte et le chou-rave, et tranchez-les en dés. Tranchez finement les oignons verts.

2 Faites chauffer l'huile, ajoutez le cari et le riz en remuant, et faites cuire à feu doux jusqu'à ce que les épices embaument et que le riz soit translucide. Ajoutez les oignons en remuant et laissez cuire brièvement. Versez le bouillon et ajoutez les légumes en remuant. Faites cuire pendant 20 minutes ou jusqu'à ce que le riz et les légumes soient tendres sans être mous.

3 Parfumez de muscade, de sel et de poivre. Hachez finement le persil afin d'en garnir le plat et servez.

‼ REMARQUE : Pour en faire un plat principal, doublez les quantités et ajoutez 150 g (5 oz) de crevettes surgelées juste avant la fin de la cuisson.

Soupe à l'oignon

Glucides	●●●	50 minutes
Matières grasses	●●●	
Fibres	●●●	

Environ 276 calories par portion
7 g de protéines • 14 g de gras
• 30 g de glucides

POUR 2 PORTIONS :
2 gros oignons
15 mL (1 c. à t.) d'huile d'olive
500 mL (2 tasses) de bouillon
de légumes
2 mL (1/2 c. à t.) de fécule
de maïs
75 mL (5 c. à s.) de crème
2 tranches de pain de seigle
sel et poivre du moulin
15 mL (1 c. à s.) de marjo-
laine fraîche, hachée
45 mL (3 c. à s.) de parme-
san fraîchement râpé

1 Tranchez finement les oignons. Faites chauffer l'huile dans une casserole moyenne, ajoutez les oignons et faites-les cuire à feu doux jusqu'à ce qu'ils deviennent transparents. Versez le bouillon et faites cuire à feu doux pendant 30 minutes de plus.

2 Faites chauffer le four à 200 °C (400 °F) ou allumez la salamandre. Mélangez la fécule de maïs et la crème et versez dans la soupe.

3 Faites griller le pain. Parfumez la soupe de marjolaine, de sel et de poivre, et versez-la dans deux bols qui vont au four. Couvrez chacun d'une tranche de pain grillé. Saupoudrez du parmesan et faites cuire au four ou passez sous la salamandre jusqu'à ce que le fromage soit fondu et quelque peu grillé.

‼ REMARQUE : Afin de réduire la teneur en matières grasses de cette soupe, n'employez seulement que 30 mL (2 c. à s.) de parmesan.

Soupe au poireau et aux champignons

Glucides	◖	
Matières grasses	●●●	
Fibres	●	**35 minutes**

Environ 146 calories par portion
8 g de protéines • 13 g de gras
• 6 g de glucides

POUR 2 PORTIONS :
1 petit poireau
15 mL (1 c. à s.) d'huile de colza ou d'huile végétale
400 mL (1 2/3 tasse) de bouillon de poulet
150 g (5 oz) de petits champignons
125 mL ou 100 g (1/2 tasse) de crème sure
15 mL (1 c. à s.) d'amandes hachées
1 bouquet de cerfeuil ou de persil
sel et poivre du moulin

1 Taillez le poireau dans le sens de la longueur et rincez-le soigneusement. Taillez le blanc et le vert en fines lanières. Faites chauffer l'huile et faites cuire le poireau à feu doux jusqu'à ce qu'il ait fondu. Versez le bouillon et amenez à ébullition.

2 Taillez les champignons. Réservez-en quelques-uns et faites sauter le reste à feu doux pendant 10 minutes. Ajoutez le poireau, le bouillon, la crème sure, les amandes et presque tout le bouquet de cerfeuil. Réduisez le tout en purée.

3 Assaisonnez de sel, de poivre et garnissez des lamelles de champignons qui restent, de cerfeuil et servez.

Potage au jus de betterave

Glucides	●◖	
Matières grasses	–	
Fibres	–	**35 minutes**

Environ 74 calories par portion
3 g de protéines • 2 g de gras
• 14 g de glucides

POUR 2 PORTIONS :
1 pomme de terre farineuse
500 mL (2 tasses) de jus de betterave
2 mL (1/2 c. à t.) de cannelle moulue
clous de girofle moulus
sel et poivre du moulin
15 mL (1 c. à s.) de crème sure

1 Pelez la pomme de terre et taillez-la en dés. Déposez-la dans une casserole moyenne avec le jus de betterave. Amenez à ébullition et faites cuire à feu doux pendant 15 minutes.

2 Réduisez la pomme de terre et le jus en purée à l'aide d'un mélangeur, d'un robot culinaire ou d'un pilon. Refaites chauffer quelque peu. Parfumez avec la cannelle, le clou de girofle, le sel et le poivre. Ajoutez la crème sure en remuant et servez sans tarder.

!! REMARQUE :
Pour faire une crème de carottes, remplacez le jus de betterave par du jus de carotte et la cannelle et le clou par du cari.

Crème de carottes et de pistaches

Glucides	●	25 minutes
Matières grasses	●●●	
Fibres	●●	

Environ 148 calories par portion
3 g de protéines • 10 g de gras • 10 g de glucides

POUR 2 PORTIONS :
5 carottes moyennes
1 racine de persil ou 1 petit chou-rave
15 mL (1 c. à s.) de beurre
375 mL (1 1/2 tasse) d'eau chaude
2 oignons verts
sel et poivre frais moulu
pincée de graines de coriandre moulues
pincée de muscade fraîchement moulue
pincée de gingembre moulu
pincée de poivre de Cayenne
60 mL (4 c. à s.) de crème
15 mL (1 c. à s.) de pistaches hachées

1 Pelez les carottes et la racine de persil, et taillez-les en dés. Faites chauffer la moitié du beurre dans une casserole moyenne, ajoutez les carottes et la racine de persil et faites cuire à feu moyen pendant une minute. Ajoutez l'eau et faites cuire pendant 15 minutes.

2 Tranchez finement le blanc et le vert des oignons. Faites chauffer le reste de beurre dans une poêle, ajoutez les oignons et faites-les cuire à feu doux jusqu'à ce qu'ils deviennent transparents. Réservez-les.

3 Réduisez en purée la préparation à base de carottes et de racine de persil. Parfumez de sel, de poivre, de coriandre, de muscade, de gingembre et de piment de Cayenne. Ajoutez les oignons en remuant et faites cuire à feu doux pendant cinq minutes. À l'aide d'une fourchette, fouettez la crème jusqu'à ce qu'elle devienne mousseuse et incorporez-la au potage. Garnissez de pistaches et servez.

Crème de brocoli parfumée au thym

Glucides	●●	45 minutes
Matières grasses	●	
Fibres	●●●	

Environ 187 calories par portion
9 g de protéines • 6 g de gras • 22 g de glucides

POUR 2 PORTIONS :
1 pomme de terre ferme
1 botte de brocoli (500 g ou 1 lb)
1 oignon moyen
5 mL (1 c. à t.) d'huile d'olive
500 mL (2 tasses) de bouillon de légumes
sel
15 mL (1 c. à s.) de crème sure
la moitié d'une limette
2 mL (1/2 c. à t.) de thym frais, haché
poivre du moulin
pincée de muscade moulue

1 Pelez la pomme de terre et taillez-la en dés. Séparez les bouquetons de brocoli. Taillez les tiges, pelez-les et tranchez-les grossièrement.

2 Faites chauffer l'huile dans une casserole moyenne et faites légèrement revenir l'oignon à feu moyen. Ajoutez en remuant les dés de pomme de terre et faites-les cuire quelque peu. Versez le bouillon de légumes. Réservez environ 750 mL (3 tasses) des bouquetons de brocoli et ajoutez le reste à la soupe. Amenez à ébullition et faites cuire à couvert pendant 25 minutes à feu doux.

3 Entre-temps, déposez les bouquetons de brocoli que vous avez réservés dans une autre casserole ou dans un cuiseur à vapeur. Faites-les cuire à feu doux, à couvert, dans un peu d'eau salée ou passez-les à la vapeur pendant 10 minutes. Évacuez l'eau de cuisson et conservez le brocoli au chaud dans la casserole ou le cuiseur couvert.

4 Versez la crème sure dans un petit bol et remuez-la jusqu'à l'obtention d'une consistance homogène. Râpez l'écorce de la limette et ajoutez un peu de zeste à la crème sure. Exprimez 30 mL (2 c. à s.) de jus de limette et incorporez-le à la crème. Parfumez de thym.

5 Réduisez la soupe en purée et assaisonnez-la de sel, de poivre et de muscade. Ajoutez les bouquetons de brocoli. Versez le potage dans deux bols et servez en garnissant d'un nuage de crème parfumée au thym et d'une tranche de limette, si vous désirez.

À droite : Crème de brocoli parfumée au thym

Soupe à l'orge accompagnée de parmesan

Glucides	●●●◖	1 h
Matières grasses	●●●	
Fibres	●●●	

Environ 317 calories par portion
14 g de protéines • 12 g de gras • 37 g de glucides

POUR 2 PORTIONS :
15 mL (1 c. à s.) d'huile d'olive
1 petite gousse d'ail
125 mL ou 80 g (1/2 tasse) d'orge perlé
500 mL (2 tasses) de bouillon de légumes
la moitié d'une botte d'oignons verts
1 petite courgette
2 petites tomates
75 mL ou 50 g (1/3 de tasse) de pois verts
1 brin de romarin frais
1 brin de thym frais
2 mL (1/2 c. à t.) de sel
5 à 10 mL (1 à 2 c. à t.) de jus de citron
poignée de feuilles de basilic frais
50 mL ou 30 g (1/4 de tasse) de parmesan finement râpé

1 Faites chauffer l'huile dans une casserole moyenne. Hachez finement l'ail et faites-le cuire à feu doux. Rincez l'orge perlé à l'eau froide et faites-le égoutter. Versez-le dans la casserole en remuant sans cesse. Versez le bouillon de légumes et remuez un coup. Couvrez la casserole et faites cuire à feu doux pendant 30 minutes.

2 Entre-temps, tranchez finement le blanc et le vert des oignons. Taillez la courgette en petits dés. Écrasez les tomates à l'aide d'un pilon ou hachez-les finement.

3 Ajoutez les oignons, les tomates, la courgette, les pois, le romarin et le thym à l'orge. Faites cuire à couvert pendant 20 minutes à feu doux.

4 Assaisonnez de sel et de jus de citron. Hachez finement les feuilles de basilic pour en garnir la soupe. Présentez le parmesan en accompagnement.

Potage Parmentier au saumon fumé

Glucides	●●●◖	35 minutes
Matières grasses	●●●	
Fibres	●●●	

Environ 342 calories par portion
13 g de protéines • 13 g de gras • 36 g de glucides

POUR 2 PORTIONS :
3 pommes de terre farineuses
3 oignons verts
1 gousse d'ail
1 botte de verdures : épinards, feuilles de chou vert, etc.
10 mL (2 c. à t.) de beurre
625 mL (2 1/2 tasses) de bouillon de légumes
1 feuille de laurier
pincée de carvi moulu
sel et poivre du moulin
30 mL (2 c. à s.) de crème sure
3 ou 4 brins de persil plat
60 g (2 oz) de saumon fumé

1 Pelez les pommes de terre et taillez-les en dés. Hachez grossièrement le blanc des oignons. Tranchez finement le vert des oignons et réservez-le. Hachez finement l'ail. Hachez les verdures choisies.

2 Faites chauffer le beurre dans une grande casserole et ajoutez le blanc des oignons, l'ail et les verdures. Faites-les sauter doucement à feu moyen en remuant sans cesse. Ajoutez les pommes de terre et laissez-les dorer quelque peu.

3 Versez le bouillon de légumes, mettez la feuille de laurier et le carvi. Couvrez la casserole et laissez cuire à feu moyen pendant 15 minutes.

4 Tranchez finement le persil. Réduisez la soupe en purée grossière, salez et poivrez. Ajoutez en remuant la moitié du persil.

5 Taillez le saumon fumé en fines lanières. Versez le potage dans 2 bols et garnissez de lanières de saumon et de crème sure. Saupoudrez l'oignon vert et ce qui reste de persil.

En haut : Soupe à l'orge accompagnée de parmesan
En bas : Potage Parmentier au saumon fumé

Soupe aux pois maigre

Glucides	●●●	**2 h**
Matières grasses	–	
Fibres	●●●	

Environ 213 calories par portion
17 g de protéines • 3 g de gras • 31 g de glucides

POUR 2 PORTIONS :
125 mL ou 125 g (1/2 tasse) de pois jaunes secs
500 mL (2 tasses) d'eau froide
150 mL ou 80 g (2/3 de tasse) de céleri-rave
1 1/2 carotte moyenne
1 petit poireau
la moitié d'un bouquet de persil
2 mL (1/2 c. à t.) de sel
5 mL (1 c. à t.) de marjolaine séchée
5 mL (1 c. à t.) d'huile de colza ou d'huile végétale
1 petit oignon

1 Mettez les pois à tremper dans l'eau froide pendant 8 à 12 heures ou pendant une nuit.

2 Pelez le céleri-rave et coupez-le en petits dés. Pelez les carottes, taillez-les en deux dans le sens de la longueur et tranchez-les. Taillez le poireau dans le sens de la longueur, rincez-le soigneusement et taillez-le finement. Retirez les plus grosses tiges de persil et liez-les à l'aide d'une ficelle.

3 Ajoutez les légumes, les tiges de persil, le sel et la marjolaine aux pois et à l'eau, et amenez à ébullition. Couvrez et laissez cuire à feu doux pendant 1 h 20. Retirez le persil. Ajouter davantage d'eau, le cas échéant.

4 Faites chauffer l'huile et faites revenir l'oignon à feu moyen. Hachez finement ce qui reste de persil et saupoudrez-en l'oignon. Versez la soupe dans deux bols, garnissez avec les oignons persillés et servez.

Soupe aux tomates facile à préparer

Glucides	◖	**15 minutes**
Matières grasses	●●	
Fibres	●	

Environ 170 calories par portion
4 g de protéines • 9 g de gras • 8 g de glucides

POUR 2 PORTIONS :
15 mL (1 c. à s.) d'huile d'olive
1 oignon
1 petite gousse d'ail
398 mL (14 oz) de tomates en conserve
15 mL (1 c. à s.) de purée de tomate
50 mL (1/4 de tasse) de vin rouge sec
250 mL (1 tasse) de bouillon de légumes
1 feuille de laurier
sel et poivre du moulin
1 mL (1/4 de c. à t.) de paprika doux
pincée de poivre de Cayenne
2 brins de basilic frais
30 mL (2 c. à s.) de pecorino ou de gouda frais, râpé

1 Hachez l'oignon et l'ail. Faites chauffer l'huile dans une casserole moyenne, ajoutez l'oignon et l'ail, et faites-les revenir à feu doux jusqu'à ce que l'oignon devienne transparent.

2 Égouttez les tomates et réservez leur jus. Hachez-les grossièrement et versez-les dans la casserole en remuant. Incorporez la purée de tomate et laissez cuire brièvement. Ajoutez le jus de tomate que vous avez réservé, le vin, le bouillon et la feuille de laurier. Couvrez la casserole et laissez mijoter à feu moyen pendant 10 minutes.

3 Assaisonnez de sel, de poivre, de paprika et de poivre de Cayenne. Versez la soupe dans deux bols chauds et saupoudrez le fromage râpé.

‼ **REMARQUE** : Selon bon nombre de gourmets, le fromage râpé s'impose quand vient le moment de faire gratiner un plat ou de garnir une soupe ou une salade. Cette soupe n'en sera pas moins succulente si vous omettez le fromage, sauf que votre consommation de matières grasses se trouvera grandement réduite.

À droite : Soupe aux tomates facile à préparer

Légumes

Un repas composé de quantité de légumes frais et craquants vous laissera dispos et plein d'énergie

Ces plats de légumes pleins de couleurs ne sont pas qu'un festin pour les yeux. Étant donné que l'on peut préparer les légumes de maintes manières et en autant de combinaisons, les possibilités sont infinies et toujours stimulantes. De plus, vous pouvez consommer autant de légumes que vous en avez envie, crus ou cuits, sans incidence sur votre taux de glucose sanguin.

Et le grand avantage? Vous profiterez d'un surplus de vitamines et de minéraux qui décupleront votre énergie.

Asperges blanches et pommes de terre nouvelles en sauce au cerfeuil

Glucides	●●●◖	1 h
Matières grasses	●●●	
Fibres	●●●	

Environ 348 calories par portion
15 g de protéines • 13 g de gras • 42 g de glucides

POUR 2 PORTIONS :

400 g (14 oz) de pommes de terre nouvelles
sel
sucre
1 kg (2 lb) d'asperges blanches
30 mL ou 20 g (2 c. à s.) de margarine
5 mL ou 10 g (1 c. à t. comble) de farine
250 mL (1 tasse) de lait entier
pincée de muscade
5 à 10 mL (1 à 2 c. à t.) de jus de citron
pincée de zeste de citron
la moitié d'une poignée de cerfeuil

1 Couvrez à peine les pommes de terre d'eau salée et faites-les cuire pendant 20 minutes.

2 Dans une grande casserole, mélangez environ un 1L (4 tasses) d'eau, 5 mL (1 c. à t.) de sel et deux pincées de sucre; amenez à ébullition. Ajoutez les asperges et faites-les cuire à feu doux pendant 15 minutes.

3 Entre-temps, faites fondre la margarine à feu doux dans une petite casserole. À l'aide d'un fouet, incorporez la farine et laissez-la roussir quelque peu. Toujours à l'aide d'un fouet, mélangez le lait au roux et faites cuire à feu doux pendant 10 minutes en remuant à l'occasion.

4 Juste avant que les asperges soient cuites, versez 50 mL (1/2 tasse) d'eau de cuisson dans la sauce blanche. Retirez la casserole du feu et ajoutez le sel, la muscade, le zeste et le jus de citron, ainsi qu'un peu de sucre. Réservez quelques feuilles de cerfeuil et hachez finement le reste afin de l'ajouter à la sauce. Gardez la casserole au chaud à feu doux.

5 Égouttez les pommes de terre et laissez-les sécher à la vapeur pendant quelques minutes. Égouttez les asperges et servez-les sans tarder en compagnie des pommes de terre et de la sauce. Garnissez de quelques feuilles de cerfeuil.

Ragoût végétarien et gnocchis au safran

Glucides	●●●	30 minutes
Matières grasses	–	
Fibres	●●●	

Environ 278 calories par portion
7 g de protéines • 3 g de gras • 35 g de glucides

POUR 2 PORTIONS :

1 L ou 400 g (4 tasses) de légumes variés : carottes, oignons verts, pois mange-tout, etc.
250 mL (1 tasse) de bouillon de légumes
150 mL (2/3 de tasse) de lait écrémé
75 mL ou 40 g (1/3 de tasse) de semoule de blé entier
sel
pincée de safran
15 mL (1 c. à s.) de persil frais, haché
poignée de feuilles de cerfeuil frais
poivre du moulin

1 Tranchez finement les légumes et déposez-les dans une grande casserole avec le bouillon. Amenez à ébullition, couvrez et laissez cuire à feu doux pendant 10 à 15 minutes.

2 Entre-temps, faites chauffer le lait dans une petite casserole. Ajoutez peu à peu la semoule en remuant sans cesse et faites cuire à feu doux jusqu'à épaississement. Ajoutez le sel, le safran et le persil en remuant.

3 Hachez finement le cerfeuil et saupoudrez-le sur les légumes. Salez et poivrez.

4 À l'aide de deux cuillers, faites des gnocchis avec la semoule. Disposez-les dans une assiette et servez-les sans tarder avec les légumes.

!! **REMARQUE** : Le safran ajoute un parfum raffiné aux gnocchis, ainsi qu'une belle couleur dorée que l'on obtient d'ordinaire avec du jaune d'œuf. Cette version est pauvre en matières grasses et exempte de cholestérol.

En haut : Asperges blanches et pommes de terre nouvelles en sauce au cerfeuil
En bas : Ragoût végétarien et gnocchis au safran

Pommes de terre avec salade aux tomates et au fromage blanc

Glucides	●●●◐	50 minutes
Matières grasses	–	(+ 10 à 15 minutes de cuisson)
Fibres	●●	

Environ 267 calories par portion
23 g de protéines • 2 g de gras • 38 g de glucides

POUR 2 PORTIONS :

2 grosses pommes de terre fermes (environ 500 g ou 1 lb)
sel
250 mL ou 250 g (1 tasse) de fromage blanc ou de purée
   de fromage cottage allégé
15 mL (1 c. à s.) d'eau minérale
la moitié d'une poignée de cresson
muscade fraîchement râpée
édulcorant liquide
15 mL (1 c. à s.) d'huile d'olive
5 mL (1 c. à t.) de vinaigre balsamique
2 petites tomates
1 petit oignon

1 Couvrez à peine les pommes de terre d'eau salée, amenez-les à ébullition, puis couvrez la marmite et laissez cuire à feu doux pendant 30 minutes.

2 Entre-temps, allongez le fromage blanc d'eau minérale et remuez jusqu'à obtention d'une consistance homogène. Hachez finement le cresson et incorporez-le au fromage avec deux ou trois pincées de sel, un peu de muscade et un trait d'édulcorant. Réservez.

3 Dans un saladier, incorporez l'huile et le vinaigre à l'aide d'un fouet, et ajoutez une pincée de sel. Taillez les tomates en petites bouchées et ajoutez-les à la vinaigrette. Tranchez finement l'oignon et ajoutez-le à la préparation. Touillez légèrement.

4 Allumez la salamandre du four. Égouttez les pommes de terre, taillez-les en deux dans le sens de la longueur et posez-les sur une feuille de papier alu de 20 sur 30 cm (8 sur 12 po). Saupoudrez un peu de sel sur chaque moitié de pomme de terre. Insérez une clayette au centre du four et faites-les griller sous la salamandre pendant 10 à 15 minutes, jusqu'à ce qu'elles aient légèrement doré. Servez-les avec du fromage blanc, quelques feuilles de cresson et la salade de tomates.

Aubergine et tomates avec yaourt à la menthe

Glucides	●◐	45 minutes
Matières grasses	●●●	
Fibres	●●●	

Environ 268 calories par portion
17 g de protéines • 14 g de gras • 16 g de glucides

POUR 2 PORTIONS :

2 aubergines moyennes
15 mL (1 c. à s.) d'huile d'olive
2 tomates
sel et poivre du moulin
2 mL (1/2 c. à t.) d'origan séché
125 mL ou 50 g (1/2 tasse) de parmesan frais, râpé
175 mL ou 200 g (3/4 de tasse) de yaourt allégé
5 mL (1 c. à t.) de jus de citron
1 petite gousse d'ail
2 brins de menthe fraîche ou 2 mL (1/2 c. à t.) de menthe
   séchée

1 Faites chauffer le four à 200 °C (400 °F). Taillez les aubergines en tranches de 1 cm (1/2 pouce) d'épaisseur. Faites chauffer l'huile dans une poêle antiadhésive, ajoutez les aubergines et faites-les dorer des deux côtés à feu moyen. Laissez-les refroidir et réservez-les.

2 Tranchez les tomates. Dans un plat allant au four, faites alterner les rangs d'aubergine et de tomate. Assaisonnez avec le sel, le poivre et l'origan. Saupoudrez de parmesan et faites cuire au four pendant 20 minutes.

3 Entre-temps, mélangez le yaourt et le jus de citron. Pelez et écrasez l'ail et ajoutez-le au yaourt. Ajoutez le sel, le poivre et la menthe, et servez cette sauce en accompagnement, garnie de feuilles de menthe.

!! **REMARQUE** : Vous pouvez remplacer l'aubergine par des courgettes. Taillez-les en rondelles et faites-les revenir dans un peu d'huile au fond d'une poêle antiadhésive. Dans un plat allant au four, faites alterner les rangs de tomate et de courgette et faites cuire selon les indications.

En haut : Pommes de terre cuites deux fois accompagnées d'une salade aux tomates et au fromage blanc

En bas : Aubergine et tomates avec yaourt à la menthe

Omelette espagnole avec ses légumes

Glucides ◖◗

Matières grasses +

Fibres ●●●

40 minutes

Environ 221 calories par portion
11 g de protéines • 17 g de gras • 18 g de glucides

POUR 2 PORTIONS :
30 mL (2 c. à s.) d'huile d'olive
2 tomates moyennes, fermes
1 poivron rouge
1 petite aubergine
1 oignon
1 gousse d'ail
2 œufs
sel et poivre du moulin
30 mL (2 c. à s.) de persil frais, haché

1 Tranchez les pommes de terre. Faites chauffer 15 mL (1 c. à s.) d'huile d'olive dans une poêle à frire. Ajoutez les pommes de terre et faites-les revenir à feu moyen en les retournant souvent. Taillez le

poivron et l'aubergine en dés. Hachez l'oignon et l'ail. Mélangez les légumes et l'ail aux pommes de terre, et faites-les sauter pendant 10 minutes en remuant souvent. Salez et poivrez légèrement. Laissez refroidir.

2 Fouettez les œufs avec un peu de sel, une pincée de poivre et le persil. Ajoutez-les en remuant à la préparation à base de pommes de terre. Faites chauffer 5 mL (1 c. à t.) d'huile dans la poêle à frire. Versez les œufs et répartissez-les uniformément dans la poêle. Laissez-les figer à feu doux. Remuez doucement la poêle en un mouvement de va-et-vient, ajoutez un peu d'huile au besoin, et retournez l'omelette. Laissez-la cuire jusqu'à ce qu'elle soit dorée des deux côtés, divisez-la en quartiers et servez sans tarder.

 REMARQUE : Une salade verte accompagne à merveille ce plat.

Légumes poêlés aux œufs

Glucides ●

Matières grasses ●●●

Fibres ●●●

30 minutes

Environ 199 calories par portion
14 g de protéines • 11 g de gras • 11 g de glucides

POUR 2 PORTIONS :
175 mL ou 75 g (3/4 de tasse) de germes de haricots
5 mL (1 c. à t.) d'huile d'olive
5 mL (1 c. à t.) de gingembre frais, râpé
1 gousse d'ail
2 oignons verts
1 courgette
1 petite aubergine
1 petit poivron rouge
125 mL (1/2 tasse) de bouillon de légumes
15 à 30 mL (1 à 2 c. à s.) de sauce soja
poivre noir
2 œufs
30 mL (2 c. à s.) de parmesan fraîchement râpé
1 brin de basilic frais

1 Rincez et égouttez les germes de haricots. Hachez l'ail et tranchez les oignons verts. Tranchez la courgette, l'aubergine et le poivron rouge en dés.

2 Faites chauffer l'huile, ajoutez le gingembre, l'ail et les oignons verts, et faites-les sauter à feu doux pendant une minute. Ajoutez en remuant la courgette, l'aubergine et le poivron rouge, et faites-les sauter pendant six minutes. Versez le bouillon, ajoutez la sauce soja et poivrez au goût; faites cuire pendant une minute.

3 À l'aide d'une grande cuiller, creusez deux puits au centre des légumes et déposez un œuf cru au centre de chacun. Saupoudrez de parmesan. Couvrez et laissez cuire pendant cinq minutes, jusqu'à ce que les œufs aient figé. Hachez finement le basilic et saupoudrez-le sur le plat.

REMARQUE : Les œufs sont une bonne source de vitamines et de protéines mais ils contiennent quantité de gras et de cholestérol. Voilà pourquoi il ne faut consommer un plat aux œufs qu'une ou deux fois la semaine.

À droite : Légumes poêlés aux œufs

Gratin aux épinards

Glucides	◗	25 minutes
Matières grasses	●●	(+ 10 minutes de cuisson)
Fibres	–	

Environ 164 calories par portion
15 g de protéines • 8 g de gras • 8 g de glucides

POUR 2 PORTIONS :
15 mL (1 c. à s.) de pignons hachés
6 à 8 feuilles de basilic frais
1 gousse d'ail
sel
5 mL (1 c. à t.) de jus de citron
500 g (1 lb) d'épinards
2 tomates
muscade fraîchement moulue
75 g (2 1/2 oz) de mozzarella

1 Faites griller les pignons dans une poêle antiadhésive à feu moyen, en prenant soin de ne pas les brûler. Hachez finement le basilic et l'ail, et ajoutez-les aux pignons. Assaisonnez d'une pincée de sel et de jus de citron.

2 Rincez les épinards et retirez les grosses tiges. Déposez les épinards humides dans une grande casserole et laissez-les cuire à la vapeur pendant quatre minutes à feu moyen, ou jusqu'à ce qu'ils aient fondu. Égouttez-les et hachez-les grossièrement.

3 Faites chauffer le four à 180 °C (350 °F). Beurrez d'un corps gras le fond d'un plat allant au four. Tranchez les tomates et disposez-les dans la moitié du plat. Salez légèrement et couvrez-les de pignons. Déposez les épinards dans l'autre moitié du plat; assaisonnez-les de deux pincées de sel et de muscade. Taillez la mozzarella en quatre tranches que vous déposerez sur les épinards. Faites cuire au four pendant 10 minutes. Servez en compagnie d'une brioche d'épeautre (voyez la recette en page 184).

!! **REMARQUE :** Vous pouvez employer des épinards surgelés plutôt que frais. Il suffit d'en décongeler une boîte de 300 g (10 oz) et de suivre les indications précédentes.

Omelette aux olives

Glucides	●	15 minutes
Matières grasses	++	
Fibres	●●	

Environ 335 calories par portion
17 g de protéines • 25 g de gras • 10 g de glucides

POUR 2 PORTIONS :
15 mL (1 c. à s.) + 10 mL (2 c. à t.) d'huile de colza ou d'huile végétale
1 gousse d'ail
1 oignon
1 petite aubergine
1 courgette
175 mL (3/4 de tasse) de jus de tomate
la moitié d'un bouquet de persil
sel et poivre du moulin
4 œufs
30 mL (2 c. à s.) de lait
cari en poudre
10 olives vertes dénoyautées

1 Tranchez finement l'ail et l'oignon. Faites chauffer 15 mL (1 c. à s.) d'huile d'olive, ajoutez l'ail et l'oignon, et faites sauter à feu doux jusqu'à ce que ce dernier devienne transparent.

2 Taillez l'aubergine et la courgette en dés, ajoutez-les à l'oignon et faites-les cuire légèrement. Versez le jus de tomate et faites cuire à feu moyen pendant 15 minutes. Hachez le persil et ajoutez-le en remuant. Salez et poivrez.

3 Tranchez les olives. Fouettez les œufs et le lait jusqu'à ce que le mélange soit mousseux. Ajoutez en continuant de remuer le sel, le poivre, le cari et les olives.

4 Faites cuire une omelette à la fois. Pour chacune, faites chauffer 5 mL (1 c. à t.) d'huile dans une poêle antiadhésive, versez la moitié de la préparation aux œufs et faites cuire jusqu'à ce que les œufs figent et que l'omelette soit dorée. Réservez et conservez au chaud. Garnissez la moitié de chaque omelette de légumes sautés, repliez-les, posez-les dans deux assiettes et servez.

En haut : Gratin aux épinards
En bas : Omelette aux olives

Ragoût de légumes et œufs pochés

Glucides	●◖	50 minutes
Matières grasses	●●●	
Fibres	●●	

Environ 201 calories par portion
11 g de protéines • 12 g de gras • 13 g de glucides

POUR 2 PORTIONS :
1 poireau
500 mL ou 100 g (2 tasses) de feuilles d'épinards équeutées
2 carottes
1 chou-rave
1 gousse d'ail
15 mL (1 c. à s.) d'huile d'olive
125 mL (1/2 tasse) de bouillon de légumes
1 L (4 tasses) d'eau
125 mL (1/2 tasse)
2 œufs
sel et poivre du moulin
muscade fraîchement moulue

1 Taillez le poireau dans le sens de la longueur, rincez-le soigneusement et taillez-le en fines lanières. Pelez les carottes et le chou-rave, et taillez-les en lanières. Hachez finement l'ail.

2 Faites chauffer l'huile. Déposez l'ail, le poireau et faites-les sauter légèrement à feu moyen. Ajoutez les épinards, couvrez et faites-les cuire pendant cinq minutes jusqu'à ce qu'ils aient fondu. Ajoutez les carottes, le chou-rave et le bouillon, et faites cuire pendant 15 minutes de plus.

3 Dans une casserole moyenne, amenez l'eau et le vinaigre à légère ébullition. Cassez les œufs un à un, déposez-les dans l'eau bouillante et faites-les cuire pendant environ quatre minutes. Retirez-les de l'eau à l'aide d'une cuiller à rainures.

4 Assaisonnez les légumes de sel, de poivre et de muscade. Servez à la louche dans deux assiettes avec les œufs pochés en accompagnement.

!! **REMARQUE :** Le tofu frit fait un bon accompagnement au ragoût de légumes. Taillez en dés 150 g (5 oz) de tofu ferme, faites-le frire dans 5 à 10 mL (1 à 2 c. à t.) d'huile d'olive ou d'arachide jusqu'à ce qu'il soit croustillant à l'extérieur. Ajoutez aux légumes avant de servir. Cette association alimentaire augmentera considérablement votre apport en calcium.

Ragoût de légumes avec pâtes et pesto

Glucides	●●●●◖	40 minutes
Matières grasses	+	
Fibres	●●●	

Environ 422 calories par portion
19 g de protéines • 16 g de gras • 50 g de glucides

POUR 2 PORTIONS :
30 mL (2 c. à s.) d'huile d'olive
30 g (1 oz) de jambon cuit
1 oignon
3 branches de céleri
1 petit bulbe de fenouil
1 L ou 200 g (4 tasses) de bouquetins de brocoli
1 poivron rouge
2 fines carottes
284 mL (10 oz) de tomates en conserve
500 mL (2 tasses) de bouillon de légumes
250 mL (1 tasse) de pâtes au blé dur (coquillettes ou farfales)
la moitié d'un bouquet de persil
2 brins de basilic frais
1 gousse d'ail
15 mL (1 c. à s.) de parmesan ou de vieux pecorino fraîchement râpé
5 mL (1 c. à t.) de jus de citron
sel
15 mL (1 c. à s.) de pignons
poivre

1 Taillez le jambon et l'oignon en dés, et tranchez finement le céleri, le fenouil, le poivron rouge et les carottes. Faites chauffer 15 mL (1 c. à s.) d'huile. Faites revenir le jambon et l'oignon. Ajoutez le céleri, le fenouil, le brocoli, le poivron rouge et les carottes, et faites-les sauter pendant une minute. Ajoutez les tomates que vous aurez concassées et le jus. Versez le bouillon, couvrez et faites cuire pendant 10 à 15 minutes à feu moyen.

2 Faites cuire les pâtes selon les indications paraissant sur leur emballage, laissez-les cuire pour qu'elles soient al dente et égouttez-les.

3 Afin de préparer le pesto, réduisez en purée les herbes et l'ail, ajoutez le fromage, le jus de citron, 15 mL (1 c. à s.) d'huile d'olive, le sel et les pignons.

4 Dans un saladier, mélangez les pâtes et les légumes, salez et poivrez. Servez dans de grands bols et garnissez d'une cuillerée de pesto.

En haut : Ragoût de légumes et œufs pochés
En bas : Ragoût de légumes avec pâtes et pesto

Légumes à la thaïlandaise

Glucides	●●◖	35 minutes
Matières grasses	●	
Fibres	●●●	

Environ 168 calories par portion
7 g de protéines • 6 g de gras • 25 g de glucides

POUR 2 PORTIONS :
625 mL ou 250 g (2 1/2 tasses) de brocoli
5 mL (1 c. à t.) d'huile
1 gousse d'ail
15 mL (1 c. à s.) de gingembre frais haché
1 petit piment du Chili
1 carotte
2 oignons verts
5 à 10 mL (1 ou 2 c. à t.) de sucre
125 mL (1/2 tasse) de bouillon de légumes
300 mL ou 75 g (1 1/4 tasse) de pak-choï ou de pé-tsaï tranché en lanières
2 tranches d'ananas frais
30 mL (2 c. à s.) de sauce de poisson fermenté
jus de limette
quelques brins de basilic thaïlandais

1 Détachez les bouquetons de brocoli; pelez les tiges et taillez-les en petits dés. Hachez finement l'ail et tranchez finement le piment du Chili, la carotte et les oignons verts.

2 Mettez l'huile à chauffer dans un wok. Ajoutez l'ail, le gingembre et le piment, et faites-les revenir légèrement. Ajoutez la carotte et le brocoli et faites-les sauter pendant deux minutes. Ajoutez les oignons verts et faites-les sauter pendant une minute. Versez le sucre et le bouillon de légumes.

3 Taillez l'ananas en dés et déposez-les dans le wok avec le pak-choï, la sauce de poisson et le jus de limette. Laissez cuire jusqu'à ce que les légumes soient tendres ou croustillants. Ciselez finement le basilic, saupoudrez sur les légumes et servez.

Aubergine farcie au bulgur

Glucides	●●●◖	45 minutes
Matières grasses	+	
Fibres	●●●	

Environ 353 calories par portion
17 g de protéines • 15 g de gras • 37 g de glucides

POUR 2 PORTIONS :
1 grosse aubergine
le jus d'un citron
30 mL (2 c. à s.) d'huile d'olive
75 mL ou 60 g (1/3 de tasse) de bulgur
1 oignon
125 mL (1/2 tasse) de bouillon de légumes
2 poivrons rouges
1 courgette
200 g (7 oz) de purée de tomate
sel et poivre du moulin
50 mL ou 30 g (1/4 de tasse) de parmesan fraîchement râpé

1 Taillez l'aubergine en deux dans le sens de la longueur. Retirez la chair pour ne laisser que deux barquettes de pelure. Taillez la chair en dés et réservez-la. Badigeonnez les barquettes de jus de citron.

2 Faites chauffer le four à 200 °C (400 °F). Posez les barquettes dans un plat allant au four et faites-les cuire pendant 15 minutes.

3 Hachez l'oignon et taillez les poivrons rouges et la courgette en dés. Faites chauffer l'huile, ajoutez le bulgur en remuant et faites-le revenir légèrement. Ajoutez l'oignon et faites-le cuire un peu. Ajoutez le bouillon de légumes, les poivrons rouges, la courgette et la chair de l'aubergine. Laissez mijoter pendant 15 minutes. Incorporez la purée de tomate, salez et poivrez.

4 Farcissez les barquettes d'aubergines de la préparation, saupoudrez-les de parmesan râpé et faites-les cuire au four pendant 15 minutes.

Ragoût de lentilles au cari

Glucides	●●●●◖	1 h
Matières grasses	●●	
Fibres	●●●	

Environ 371 calories par portion
19 g de protéines • 8 g de gras • 51 g de glucides

POUR 2 PORTIONS :
150 mL ou 120 g (2/3 de tasse) de lentilles vertes
500 mL (2 tasses) de bouillon de légumes
1 poivron rouge
398 mL (14 oz) de tomates en conserve
15 mL (1 c. à s.) d'huile d'olive
1 oignon
1 gousse d'ail
50 mL (1/4 de tasse) de vin rouge ou de jus de tomate
15 mL (1 c. à s.) de feuilles de coriandre fraîches, hachées
5 mL (1 c. à t.) de cari
pincée de poivre de Cayenne
sel et poivre du moulin
quelques feuilles de coriandre entières

1 Rincez les lentilles à l'eau froide et mettez-les à égoutter. Amenez le bouillon à ébullition. Ajoutez les lentilles et faites-les cuire à feu doux pendant 45 minutes.

2 Taillez le poivron rouge en petits dés. Égouttez les tomates en en réservant le jus et concassez-les. Hachez l'oignon et l'ail.

3 Faites chauffer l'huile. Ajouter l'oignon et l'ail, et faites-les sauter jusqu'à ce qu'ils deviennent transparents. Ajoutez en remuant les tomates et le jus que vous avez réservé, le jus additionnel ou le vin et la coriandre hachée. Amenez à ébullition. Ajoutez les lentilles et le bouillon en remuant, couvrez et faites cuire pendant 15 minutes. Ajoutez le cari, le poivre de Cayenne, le sel et le poivre. Garnissez de coriandre et servez.

En haut : Légumes à la thaïlandaise
En bas à gauche : Aubergine farcie au bulgur
En bas à droite : Ragoût de lentilles au cari

Barquettes de courgette farcies au riz

Glucides	●●●	**65 minutes**
Matières grasses	●●●	**(+ 30 minutes de cuisson)**
Fibres	●●	

Environ 333 calories par portion
15 g de protéines • 14 g de gras • 36 g de glucides

POUR 2 PORTIONS :
175 mL (3/4 de tasse) de bouillon de légumes
75 mL ou 65 g (1/3 de tasse) de riz brun
2 grosses courgettes
10 mL (2 c. à t.) d'huile d'olive
2 oignons
398 mL (14 oz) de tomates en conserve
sel et poivre
sauce Tabasco
125 mL (1/2 tasse) de petits dés de mozzarella
   (environ 60 g ou 2 oz)
30 mL (2 c. à s.) de pignons hachés
la moitié d'un bouquet de basilic

1 Amenez le bouillon à ébullition, ajoutez le riz et faites cuire à couvert et à feu doux entre 20 et 40 minutes, jusqu'à ce que le riz soit cuit mais ferme.

2 Taillez les courgettes en deux dans le sens de la longueur. À l'aide d'un petit couteau, détachez la chair de la pelure en en laissant environ 1/2 à 1 cm (entre 1/4 et 1/2 po) d'épaisseur. Hachez la chair et réservez-la. Hachez les oignons.

3 Faites chauffer l'huile, ajoutez les oignons et faites-les légèrement sauter à feu doux jusqu'à ce qu'ils deviennent transparents. Ajoutez en remuant les tomates, le jus et concassez grossièrement les tomates. Ajoutez la chair des courgettes, le sel, le poivre, quelques gouttes de sauce Tabasco et laissez mijoter à couvert pendant 15 minutes.

4 Faites chauffer le four à 180 °C (350 °F). Taillez finement le basilic et mélangez-le au riz, à la mozzarella et aux pignons. Salez, poivrez et farcissez les barquettes de courgettes.

5 Versez la préparation aux tomates dans un plat allant au four. Posez les barquettes dans le plat et faites cuire pendant 30 minutes.

Poivrons rouges farcis à la polenta

Glucides	●●●◖	**20 minutes**
Matières grasses	●●●	**(+ 45 minutes de cuisson)**
Fibres	●●	

Environ 311 calories par portion
12 g de protéines • 12 g de gras • 37 g de glucides

POUR 2 PORTIONS :
sel
150 mL ou 75 g (2/3 de tasse) de semoule de maïs
500 mL (2 tasses) d'eau
2 mL (1/2 c. à t.) de sel
2 gros poivrons rouges
15 mL (1 c. à s.) d'huile d'olive
3 tomates
15 mL (1 c. à s.) de persil frais haché
poivre du moulin
150 mL (2/3 de tasse) de bouillon de légumes
50 mL ou 30 g (1/4 de tasse) de gruyère ou d'emmenthal
   râpé

1 Amenez l'eau et le sel à ébullition dans une casserole moyenne. Ajoutez lentement en remuant la semoule de maïs et faites-la cuire à feu doux en remuant sans cesse jusqu'à ce qu'elle épaississe. Retirez du feu.

2 Taillez les poireaux en deux dans le sens de la longueur, épépinez-les et évidez-les.

3 Faites chauffer le four à 180 °C (350 °F). Badigeonnez d'huile d'olive le fond d'un plat à gratiner de taille moyenne. Taillez les tomates en petits dés et déposez-les au fond du plat. Assaisonnez-les de persil, de sel et de poivre. Farcissez les poivrons de polenta et posez-les sur les tomates. Versez le bouillon de légumes et faites cuire au four pendant 20 minutes.

4 Sortez le plat du four et remuez les tomates. Nappez les poivrons de la préparation aux tomates et remettre au four pendant 20 minutes de plus en nappant les poivrons à deux autres reprises.

5 Saupoudrez le fromage râpé et faites cuire pendant cinq minutes de plus ou jusqu'à ce que le fromage fonde et dore légèrement.

En haut : Barquettes de courgette farcies au riz
En bas : Poivrons rouges farcis à la polenta

Chou de Milan farci à la semoule et à la carotte

Glucides	●●●◖	55 minutes
Matières grasses	●●●	
Fibres	●●●	

Environ 431 calories par portion
20 g de protéines • 20 g de gras • 41 g de glucides

POUR 2 PORTIONS :
1 petit chou de Milan
30 mL (2 c. à s.) d'huile de colza ou d'huile végétale
400 mL (1 2/3 tasse) de bouillon de légumes
1 oignon
1 carotte
300 mL (1 1/4 tasse) de lait écrémé
125 mL ou 75 g (1/2 tasse) de semoule de blé dur
1 œuf légèrement fouetté
5 mL (1 c. à t.) de romarin séché, émietté
sel et poivre du moulin
muscade fraîchement moulue
50 mL ou 50 g (1/4 de tasse) de crème sure
30 mL (2 c. à s.) de persil frais, haché

1 Rincez le chou. Enlevez les quatre feuilles extérieures et hachez finement le reste. Faites chauffer 15 mL (1 c. à s.) d'huile, ajoutez les lanières de chou et faites cuire à feu moyen pendant cinq minutes. Ajoutez 175 mL (1/2 tasse) de bouillon et faites mijoter à couvert pendant 30 minutes. Entre-temps, faites blanchir les quatre feuilles de chou dans de l'eau bouillante salée, plongez-les dans de l'eau glacée et mettez-les à égoutter.

2 Hachez l'oignon et tranchez finement la carotte. Faites chauffer les 15 mL (1 c. à s.) d'huile d'olive qui restent et faites sauter l'oignon jusqu'à ce qu'il devienne transparent. Ajoutez en remuant la carotte et faites cuire pendant 10 minutes.

3 Faites chauffer le lait, versez-y lentement la semoule en remuant et faites-la cuire jusqu'à ce qu'elle épaississe. Laissez refroidir. Ajoutez l'œuf en remuant, puis l'oignon et la carotte. Assaisonnez de romarin, de sel, de poivre et de muscade.

4 Déposez la préparation à base de semoule dans les quatre feuilles de chou et roulez-les en ramenant les extrémités des feuilles vers l'intérieur, de manière à ce que la farce ne s'en échappe pas. Fixez-les à l'aide de cure-dents. Amenez le reste de bouillon à ébullition, plongez-y les choux farcis, réduisez l'intensité du feu et faites mijoter pendant 10 minutes.

5 Incorporez la crème sure aux lanières de chou cuit, salez et poivrez. Servez à côté des choux farcis en guise d'accompagnement après avoir garni le tout de persil.

Cari de pommes de terre et de chou-fleur à la mode des Indes

Glucides	●●●●	50 minutes
Matières grasses	●●	
Fibres	●●●	

Environ 298 calories par portion
13 g de protéines • 7 g de gras • 46 g de glucides

POUR 2 PORTIONS :
2 pommes de terre fermes
1 petit chou-fleur
15 mL (1 c. à s.) d'huile d'olive
1 tomate
1 petit piment vert du Chili
3 oignons verts
1 gousse d'ail
15 mL (1 c. à s.) de gingembre frais haché
15 mL (1 c. à s.) de garam masala
75 mL ou 75 g (1/3 de tasse) de yaourt allégé
1 mL (1/4 de c. à t.) de farine de blé complet grossièrement moulue
30 mL (2 c. à s.) de jus de citron
sel et poivre du moulin
10 mL (2 c. à t.) de graines de sésame

1 Pelez les pommes de terre et taillez-les en dés de 2 cm (1 po). Détachez les bouquetons de chou-fleur et taillez les tiges en dés.

2 Faites chauffer l'huile dans un wok ou dans une casserole antiadhésive. Déposez-y les pommes de terre et le chou-fleur et faites-les cuire à feu moyen en remuant sans cesse pendant 20 minutes en ajoutant un peu d'eau s'il le faut.

3 Faites blanchir la tomate dans de l'eau bouillante, pelez-la et taillez-la en petits dés. Réservez.

4 Taillez le piment vert dans le sens de la longueur, évidez-le et tranchez-le finement. Taillez les oignons verts et réservez-en une part. Taillez finement l'ail. Mélangez l'ail, le piment du Chili et ce qui reste d'oignons verts dans un autre wok ou une autre poêle et faites-les revenir légèrement. Ajoutez en remuant le gingembre et le garam masala. Incorporez le yaourt, la farine et remuez jusqu'à obtention d'une consistance homogène. Ajoutez la tomate, puis les pommes de terre et le chou-fleur. Faites cuire à feu doux pendant 10 minutes.

5 Assaisonnez de jus de citron, de sel et de poivre. Saupoudrez les graines de sésame et les oignons verts que vous avez réservés, et servez.

À droite : Cari de pommes de terre et de chou-fleur à la mode des Indes

Macédoine de brocoli et de poivron rouge

Glucides	●●●◖	40 minutes
Matières grasses	++	
Fibres	●●●	

Environ 397 calories par portion
15 g de protéines • 23 g de gras • 39 g de glucides

POUR 2 PORTIONS :

75 mL ou 50 g (1/3 de tasse) de riz étuvé à grain long

175 mL (3/4 de tasse) de bouillon

500 g (1 lb) de brocoli

30 mL (2 c. à s.) d'huile de colza ou d'huile végétale

4 oignons verts

1 poivron rouge

15 à 30 mL (1 à 2 c. à s.) de gingembre frais, haché

30 mL (2 c. à s.) de jus de citron

sel

cari

175 mL ou 200 g de crème sure

30 mL (2 c. à s.) d'amandes hachées

1 Versez le bouillon de légumes et le riz dans une cocotte et amenez à ébullition. Faites cuire pendant 20 minutes à feu doux.

2 Détachez les bouquetons de brocoli, pelez les tiges et tranchez-les finement. Tranchez les oignons verts et hachez grossièrement le poivron rouge.

3 Faites chauffer l'huile. Ajoutez les oignons verts en remuant et faites cuire à feu doux. Ajoutez le brocoli et le poivron rouge et faites cuire légèrement. Versez le reste de bouillon et faites cuire les légumes à feu doux jusqu'à ce qu'ils soient croustillants mais tendres, soit environ cinq minutes.

4 Incorporez à la crème sure le gingembre, le jus de citron, le sel et un soupçon de cari. Mélangez cette sauce aux légumes et faites cuire pendant cinq autres minutes.

5 Faites griller les amandes jusqu'à ce qu'elles soient dorées. Saupoudrez-les sur les légumes. Servez avec du riz.

Omelette espagnole à la pomme de terre et au fenouil

Glucides	●●●	1 h 10
Matières grasses	●●●	
Fibres	●●●	

Environ 317 calories par portion
16 g de protéines • 13 g de gras • 33 g de glucides

POUR 2 PORTIONS :

3 petites pommes de terre fermes

5 mL (1 c. à t.) d'huile d'olive

1 oignon

1 gros bulbe de fenouil

150 mL (2/3 de tasse) de lait

2 oeufs

sel et poivre du moulin

1 tomate

1 Faites cuire les pommes de terre dans de l'eau légèrement salée pendant 25 minutes. Égouttez-les, laissez-les sécher à la vapeur, puis tranchez-les en petits dés. Tranchez finement l'oignon et le bulbe de fenouil.

2 Faites chauffer l'huile dans une grande poêle antiadhésive dont la poignée résiste à la chaleur du four. Ajoutez l'oignon en remuant et faites-le sauter à feu doux jusqu'à ce qu'il devienne transparent. Ajoutez le fenouil et les pommes de terre et faites-les cuire légèrement.

3 Faites chauffer le four à 190 °C (375 °F). Fouettez le lait et les œufs que vous salerez et poivrerez. Versez la préparation aux œufs sur les légumes et laissez-les figer à feu moyen.

4 Tranchez finement la tomate et déposez les tranches sur le dessus de l'omelette. Passez-la au four pendant 10 minutes, jusqu'à ce qu'elle soit bien dorée.

 REMARQUE : Mangez les pommes de terre bouillies avec leur pelure.

Œufs à la coque en sauce Parmentier

Glucides	●●◖	35 minutes
Matières grasses	+	
Fibres	●	

Environ 358 calories par portion
24 g de protéines • 18 g de gras • 26 g de glucides

POUR 2 PORTIONS :

2 pommes de terre

sel

2 œufs

1 bouquet de persil

1 bouquet de cerfeuil

1 bouquet de ciboulette

150 mL ou 150 g (2/3 de tasse) de fromage blanc ou de purée de fromage cottage allégé

75 mL ou 75 g (1/3 de tasse) de yaourt

15 mL (1 c. à s.) de moutarde de Dijon

15 mL (1 c. à s.) de vinaigre de vin blanc

30 mL (2 c. à s.) d'huile d'olive

poivre du moulin

muscade fraîchement râpée

1 Pelez les pommes de terre et faites-les cuire pendant 25 minutes à l'eau bouillante salée.

2 Percez un trou dans la coquille des œufs et faites-les cuire pendant huit minutes à l'eau bouillante. Plongez-les sur-le-champ dans de l'eau glacée et pelez-les.

3 Hachez finement le persil, le cerfeuil, la ciboulette et mélangez-les au fromage blanc, au yaourt, à la moutarde, au vinaigre et à l'huile. Remuez bien et assaisonnez de sel, de poivre et d'un soupçon de muscade. À l'aide d'une louche, versez la sauce dans deux assiettes. Taillez les œufs en deux et posez-les sur la sauce en compagnie des pommes de terre. Salez, poivrez et garnissez de brins de cerfeuil ou de persil.

En haut : Macédoine de brocoli et de poivron rouge
En bas à gauche : Omelette espagnole à la pomme de terre et au fenouil
En bas à droite : Œufs à la coque en sauce Parmentier

Crêpes aux pommes de terre et à la crème sure

Glucides	●●●●●◖	1 h 15
Matières grasses	+	
Fibres	●●●	

Environ 491 calories par portion
24 g de protéines • 17 g de gras • 63 g de glucides

POUR 2 PORTIONS :

5 pommes de terre fermes
1 oignon moyen
sel et poivre du moulin
muscade fraîchement moulue
10 mL (2 c. à t.) de romarin séché, émietté
2 œufs
30 g (1 oz) de jambon fumé, écouenné
15 à 30 mL (1 à 2 c. à s.) de farine, le cas échéant
5 mL (1 c. à t.) d'huile
150 mL ou 150 g (2/3 de tasse) de crème sure
la moitié d'un bouquet de ciboulette

1 Pelez et râpez finement les pommes de terre, et égouttez-les dans un tamis. Hachez l'oignon et mélangez-le aux pommes de terre dans un grand bol. Assaisonnez de 5 mL (1 c. à t.) de sel, d'un peu de poivre, de muscade et de romarin.

2 À l'aide d'une fourchette, fouettez les œufs dans un petit bol, puis mélangez-les aux pommes de terre. Ajoutez le jambon. Si la pâte est trop humide, ajoutez-lui de la farine.

3 Faites chauffer le four à 220 °C (425 °F). Badigeonnez d'huile d'olive un plat de grandeur moyenne qui va au four. À l'aide d'une cuiller, déposez la préparation à base de pommes de terre dans le plat en prenant soin de la répartir également et couvrez-le d'une feuille de papier alu (la face miroitante vers l'intérieur).

4 Faites cuire la crêpe aux pommes de terre pendant 30 minutes. Retirez le papier alu et remettez au four pendant 15 minutes de plus, jusqu'à ce qu'elle soit légèrement dorée.

5 Entre-temps, hachez la ciboulette et mélangez-la à la crème sure jusqu'à obtention d'une consistance homogène. Garnissez la crêpe de quelques bonnes cuillerées de cette sauce et présentez le reste dans une saucière.

Crêpes fourrées à la choucroute

Glucides	●●●●	20 minutes
Matières grasses	+	(+ 30 minutes d'attente)
Fibres	●●	

Environ 480 calories par portion
35 g de protéines • 18 g de gras • 45 g de glucides

POUR 2 PORTIONS :

175 mL (3/4 de tasse) de lait
2 œufs
sel
175 mL ou 100 g (3/4 de tasse) de farine complète grossièrement moulue
250 mL ou 200 g (1 tasse) de choucroute
20 mL (4 c. à t.) d'huile de colza ou d'huile végétale
175 mL ou 200 g (3/4 de tasse) de fromage en crème allégé à tartiner
50 mL ou 30 g (1/4 de tasse) de parmesan fraîchement râpé
50 mL (1/4 de tasse) de ciboulette hachée
poivre du moulin

1 Mélangez le lait, les œufs, le sel et la farine et remuez jusqu'à l'obtention d'une consistance homogène. Laissez reposer la pâte pendant 30 minutes. Séparez la choucroute à l'aide d'une fourchette.

2 Faites huit crêpes. Faites chauffer environ 2 mL (1/2 c. à t.) d'huile dans une poêle antiadhésive mesurant 20 cm (8 po). Déposez avec une louche environ 45 mL (3 c. à s.) de pâte dans la poêle et remuez-la pour bien en couvrir le fond. Faites cuire à feu moyen jusqu'à ce qu'elle soit légèrement dorée et que la pâte ait bien figé. Retournez la crêpe et faites cuire l'autre côté jusqu'à ce qu'il soit doré.

É tendez immédiatement du fromage à la crème sur chaque crêpe, couvrez-le de choucroute et saupoudrez de parmesan et de ciboulette. Poivrez, roulez les crêpes et conservez-les au chaud.

!! REMARQUE : La choucroute est une excellente source de vitamine C; le potassium qu'elle contient a un effet purifiant et sa teneur élevée en acide lactique favorise la prolifération de la flore intestinale.

En haut : Crêpes aux pommes de terre et à la crème sure
En bas : Crêpes fourrées à la choucroute

Poissons et fruits de mer

Manger du poisson, c'est faire le plein d'énergie !

Si vous inscrivez le poisson au menu une ou deux fois par semaine, vite vous aurez plus d'entrain et de vitalité. Le poisson est riche en protéines faciles à digérer et contient de précieux acides gras et de l'iode qui activent le métabolisme.

Choisissez des poissons qui contiennent beaucoup d'iode tels que la morue, le saumon, le flétan, le vivaneau rouge, la brème, la perche des mers, la plie, le thon, le hareng, le maquereau et les crustacés.

Filets de truite fumée et salade Parmentier chaude

Glucides	●●●◖	50 minutes
Matières grasses	–	
Fibres	●●	

Environ 280 calories par portion
17 g de protéines • 3 g de gras • 38 g de glucides

POUR 2 PORTIONS :
sel
3 grosses pommes de terre fermes
45 mL (3 c. à s.) de bouillon de légumes chaud
15 mL (1 c. à s.) de raifort fraîchement râpé
la moitié d'un bouquet de ciboulette fraîche
la moitié d'un bouquet d'aneth frais
100 g (3 1/2 oz) de filets de truite fumée
2 radis

1 Amenez à ébullition de l'eau légèrement salée et faites cuire les pommes de terre pendant deux minutes. Égouttez-les, laissez se dissiper la vapeur, pelez-les pendant qu'elles sont chaudes et taillez-les en dés.

2 Mélangez le bouillon de légumes et le raifort dans un bol moyen. Saupoudrez un peu de sel. Hachez finement la ciboulette, l'aneth et ajoutez-les à la préparation. Incorporez aux pommes de terre.

3 Tranchez les radis. Déposez les filets de truite et la salade de pommes de terre dans deux assiettes, et garnissez de radis.

!! REMARQUE : Comme tous les poissons, la truite est riche en protéines. La teneur en gras de sa chair délicate au goût de noisette varie selon la sorte de truite, mais ne craignez pas d'en consommer souvent. Le gras de poisson contient d'ordinaire quantité d'acides gras oméga-3 que l'on trouve principalement dans les huiles végétales comme l'huile de colza et de graines de lin.

Salade au hareng Matjes, aux pommes et aux haricots verts

Glucides	●●	25 minutes
Matières grasses	+++	(+ 1 h de réfrigération)
Fibres	●●	

Environ 590 calories par portion
31 g de protéines • 42 g de gras • 22 g de glucides

POUR 2 PORTIONS :
sel
300 mL ou 150 g (1 1/4 tasse) de haricots verts
1 petit oignon
2 pommes sures
1 petit cornichon
1 bouquet de cerfeuil frais
le jus d'un citron
2 mL (1/2 c. à t.) de moutarde de Dijon
75 mL ou 75 g (1/3 de tasse) de crème sure
75 mL ou 75 g (1/3 de tasse) de yaourt allégé
4 filets de harengs Metjes (saumurés)
poivre du moulin

1 Dans une petite casserole, amenez l'eau salée à ébullition et faites cuire les haricots à feu moyen pendant 10 minutes. Égouttez-les et laissez-les refroidir avant de les tailler en petits morceaux.

2 Hachez finement l'oignon, les pommes, le cornichon et le cerfeuil, et ajoutez-les aux haricots.

3 Mélangez le jus de citron, la moutarde, la crème sure et le yaourt. Ajoutez en remuant à la salade. Taillez le hareng en petites bouchées et ajoutez-les à la salade. Assaisonnez de sel, de poivre et mettez au frigo pendant une heure avant de servir.

En haut : Filets de truite fumée et salade Parmentier chaude
En bas : Salade au hareng Matjes, aux pommes et aux haricots verts

Morue aux légumes d'été

Glucides	●●●●	1 h 10
Matières grasses	+	
Fibres	●●●	

Environ 517 calories par portion
48 g de protéines • 15 g de gras
• 47 g de glucides

POUR 2 PORTIONS :

75 mL ou 60 g (1/3 de tasse) de riz à grain long étuvé
125 mL (1/2 tasse) d'eau bouillante salée
1 oignon
1 oignon vert
1 poireau
2 carottes
1 chou-rave
30 mL (2 c. à s.) d'huile de colza ou d'huile végétale
625 mL (2 1/2 tasses) de pois mange-tout
30 mL (1 1/4 tasse) de bouillon de légumes
2 petits filets de morue
sel et poivre du moulin
le jus d'un citron
la moitié d'un bouquet d'aneth frais
50 mL ou 50 g (1/4 de tasse) de crème sure

1 Versez le riz dans l'eau. Couvrez la casserole et faites cuire à feu doux pendant 20 minutes.

2 Hachez l'oignon. Tranchez finement l'oignon vert et le poireau. Taillez les carottes et le chou-rave en julienne. Faites chauffer l'huile. Ajoutez en remuant l'oignon, l'oignon vert et le poireau, et faites cuire à feu moyen jusqu'à ce qu'ils deviennent transparents. Ajoutez en remuant les carottes, le chou-rave et les pois mange-tout. Faites cuire légèrement et versez le bouillon de légumes. Déposez la morue sur les légumes et faites cuire à couvert pendant 20 minutes à feu doux. Salez et poivrez.

3 Hachez finement l'aneth et incorporez-le à la crème sure et au jus de citron. Salez, poivrez et servez la sauce accompagnée du riz, du poisson et des légumes.

Plie accompagnée de polenta à la tomate

Glucides	●●●●	1 h 30
Matières grasses	++	
Fibres	●●	

Environ 527 calories par portion
34 g de protéines • 22 g de gras • 45 g de glucides

POUR 2 PORTIONS :

175 mL ou 100 g (3/4 de tasse) de semoule de maïs
500 mL (2 tasses) de bouillon
1 bouquet de basilic frais
3 œufs
45 mL (3 c. à s.) de purée de tomate
30 mL (2 c. à s.) d'huile d'olive
poivre du moulin
30 mL (2 c. à s.) de lait
300 g (10 oz) de filets de plie
sel
30 mL (2 c. à s.) de farine
30 mL (2 c. à s.) de persil frais, haché

1 Versez lentement la semoule de maïs dans le bouillon de légumes en remuant sans cesse. Faites cuire à feu doux jusqu'à épaississement de la préparation, soit 45 minutes environ.

2 Faites chauffer le four à 150 °C (300 °F). Hachez le basilic et mélangez-le à un œuf et à la purée de tomate. Incorporez cette préparation à la semoule. Étendez la préparation sur une plaque à pâtisserie chemisée d'un papier sulfurisé et faites cuire au four pendant 15 minutes. Laissez refroidir.

3 Taillez la polenta en tranches. Faites chauffer 15 mL (1 c. à s.) d'huile d'olive pour y faire revenir la polenta à feu moyen. Poivrez et conservez au chaud.

4 Fouettez le lait et les deux œufs qui restent. Salez et poivrez le poisson des deux côtés, farinez-le et trempez-le dans les œufs. Faites chauffer ce qui reste d'huile et faites revenir le poisson des deux côtés à feu moyen pendant environ cinq minutes par côté. Déposez la polenta et la plie dans deux assiettes, saupoudrez-les de persil et servez.

Saumon et fettucines

Glucides	●●●●	45 min
Matières grasses	●●	
Fibres	●●	

Environ 451 calories par portion
46 g de protéines • 9 g de gras • 46 g de glucides

POUR 2 PORTIONS :

le jus d'un citron
5 mL (1 c. à t.) d'huile de noix
10 mL (2 c. à t.) de vinaigre de vin blanc
1 oignon vert
sel et poivre du moulin
graines de coriandre moulues
15 mL (1 c. à s.) d'huile d'olive
2 carottes
1 petit bulbe de fenouil
1 courgette
2 petits filets de saumon
2 brins d'estragon frais
100 g (3 1/2 oz) de fettucines

1 Hachez l'oignon vert et mélangez-le au jus de citron, à l'huile de noix et au vinaigre. Assaisonnez de sel, de poivre et de graines de coriandre moulue. Réservez.

2 Tranchez les carottes, le fenouil et la courgette. Faites chauffer l'huile d'olive, déposez les légumes tranchés et faites-les cuire en remuant pendant cinq minutes.

3 Faites chauffer le four à 160 °C (325 °F). Taillez deux morceaux de papier d'aluminium qui font environ 20 sur 30 cm (8 sur 12 po) chacun. Déposez la moitié de la préparation aux légumes sur chacun. Posez un filet de saumon et un brin d'estragon sur chaque portion de légumes et nappez-les de sauce. Refermez les papillotes et faites cuire au four pendant 15 minutes.

4 Faites cuire et égouttez les fettucines. Déposez le poisson, les légumes et les pâtes dans deux assiettes et servez sans tarder.

En haut : Morue aux légumes d'été
En bas à gauche : Plie accompagnée de polenta à la tomate
En bas à droite : Saumon et fettucines

Brème ou vivaneau rouge parfumés à l'estragon

Glucides	–	20 minutes
Matières grasses	●●●	
Fibres		

Environ 248 calories par portion
33 g de protéines • 12 g de gras • 1 g de glucides

POUR 2 PORTIONS :
2 petites brèmes ou 2 vivaneaux rouges habillés d'environ 300 g (10 oz) chacun
sel et poivre du moulin
30 mL (2 c. à s.) de jus de limette
feuilles d'estragon ou de basilic frais
1 échalote
15 mL (1 c. à t.) d'huile d'olive

1 Allumez ou faites chauffer d'avance un barbecue, un gril ou une salamandre. À l'aide d'un couteau à lame pointue, pratiquez trois ou quatre incisions obliques de chaque côté des poissons. Assaisonnez-les de sel, de poivre et de jus de citron.

2 Tranchez l'échalote et déposez-en la moitié ainsi qu'un brin d'estragon à l'intérieur de chaque poisson.

3 Badigeonnez d'huile les deux côtés des poissons. Faites-les griller sous la salamandre ou dans une poêle à frire. Faites cuire à feu moyen pendant cinq minutes de chaque côté.

‼ REMARQUE : Les pommes de terre en robe des champs et le pain complet accompagnent à merveille ce plat. Vous pouvez également servir une salade de légumes pour faire un repas équilibré.

‼ REMARQUE : La brème rouge se prête bien à la cuisson au barbecue mais elle ne doit pas peser plus de 400 g (14 oz). Vous pouvez la remplacer par la brème jaune, qui coûte un peu plus cher, que l'on connaît également sous le nom de daurade.

Saumon et salade de concombre

Glucides	◖	50 minutes
Matières grasses	+	
Fibres	–	

Environ 267 calories par portion
23 g de protéines • 18 g de gras • 4 g de glucides

POUR 2 PORTIONS :
la moitié d'un oignon
4 ou 5 brins d'aneth frais
2 tranches de saumon d'environ 100 g (3 1/2 oz) chacune
sel
10 mL (2 c. à t.) d'huile
10 mL (2 c. à t.) de jus de citron
le zeste d'un demi-citron
15 mL (1 c. à s.) de vinaigre de fruit
2 mL (1/2 c. à t.) de miel liquide
2 mL (1/2 c. à t.) de moutarde
poivre du moulin
édulcorant liquide
la moitié d'un concombre anglais

1 Faites chauffer le four à 180 °C (350 °F). Tranchez l'oignon et enlevez les tiges du plant d'aneth. Badigeonnez de 5 mL (1 c. à t.) d'huile le fond d'un plat qui va au four. Mettez l'oignon au fond du plat puis les tiges de fenouil.

2 Salez le saumon des deux côtés, déposez-le sur les tiges de fenouil et arrosez-le de jus de citron. Saupoudrez le zeste. Couvrez le plat d'une feuille d'aluminium et faites cuire au four pendant 15 minutes. Enlevez la feuille d'aluminium, éteignez le four et enfournez le plat pendant cinq autres minutes.

3 Tranchez finement les frondes d'aneth, pelez le concombre et taillez-le en dés. Dans un petit bol, mélangez le vinaigre, les 5 mL (1 c. à t.) d'huile qui restent, le miel et la moutarde. Assaisonnez de 2 pincées de sel, d'un peu de poivre et d'un trait d'édulcorant liquide. Touillez avec l'aneth et le concombre. Déposez le saumon et la salade de concombre dans deux assiettes, décorez d'une spirale d'écorce de citron et servez accompagnés de pommes de terre.

À droite : Saumon et salade de concombre

Sauté exotique

Glucides	●●●●	30 minutes
Matières grasses	●	
Fibres	●	

Environ 336 calories par portion
26 g de protéines • 6 g de gras • 45 g de glucides

POUR 2 PORTIONS :

250 g (8 oz) de filet de saumon ou de morue

50 mL (1/4 de tasse) de bouillon de poisson ou de légumes

poivre du moulin

125 mL ou 100 g (1/2 tasse) de riz basmati ou d'un mélange de riz brun et de riz sauvage

la moitié d'une limette (de culture biologique, de préférence)

15 mL (1 c. à s.) d'huile d'olive

1 piment vert du Chili

1 poivron rouge

250 mL (1 tasse) de lait de noix de coco non sucré

30 mL (2 c. à s.) de feuilles de coriandre finement hachées

37 mL (2 1/2 c. à s.) de gingembre frais, pelé, en tranches fines

anneaux de piment rouge

1 Taillez le poisson en petites bouchées. Mélangez-les à 30 mL (2 c. à s.) de bouillon et 1 pincée de poivre. Faites mariner au frigo pendant 20 minutes.

2 Préparez le riz selon les indications paraissant sur l'emballage.

3 Râpez le zeste de limette et exprimez-en le jus. Hachez finement le piment vert et tranchez le poivron en lanières. Faites chauffer l'huile dans une poêle antiadhésive et faites sauter le piment et le poivron à feu moyen pendant deux ou trois minutes, jusqu'à ce qu'ils soient tendres et croustillants. Ajoutez en remuant le lait de noix de coco, le gingembre, le zeste de limette et la coriandre; laissez cuire brièvement pour que les saveurs se marient. Ajoutez le poisson en remuant délicatement, versez ce qui reste de bouillon et laissez cuire pendant trois ou quatre minutes.

4 Versez la préparation au poisson dans un bol, enlevez le gingembre et versez 30 mL (2 c. à s.) de jus de limette. Servez sur un lit de riz. Si vous le désirez, garnissez d'anneaux de piment rouge, de coriandre fraîche et de feuilles de limette.

Truite vapeur

Glucides	◗	40 minutes
Matières grasses	●●●	
Fibres	●	

Environ 367 calories par portion
55 g de protéines • 10 g de gras • 8 g de glucides

POUR 2 PORTIONS :

2 petites truites habillées d'environ 300 g (10 oz) chacune

30 mL (2 c. à s.) de jus de citron

sel et poivre blanc

3 ou 4 brins d'aneth frais

250 mL (1 tasse) de bouillon de poisson ou de légumes

750 mL à 1 L (3 à 4 tasses) de julienne de légumes : carotte, navet blanc ou daikon, poireau, pak-choï, feuilles de choux de Bruxelles, etc.

15 mL (1 c. à s.) de fécule de maïs ou d'arrow-root

15 mL (1 c. à s.) de crème sure

1 Arrosez les poissons de 15 mL (1 c. à s.) de jus de citron et assaisonnez de sel et de poivre. Déposez un brin d'aneth à l'intérieur de chaque poisson.

2 Amenez le bouillon à ébullition dans une marmite à vapeur. Déposez les truites dans le panier percé de trous. Ajoutez les légumes préparés au bouillon, ramenez à ébullition et posez le panier percé dans la marmite. Couvrez et faites cuire à la vapeur pendant huit minutes.

3 Retirez les truites et conservez-les au chaud. Mélangez la fécule avec les 15 mL (1 c. à s.) de jus de citron qui restent et versez-la dans le bouillon en remuant. Faites cuire jusqu'à épaississement, ajoutez la crème sure en remuant, salez et poivrez. Déposez les truites dans deux assiettes en compagnie des légumes et garnissez d'aneth.

 REMARQUE : Des pommes de terre, du riz brun ou une baguette complète feraient un bon accompagnement à ce plat.

En haut : Sauté exotique
En bas : Truite vapeur

Bouillabaisse

Glucides	●◖	1 h 30
Matières grasses	●●●	
Fibres	●	

Environ 322 calories par portion
133 g de protéines • 12 g de gras • 17 g de glucides

POUR 2 PORTIONS :
2 pommes de terre moyennes fermes
2 tomates Beefsteak
la moitié d'un oignon
2 gousses d'ail
la moitié d'un bouquet de persil
30 mL (2 c. à s.) d'huile d'olive
2 feuilles de laurier
pincée de safran moulu
sel et poivre du moulin
400 g (14 oz) de filet de lotte
500 mL (2 tasses) d'eau bouillante

1 Tranchez les pommes de terre. Pratiquez des incisions sur la pelure des tomates, faites-les blanchir, pelez-les et taillez-les en dés. Hachez les oignons, l'ail et le persil.

2 Faites chauffer l'huile, ajoutez l'ail et l'oignon en remuant, et faites-les légèrement sauter à feu doux jusqu'à ce qu'ils deviennent transparents. Ajoutez les pommes de terre et faites-les revenir à feu moyen. En remuant, ajoutez les tomates, le persil, les feuilles de laurier, le safran, le sel et le poivre. Couvrez et faites cuire à feu doux pendant cinq minutes.

3 Taillez la lotte en petites bouchées. Ajoutez-la aux légumes et faites cuire pendant trois minutes. Versez l'eau et laissez mijoter à feu moyen pendant 15 à 20 minutes.

 REMARQUE : Une baguette grillée fait un bel accompagnement à ce plat.

Filets de poisson garnis de légumes

Glucides	●●	30 minutes
Matières grasses	++	(+ 8 à 10 minutes
Fibres	●●●	de cuisson au four)

Environ 167 calories par portion
43 g de protéines • 23g de gras • 21 g de glucides

POUR 2 PORTIONS :
400 g (14 oz) de filet de sébaste, de vivaneau rouge ou de perche de mer
30 mL (2 c. à s.) de jus de citron
sel et poivre du moulin
30 mL (2 c. à s.) de farine
45 mL (3 c. à s.) d'huile d'olive
1 petite aubergine
2 poivrons rouges
1 petite tomate
1 petite courgette
3 tiges de basilic frais
3 tiges de persil frais
30 à 45 mL (2 à 3 c. à s.) de chapelure
feuilles de basilic frais

1 Arrosez le poisson de jus de citron, puis assaisonnez-le de sel et de poivre. Farinez-le et remuez-le pour enlever le surplus de farine.

2 Hachez l'aubergine et tranchez finement les poivrons rouges, la tomate et la courgette. Hachez finement le basilic et le persil. Faites chauffer 15 mL (1 c. à s.) d'huile dans une poêle à frire. Faites frire le poisson à feu moyen pendant cinq minutes de chaque côté, puis posez-le dans un plat de taille moyenne qui va au four.

3 Rincez la poêle à frire et faites chauffer 15 autres mL (1 c. à s.) d'huile. Faites cuire l'aubergine à feu moyen pendant cinq ou six minutes en la retournant de temps en temps. Ajoutez en remuant les poivrons rouges, la tomate et la courgette, et faites cuire à la vapeur pendant cinq minutes de plus. Salez et poivrez.

4 Faites chauffer le four à 180 °C (350 °F). Versez les légumes dans le plat. Mélangez la chapelure à 15 mL (1 c. à s.) d'huile, au basilic et au persil hachés, et saupoudrez-les sur les légumes. Faites cuire au four pendant 8 à 10 minutes. Garnissez de feuilles de basilic.

 REMARQUE : Servez ce plat avec une baguette complète.

En haut : Bouillabaisse
En bas : Filets de poisson garnis de légumes

Papillotes de plie

Glucides	●◖	30 minutes
Matières grasses	●●●	(+ 15 minutes de cuisson)
Fibres	●	

Environ 280 calories par portion
30 g de protéines • 12g de gras • 14 g de glucides

POUR 2 PORTIONS :

300 g (10 oz) d'épinards
2 oignons verts
300 g (10 oz) de filets de plie ou de sole frais ou surgelés
sel et poivre du moulin
jus de citron
30 mL (2 c. à s.) de beurre
1 pomme de terre farineuse
1 carotte moyenne
pincée de zeste de citron
pincée de poivre de Cayenne
15 mL (1 c. à s.) de persil frais, haché
15 mL (1 c. à s.) d'aneth frais, haché
2 fines tranches de citron

1 Tranchez les épinards en lanières. Taillez les oignons verts en deux dans le sens de la longueur, puis dans l'autre sens. Tranchez finement les pommes de terre et les carottes.

2 Faites chauffer le four à 160 °C (325 °F). Découpez deux feuilles carrées de papier d'aluminium mesurant 30 cm (12 po) de côté et badigeonnez-les d'un peu de beurre. Déposez la moitié des épinards sur chaque feuille, couvrez-les de pommes de terre, de carotte et d'oignon. Salez et poivrez. Posez le poisson sur les légumes, salez, poivrez et arrosez de jus de citron.

3 Mélangez ce qui reste de beurre au zeste de citron, au piment de Cayenne, au persil, à l'aneth et à un peu de sel. Déposez-en des cuillerées sur le poisson. Garnissez chaque poisson d'une tranche de citron.

4 Reliez le papier d'aluminium pour former une papillote étanche, de sorte que le jus ne s'en échappe pas. Posez les papillotes sur une plaque à pâtisserie et faites cuire au four pendant 20 minutes. Posez les papillotes dans deux assiettes, pratiquez une incision afin de les ouvrir et déchirez le dessus.

!! REMARQUE : Vous pouvez apprêter ainsi d'autres filets de poisson, par exemple du saumon, de la morue, du brochet, de la perche et du vivaneau rouge.

Kébabs d'espadon et de courgette

Glucides	◖	20 minutes
Matières grasses	+	
Fibres	●●	

Environ 325 calories par portion33 g de protéines • 18 g de gras • 8 g de glucides

POUR 2 PORTIONS :

300 g (10 oz) de darnes d'espadon de 2 cm (3/4 de po) d'épaisseur
30 mL (2 c. à s.) d'huile d'olive
15 mL (1 c. à s.) de jus de citron
5 mL (1 c. à t.) de thym frais ou 2 mL (1/2 c. à t.) de thym séché
sel et poivre du moulin
4 échalotes
4 poivrons jaunes
2 tomates oblongues fermes
la moitié d'une courgette
la moitié d'un bouquet de persil plat, sans les tiges

1 Taillez l'espadon en cubes de 1 cm (1/2 po). Mélangez 15 mL (1 c. à s.) d'huile au jus de citron, au thym, au sel et au poivre, et enduisez le poisson de cette préparation. Couvrez et laissez mariner pendant 30 minutes.

2 Pelez les échalotes et taillez-les en deux. Taillez les poivrons jaunes en deux et découpez-les en morceaux de 2,5 cm (1 po). Taillez les tomates en quartiers. Tranchez la courgette en rondelles de 2 cm (1 po).

3 Faites chauffer la salamandre du four ou un gril portable. Enfilez le poisson et les légumes sur deux brochettes et réservez la marinade. Badigeonnez le poisson et les légumes avec les 15 mL (1 c. à s.) d'huile qui restent et assaisonnez-les légèrement de sel et de poivre. Passez-les sous la salamandre ou sur le gril pendant deux ou trois minutes par côté, puis arrosez-les de marinade. Servez sur un lit de persil.

!! REMARQUE : Si vous préférez faire frire les kébabs, prenez les 15 mL (1 c. à s.) d'huile qui restent afin de badigeonner le fond d'une poêle à frire plutôt que les légumes. Faites-les sauter à feu vif pendant deux ou trois minutes par côté.

En haut : Papillotes de plie
En bas : Kébabs d'espadon et de courgette

Filets de poisson à la courgette et à la tomate

Glucides	●	1 h
Matières grasses	●●	
Fibres	●	

Environ 245 calories par portion
31 g de protéines • 9 g de gras • 11 g de glucides

POUR 2 PORTIONS :

250 g (8 oz) de filets de vivaneau rouge ou de saumon
30 mL (2 c. à s.) de jus de citron
sel et poivre blanc
graines de coriandre moulues
la moitié d'un bouquet de basilic
1 1/2 courgette
1 oignon
4 tomates
30 mL (2 c. à s.) d'emmenthal fraîchement râpé

1 Taillez le poisson en morceaux. Arrosez-les de jus de citron et assaisonnez-les de sel, de poivre et de coriandre moulue.

2 Hachez le basilic et râpez grossièrement la courgette. Hachez les oignons et tranchez les tomates.

3 Faites chauffer le four à 160 °C (325 °F). Mélangez la moitié du basilic à la courgette et déposez la préparation dans un plat à gratiner badigeonné d'un corps gras. Salez et poivrez. Déposez le poisson, l'oignon et la tomate dans le plat. Saupoudrez de fromage râpé et faites cuire au four pendant 30 minutes ou jusqu'à ce que le poisson soit doré et cuit. Garnissez avec le basilic qui reste et servez.

!!! **REMARQUE** : Une baguette complète et une salade verte accompagneraient bien ce plat.

Mérou à l'orange

Glucides	●	25 minutes
Matières grasses	–	+ 30 minutes
Fibres	●●	de macération

Environ 195 calories par portion
32 g de protéines • 3 g de gras • 10 g de glucides

POUR 2 PORTIONS :

1 petite orange (de culture biologique, de préférence)
1 oignon
sel
2 filets de mérou ou de poisson à chair ferme de 150 g (5 oz) chacun
1 bulbe de fenouil
1 oignon vert
30 mL (2 c. à s.) de crème sure
muscade fraîchement râpée
poivre du moulin

1 Râpez un peu de zeste d'orange et exprimez-en le jus. Hachez l'oignon et mélangez le zeste, son jus et 2 mL (1/2 c. à t.) de sel. Enduisez le poisson de cette préparation, couvrez et laissez mariner pendant 30 minutes.

2 Taillez le bulbe de fenouil en deux et tranchez-le finement. Taillez l'oignon vert en deux dans le sens de la longueur et faites-en une julienne. Faites blanchir le fenouil et l'oignon vert dans de l'eau bouillante pendant une ou deux minutes, puis plongez-les dans de l'eau glacée et égouttez-les.

3 Faites chauffer le four à 180 °C (350 °F). Déposez les légumes blanchis dans un plat à gratiner badigeonné d'un corps gras. Mélangez la crème sure à environ 30 à 45 mL (2 à 3 c. à s.) de la marinade et versez sur les légumes. Déposez le poisson sur les légumes et assaisonnez-le légèrement de poivre et de muscade. Faites cuire au four pendant 15 minutes en arrosant de temps en temps de marinade à l'orange. Servez sans tarder en couvrant le poisson des légumes cuits.

Barbue de rivière à la tomate

Glucides	◀	25 minutes
Matières grasses	+	
Fibres	●	

Environ 290 calories par portion
21 g de protéines • 18 g de gras • 6 g de glucides

POUR 2 PORTIONS :

2 brins de romarin frais
le zeste et le jus d'un demi-citron
sel et poivre blanc
pincée de piments de Cayenne séchés
250 g (8 oz) de filets de barbue de rivière ou de saumon
30 mL (2 c. à s.) d'huile d'olive
1 oignon
1 gousse d'ail
6 tomates oblongues

1 Hachez les feuilles de romarin et mélangez-les au zeste et au jus de citron, au sel, au poivre et aux piments de Cayenne. Taillez le poisson pour en faire deux portions et enduisez-le d'assaisonnement.

2 Hachez l'oignon et l'ail. Pratiquez des incisions sur la pelure des tomates, faites-les blanchir, pelez-les et taillez-les en dés. Faites chauffer 15 mL (1 c. à s.) d'huile, ajoutez l'oignon et l'ail en remuant et faites-les légèrement sauter à feu doux jusqu'à ce qu'ils deviennent transparents. Ajoutez les tomates en remuant, salez, poivrez et laissez mijoter pendant 10 minutes.

3 Faites chauffer les 15 mL (1 c. à s.) d'huile qui restent. Faites revenir le poisson à feu doux pendant deux à trois minutes de chaque côté. Servez avec les tomates. Garnissez de quartiers de citron et des brins de romarin qui restent, si vous le désirez.

En haut : Filets de poisson à la courgette et à la tomate
En bas à gauche : Mérou à l'orange
En bas à droite : Barbue de rivière à la tomate

Cari de crevettes au riz

Glucides	●●●●	30 minutes
Matières grasses	+	
Fibres	●	

Environ 427 calories par portion
24 g de protéines • 17 g de gras • 44 g de glucides

POUR 2 PORTIONS :
150 mL (2/3 de tasse) de bouillon de poulet
125 mL ou 75 g (1/3 de tasse) de riz basmati
30 mL (2 c. à s.) d'huile de sésame
1 gros oignon
1 banane
175 mL (3/4 de tasse) de sauce ou de purée de tomate
200 g (7 oz) de crevettes cuites
sel et poivre du moulin
cari
1 bouquet de persil

1 Amenez le bouillon de poulet à ébullition. Ajoutez le riz en remuant et faites cuire à couvert pendant 20 minutes à feu doux, en remuant de temps en temps.

2 Taillez l'oignon en dés. Faites chauffer l'huile dans une poêle à frire. Ajoutez l'oignon et le cari en remuant et faites-les sauter à feu doux jusqu'à ce qu'ils deviennent transparents et parfumés. Pelez la banane, taillez-la en morceaux et ajoutez-la à l'oignon. Incorporez la sauce tomate et faites cuire pendant trois minutes à feu moyen. Ajoutez les crevettes et faites cuire deux minutes de plus. Salez et poivrez.

3 Hachez le persil. Mélangez le cari de crevettes et le riz, déposez-les dans deux assiettes et saupoudrez de persil haché.

REMARQUES : Le riz basmati est l'une des variétés parmi les plus intéressantes en raison de son arôme particulier. Vous pouvez préparer ce plat avec du riz à grain long plus économique. Si vous vous souciez de la valeur nutritive de vos aliments, choisissez le riz à grain long étuvé (précuit) plutôt que le riz blanc car il contient une variété de vitamines et de minéraux.

Sauté de crevettes

Glucides	◖	45 minutes
Matières grasses	●●●	
Fibres	—	

Environ 207 calories par portion
17 g de protéines • 14 g de gras • 5 g de glucides

POUR 2 PORTIONS :
1 gousse d'ail
30 mL (2 c. à s.) de sauce soja allégée
5 mL (1 c. à t.) d'huile de tournesol ou d'huile végétale
pincée de galanga râpé (facultatif)
pincée de graines de coriandre moulues
10 crevettes moyennes, pelées et déveinées
1 oignon vert
15 mL (1 c. à s.) de jus de limette
5 mL (1 c. à t.) de gingembre frais, haché
pincée de sucre
sel et poivre du moulin
5 mL (1 c. à t.) de feuilles de coriandre fraîches
5 mL (1 c. à t.) d'huile de sésame
30 mL (2 c. à s.) d'huile d'arachide ou d'huile végétale
1 courgette
1 ou 2 piments doux ou forts

1 Hachez l'ail et mélangez à la sauce soja, à l'huile de tournesol, au galanga (le cas échéant), à la coriandre moulue et à 15 mL (1 c. à s.) d'eau. Ajoutez les crevettes en remuant afin de les enrober de cette préparation et laissez-les mariner pendant 20 minutes.

2 Hachez finement l'oignon vert et la coriandre fraîche. Ajoutez-leur le jus de limette, le gingembre, le sucre, le sel, le poivre et l'huile de sésame. Ajoutez en remuant entre 15 et 30 mL (1 et 2 c. à s.) d'eau.

3 Tranchez la courgette et taillez les piments en morceaux de 2,5 cm (1 po). Faites chauffer l'huile d'arachide dans un wok. Faites sauter des portions individuelles de crevettes, de courgette et de piments pendant deux minutes, et ajoutez de la marinade s'il le faut. Servez avec la sauce à la limette et le riz.

REMARQUE : Le galanga, que l'on appelle également le gingembre du Laos, le gingembre siamois ou thaïlandais, est un rhizome que l'on emploie souvent dans la cuisine asiatique du Sud-Est. Apparenté au gingembre, il a une saveur épicée qui lui est propre.

En haut : Cari de crevettes au riz
En bas : Sauté de crevettes

Viandes et volailles

« Le moins vaut le plus... »

La viande est une excellente source de protéines et d'éléments nutritifs essentiels tels que le fer, la vitamine B12 et le zinc que l'on trouve seulement en petites quantités dans les légumes. Toutefois, certaines viandes ont une teneur élevée en graisses saturées, en cholestérol et en purine, autant d'éléments qui ont une incidence négative sur la santé.

Aussi, consommez moins souvent de viande et de ses produits dérivés, disons deux ou trois fois par semaine, et choisissez des produits de qualité supérieure, de préférence en provenance d'animaux qui ont été élevés de façon naturelle.

Côtelettes de porc et légumes

Glucides	●●●●◖	**50 min**
Matières grasses	●●●	
Fibres	●●	

Environ 399 calories par portion
25 g de protéines • 12 g de gras • 43 g de glucides

POUR 2 PORTIONS :
15 mL (1 c. à s.) d'huile d'olive
1 oignon
1 petite gousse d'ail
125 mL ou 100 g (1/2 tasse) de riz brun à grain long
45 mL (3 c. à s.) de vin blanc sec
250 mL (1 tasse) d'eau
sel
1 carotte
la moitié d'un bulbe de fenouil
75 mL ou 75 g (1/3 de tasse) de yaourt allégé
10 mL (2 c. à t.) de jus de citron
15 mL (1 c. à s.) de persil haché
1 côtelette de porc de 160 g (5 1/2 oz)
paprika doux
romarin séché, émietté
15 mL (1 c. à s.) d'huile

1 Hachez l'oignon et l'ail. Faites chauffer l'huile, ajoutez l'oignon et l'ail en remuant et faites-les légèrement sauter. Ajoutez le riz en remuant et faites-le cuire brièvement. Versez le vin et l'eau et salez quelque peu. Faites cuire à couvert pendant 40 minutes à feu doux.

2 Tranchez les carottes et le fenouil et disposez-les dans deux assiettes. Mélangez le yaourt au jus de citron et ajoutez le persil et une pincée de sel. Versez sur les légumes.

3 Aplatissez le porc à l'aide d'un attendrisseur et assaisonnez-le de sel, de paprika et de romarin. Taillez-le en six bouchées et faites-les revenir dans l'huile chaude pendant trois minutes de chaque côté. Servez avec le riz et les légumes.

Pâtés de bœuf aux fines herbes et au poivron

Glucides	●◖	**35 min**
Matières grasses	++	
Fibres	●●●	

Environ 217 calories par portion16 g de protéines • 10 g de gras • 15 g de glucides

POUR 2 PORTIONS :
1 tranche de pain complet
30 mL (2 c. à s.) de lait écrémé
100 g (3 1/2 oz) de bœuf maigre haché
1 oignon
1 poivron rouge
la moitié d'un bouquet de persil
5 brins de thym frais ou 2 mL (1/2 c. à t.) de thym séché
1 petite carotte
15 à 30 mL (1 à 2 c. à s.) de fromage blanc ou de purée de fromage cottage allégé
15 mL (1 c. à s.) de farine
sel et poivre du moulin
5 mL (1 c. à t.) d'huile de colza ou d'huile végétale

1 Tranchez la croûte du pain, taillez la mie en petits dés et faites-les tremper dans le lait.

2 Hachez finement l'oignon, le poivron rouge, le persil et le thym. Râpez finement la carotte. Mélangez le bœuf haché, l'oignon, le poivron, la carotte, le fromage blanc, la mie de pain trempée, le persil et le thym. Ajoutez la farine afin de lier, le cas échéant. Salez et poivrez.

3 Façonnez quatre petits pâtés. Faites chauffer l'huile dans une poêle antiadhésive et faites cuire les pâtés à feu moyen pendant cinq à six minutes de chaque côté, jusqu'à ce qu'ils soient dorés.

Porc aux poivrons

Glucides	◖	**30 min**
Matières grasses	●●	
Fibres	●	

Environ 188 calories par portion
27 g de protéines • 7 g de gras • 8 g de glucides

POUR 2 PORTIONS :
1 poivron jaune et 1 poivron vert
1oignon rouge
200 g (7 oz) de filet de porc
1 gousse d'ail
6 feuilles de sauge
6 brins de thym frais ou 4 mL (3/4 de c. à t.) de thym séché
10 mL (2 c. à t.) d'huile d'olive
7 mL (1 1/2 c. à t.) de farine de blé entier grossièrement moulue
150 mL (2/3 de tasse) de bouillon de légumes
sel et poivre du moulin

1 Taillez les poivrons en fines lanières et l'oignon en quartiers. Découpez le filet de porc en fines lanières. Hachez finement l'ail, rompez les feuilles de sauge et hachez les feuilles de thym.

2 Faites chauffer 5 mL (1 c. à t.) d'huile dans une poêle à frire ou un wok. Faites revenir la viande à feu moyen des deux côtés et réservez-la.

3 Faites chauffer ce qui reste d'huile et faites frire légèrement les poivrons, l'oignon et l'ail. Ajoutez la sauge et le thym, saupoudrez un peu de farine et versez le bouillon en remuant. Salez et poivrez. Faites cuire pendant cinq minutes. Ajoutez le porc et réchauffez.

En haut : Côtelettes de porc et légumes
En bas à gauche : Petits pâtés de bœuf aux fines herbes et au poivron rouge
En bas à droite : Porc aux poivrons

Porc aux lentilles

Glucides	●●●◖	1 h
Matières grasses	+	
Fibres	●●●	

Environ 520 calories par portion
46 g de protéines • 19 g de gras • 40 g de glucides

POUR 2 PORTIONS :
1 oignon
1 carotte
2 branches de céleri
15 mL (1 c. à s.) d'huile d'olive
125 mL ou 100 g (1/2 tasse) de lentilles rouges
300 mL (1 1/4 tasse) de bouillon de viande
30 mL (2 c. à s.) de vinaigre de vin blanc
poivre de Cayenne
sel et poivre de moulin
300 g (10 oz) de filet de porc
15 mL (1 c. à s.) d'huile d colza ou d'huile végétale
2 mL (1/2 c. à t.) de cari
75 mL (5 c. à s.) de jus de raisin
50 mL ou 50 g (1/4 de tasse) de crème sure

1 Hachez l'oignon, la carotte et tranchez le céleri dans le sens de la largeur. Faites chauffer l'huile d'olive dans une casserole moyenne. En remuant, ajoutez l'oignon, la carotte et le céleri, et faites cuire à couvert pendant 10 minutes à feu moyen.

2 Ajoutez les lentilles en remuant et versez 175 mL (3/4 de tasse) de bouillon. Assaisonnez avec le vinaigre, un soupçon de poivre de Cayenne, le sel et le poivre. Faites cuire à couvert pendant 40 minutes à feu doux.

3 Taillez le porc en médaillons minces. Faites chauffer l'huile de colza et faites cuire le porc à feu moyen jusqu'à ce qu'il soit doré. Assaisonnez de sel, de poivre et de cari. Retirez de la casserole, réservez et conservez au chaud.

4 Déglacez la casserole avec le jus de raisin, versez le reste de bouillon et faites cuire à feu vif pour qu'il réduise. Ajoutez la crème sure en remuant et refaites chauffer le porc dans la sauce. Servez accompagné de lentilles.

Porc aux aromates

Glucides	●●	50 minutes
Matières grasses	+++	
Fibres	●●●	

Environ 588 calories par portion
44 g de protéines • 33 g de gras • 20 g de glucides

POUR 2 PORTIONS :
1 petit chou de Milan
300 g (10 oz) de filet de porc
sel et poivre du moulin
20 mL (4 c. à t.) de beurre clarifié
125 mL (1/2 tasse) de vin blanc sec
60 g (2 oz) de jambon
1 oignon blanc de grosseur moyenne
2 gousses d'ail
3 tomates moyennes
45 mL ou 20 g (3 c. à s.) de raisins
1 brin de thym frais
1 brin de marjolaine fraîche
15 mL (1 c. à s.) d'amandes hachées blanchies
15 mL (1 c. à s.) de pignons

1 Retirez les feuilles tendres du chou et faites-les blanchir dans de l'eau bouillante pendant trois minutes. Sortez-les de l'eau bouillante et plongez-les dans de l'eau glacée. Mettez-les à égoutter.

2 Salez et poivrez la viande. Faites chauffer 10 mL (2 c. à t.) de beurre, ajoutez la viande et faites-la revenir de tous les côtés. Taillez-la en tranches épaisses et déposez-la dans un plat qui va au four. Déglacez la casserole avec la moitié du vin et versez sur la viande. Posez les feuilles de chou sur la viande.

3 Faites chauffer le four à 180 °C (350 °F). Taillez le jambon en dés, hachez l'oignon et l'ail, pratiquez des incisions sur les tomates, évidez-les, faites-les blanchir, pelez-les et taillez-les en dés. Faites revenir le jambon, l'oignon, l'ail, les tomates et les raisins dans les 10 mL (2 c. à t.) de beurre qui restent. Versez ce qui reste de vin. Versez cette préparation sur les feuilles de chou. Déposez le thym et la marjolaine. Faites cuire au four pendant 20 minutes.

4 Faites griller les amandes sans corps gras dans une poêle antiadhésive. Broyez-les quelque peu et saupoudrez-les sur le plat avec les pignons. Remettez au four pendant 10 minutes de plus.

À droite : Porc aux aromates

Roulades de veau cordon bleu

Glucides	◀	30 minutes
Matières grasses	+++	
Fibres	−	

Environ 643 calories par portion
58 g de protéines • 43 g de gras • 5 g de glucides

POUR 2 PORTIONS :

2 côtelettes de veau tranchées finement (175 g ou 6 oz)
4 tranches de prosciutto minces
4 petites tranches de pecorino
1 gousse d'ail
30 mL (2 c. à s.) de persil frais, haché
30 mL (2 c. à s.) d'huile végétale
sel et poivre du moulin
12 feuilles de basilic frais
50 mL (1/4 de tasse) de vin blanc sec
50 mL (1/4 de tasse) de bouillon de légumes
30 mL ou 30 g (2 c. à s.) de crème fraîche ou sure

1 Aplatissez le veau à l'aide d'un attendrisseur de viande. Taillez les morceaux en deux. Couvrez chaque morceau d'une tranche de prosciutto et d'une tranche de pecorino.

2 Hachez l'ail et passez-le au mortier avec le persil et 15 mL (1 c. à s.) d'huile afin de former une pâte épaisse. Salez et poivrez légèrement.

3 Étendez la pâte sur le fromage et posez deux feuilles de basilic. Roulez les escalopes et fixez-les à l'aide de cure-dents.

4 Faites chauffer les 15 mL (1 c. à s.) d'huile qui restent dans une poêle et faites frire les roulades à feu moyen jusqu'à ce qu'elles soient dorées. Versez le vin et le bouillon. Faites cuire à couvert pendant 10 minutes à feu doux. Ajouter la crème fraîche en remuant et rectifiez l'assaisonnement. Déposez les roulades et la sauce dans deux assiettes chaudes. Garnissez de feuilles de basilic et servez.

 REMARQUE : Servez du riz brun en accompagnement.

 REMARQUE : Vous pouvez préparer ce plat avec des escalopes de dinde plutôt que de veau.

Veau à la bette à cardes

Glucides	●●	45 minutes
Matières grasses	+	
Fibres	●●	

Environ 409 calories par portion
44 g de protéines • 16 g de gras • 22 g de glucides

POUR 2 PORTIONS :

300 g (10 oz) de veau (dans l'épaule)
1 oignon moyen
1 gousse d'ail
500 mL (1 tasse) d'eau
30 mL (2 c. à s.) d'huile d'olive
le jus d'un quart de citron
sel et poivre du moulin
2 pommes de terre fermes
300 g (10 oz) de bette à cardes, de feuilles de betteraves ou d'épinards
50 mL ou 30 g (1/4 de tasse) d parmesan frais râpé

1 Taillez le veau en petites bouchées. Hachez finement l'oignon et l'ail. Faites chauffer l'huile dans une casserole épaisse et faites revenir la viande de tous les côtés à feu moyen. Ajoutez en remuant l'oignon et l'ail et faites-les sauter jusqu'à ce qu'ils deviennent transparents. Versez l'eau et le jus de citron. Salez et poivrez. Faites cuire à couvert pendant 15 minutes à feu moyen.

2 Pelez les pommes de terre et taillez-les en quartiers; hachez grossièrement la bette à cardes. Mélangez les pommes de terre à la préparation à base de viande et faites mijoter pendant 15 minutes ou jusqu'à ce que les pommes de terre soient tendres. Ajoutez la bette à cardes en remuant et continuez la cuisson, toujours à couvert, pendant trois minutes de plus. Salez et poivrez. Disposez dans deux assiettes, saupoudrez de parmesan et servez.

 REMARQUE : La viande est un aliment santé lorsqu'on la sert accompagnée de pommes de terre, de pâtes ou de riz et d'une généreuse portion de légumes. La quantité recommandée oscille entre 85 et 140 g (3 et 5 oz) par personne par repas, pas plus de trois fois par semaine.

VIANDES ET VOLAILLES

En haut : Roulades de veau cordon bleu
En bas : Veau à la bette à cardes

Cari d'agneau aux tomates et aux courgettes

Glucides	●●●●●◖	2 h
Matières grasses	+++	(+ 4 h de macération)
Fibres	●●●	

Environ 625 calories par portion
30 g de protéines • 25 g de gras • 68 g de glucides

POUR 2 PORTIONS :
200 g (7 oz) de gigot d'agneau maigre
sel
10 mL (2 c. à t.) de cari de Madras
1 petite gousse d'ail
15 mL (1 c. à s.) d'huile d'olive
1 oignon
3 tomates Beefsteak
2 feuilles de laurier
1 petit poivron rouge
1 carotte
1 petite courgette
la moitié d'un bouquet de coriandre fraîche
150 mL ou 120 g (2/3 de tasse) de riz basmati

1 Retirez le gras et les tendons du gigot, et taillez la viande en dés. Hachez finement l'ail. Mélangez la viande à 2 mL (1/2 c. à t.) de sel, à 5 mL (1 c. à s.) de cari et à l'ail. Remuez les morceaux d'agneau afin de les enduire d'épices, couvrez et réfrigérez pendant au moins quatre heures.

2 Hachez finement l'oignon et réduisez les tomates en purée. Faites chauffer l'huile et faites sauter l'agneau et l'oignon, et assaisonnez des 5 mL (1 c. à t.) de cari qui restent et d'autant de sel. En remuant, ajoutez les tomates et les feuilles de laurier et amenez à ébullition. Laissez cuire à couvert pendant une heure à feu doux.

3 Hachez grossièrement le poivron rouge et la courgette; tranchez la carotte et hachez finement la coriandre fraîche. Ajoutez le poivron rouge, la carotte et la courgette à la préparation à base de viande, amenez à ébullition et laissez mijoter, à couvert, pendant 30 à 40 minutes. Ajoutez la coriandre au moment de servir.

4 Entre-temps, faites cuire le riz dans de l'eau légèrement salée en suivant les indications paraissant sur l'emballage et servez-le en accompagnement.

!! **REMARQUE** : Vous pouvez remplacer la coriandre fraîche par un mélange fait de quatre graines de coriandre broyées et de 15 mL (1 c. à s.) de feuilles de persil frais que vous aurez haché.

Agneau aux haricots et aux poivrons rouges

Glucides	●●●●	50 minutes
Matières grasses	+	
Fibres	●●●	

Environ 450 calories par portion
27 g de protéines • 18 g de gras • 44 g de glucides

Pour 2 portions :
125 mL ou 75 g (1/2 tasse) de riz à grain long étuvé
250 g (1 tasse) d'eau bouillante salée
200 g (7 oz) de côtelettes d'agneau désossées
15 mL (1 c. à s.) d'huile d'olive
1 gros oignon
625 mL (2 1/2 tasses) de bouillon de bœuf
sel et poivre du moulin
625 mL ou 300 g (2 1/2 tasses) de haricots verts
2 poivrons rouges
2 gousses d'ail
thym séché
flocons de piments du Chili séchés

1 Versez le riz dans l'eau, couvrez et faites-le cuire pendant 20 minutes à feu doux en remuant de temps en temps.

2 Taillez l'agneau en dés et hachez finement l'oignon. Faites chauffer l'huile dans une casserole moyenne et faites brunir la viande de tous les côtés. Toujours en remuant, ajoutez l'oignon et remuez jusqu'à ce qu'il devienne transparent. Versez le bouillon et assaisonnez-le de sel et de poivre. Faites cuire à feu moyen pendant 10 à 15 minutes.

3 Entre-temps, taillez les haricots en bouchées, tranchez les poivrons rouges en dés grossiers et hachez l'ail. Ajoutez en remuant les haricots, les poivrons, l'ail et le thym à la viande et laissez cuire pendant 10 minutes de plus. Assaisonnez de sel et de piment du Chili et servez accompagné de riz.

!! **REMARQUE** : Les poivrons rouges rehaussent un repas, non seulement à cause de leur couleur vive, mais également en raison de leur apport élevé en vitamine C, supérieur à celui des poivrons verts.

En haut : Cari d'agneau aux tomates et aux courgettes
En bas : Agneau aux haricots et aux poivrons rouges

Ragoût de bœuf au romarin

Glucides	●●●	1 h 40
Matières grasses	+	
Fibres	●●●	

Environ 433 calories par portion
39 g de protéines • 15 g de gras • 35 g
de glucides

Pour 2 portions :
300 g (10 oz) de bœuf à ragoût
1 oignon
1 gousse d'ail
30 mL (2 c. à s.) d'huile d'olive
4 tomates
2 carottes
2 pommes de terre
1 feuille de laurier
175 mL (3/4 de tasse) de bouillon de
  bœuf
4 brins de romarin frais
sel et poivre du moulin

1 Taillez le bœuf en petites bouchées et hachez l'oignon et l'ail. Faites chauffer l'huile dans une grande casserole ou dans un faitout et faites sauter l'oignon et l'ail. Ajoutez le bœuf en remuant

et faites-le dorer de tous les côtés.

2 Pratiquez des incisions sur la pelure des tomates, faites-les blanchir, pelez-les et taillez-les en quartiers. Pelez les pommes de terre et les carottes et hachez-les. Ajoutez-les au bœuf avec la feuille de laurier. Versez le bouillon et laissez mijoter à couvert pendant une heure ou jusqu'à ce que la viande soit tendre.

3 Hachez les feuilles de romarin afin d'en assaisonner le ragoût, avec le sel et le poivre, au moment de servir.

Bœuf à la ficelle

Glucides	●●	1 h
Matières grasses	●●	
Fibres	●●●	

Environ 312 calories par portion
36 g de protéines • 8 g de gras • 24 g
de glucides

POUR 2 PORTIONS :
1,5 L (6 tasses) de bouillon de
  légumes
375 mL (1 1/2 tasse) de dés de
  pommes de terre pelées
300 g (10 oz) de bœuf maigre, p. ex.
  du bifteck de ronde
2 grosses carottes
3 tiges de céleri
15 mL (1 c. à s.) d'épaississant allégé
sel et poivre du moulin

1 Amenez le bouillon à ébullition dans une grande casserole. Ajoutez les pommes de terre et faites-les cuire à couvert pendant cinq minutes.

2 Passez une ficelle autour du morceau de bœuf et faites une boucle à chaque extrémité. Insérez le manche d'une longue cuiller dans les boucles et tirez fermement.

3 Pelez les carottes et taillez-les en dés, tranchez les oignons et le céleri dans le sens de la largeur et déposez-les dans la casserole en remuant. Déposez la longue cuiller sur le bord de la casserole, de sorte que la viande soit plongée dans le bouillon. Laissez mijoter à couvert pendant 30 minutes. Retirez la viande, épaississez le bouillon, salez et poivrez. Tranchez la viande et servez avec les légumes en sauce.

Ragoût de bœuf aux tomates et aux olives

Glucides		30 minutes
Matières grasses		(+ 1 h pour
Fibres		braiser)

Environ 458 calories par portion
33 g de protéines • 30 g de gras • 6 g
de glucides

POUR 2 PORTIONS :
300 g (10 oz) de bœuf à ragoût
1 tranche de lard mince
5 mL (1 c. à t.) d'huile d'olive
2 oignons
2 gousses d'ail
125 mL (1/2 tasse) de bouillon de
  bœuf ou de légumes
125 mL (1/2 tasse) de vin rouge sec
2 tomates
sel et poivre du moulin
1 brin de romarin frais
1 brin de thym frais
45 mL (3 c. à s.) d'olives vertes
  dénoyautées
3 brins de persil plat

1 Taillez le bœuf en dés et hachez finement l'oignon et l'ail. Faites chauffer l'huile dans une casserole moyenne ou dans un faitout et faites revenir le lard à feu moyen. Faites revenir le bœuf, puis l'oignon et enfin l'ail.

2 Entre-temps, taillez les tomates en dés. Versez le bouillon et le vin dans la casserole et amenez à ébullition. Ajoutez les tomates en remuant et assaisonnez de sel et de poivre. Déposez les brins de romarin et de thym, couvrez et laissez braiser à feu doux pendant une heure.

3 Tranchez les olives et ajoutez-les 15 minutes avant la fin de la cuisson. Hachez le persil et ajoutez-le en remuant avant de servir. Garnissez de fines herbes additionnelles, si vous le souhaitez.

À droite : Ragoût de bœuf aux tomates et aux olives

Cuisses de poulet braisées avec salade de chou et pommes de terre

Glucides	●●●	1 h 45
Matières grasses	++	
Fibres	●●●	

Environ 458 calories par portion
30 g de protéines • 22 g de gras • 34 g de glucides

POUR 2 PORTIONS :
3 tomates Beefsteak
2 abricots séchés
2 petits oignons
30 mL (2 c. à s.) de purée de tomate
5 mL (1 c. à t.) + 30 mL (2 c. à s.) de vinaigre de fruit
sel édulcorant liquide
sambal œlek
2 cuisses de poulet sans la peau (125 g ou 4 oz)
paprika doux
2 grosses pommes de terre
5 mL (1 c. à t.) d'huile d'olive
romarin séché
500 mL ou 150 g (2 tasses) de chou vert en lanières
15 mL (1 c. à s.) de persil plat haché
45 mL (3 c. à s.) d'eau
15 mL (1 c. à s.) d'huile de tournesol
2 mL (1/2 c. à t.) de moutarde moyennement forte

1 Réduisez deux tomates en purée et taillez la dernière en dés. Mélangez-les dans une grande casserole. Hachez les abricots et ajoutez-les aux tomates en remuant. Tranchez finement les oignons et déposez-en la moitié dans la casserole. Ajoutez la purée de tomate en remuant, les 5 mL (1 c. à t.) de vinaigre et deux pincées de sel. Amenez à ébullition et laissez mijoter à découvert pendant deux minutes. Versez l'édulcorant et le sambal œlek selon l'intensité que vous appréciez.

2 Faites chauffer le four à 220 °C (425 °F). Pelez les pommes de terre, si vous le désirez, et taillez-les en quartiers ou en bâtonnets. Posez-les sur une plaque à pâtisserie, badigeonnez-les légèrement d'huile et assaisonnez-les d'un peu de sel, de romarin et de paprika. Faites-les griller sur la clayette inférieure du four pendant 5 à 10 minutes.

3 Enduisez le poulet de sel et de paprika, et posez-le dans un plat de pyrex. Nappez le poulet de sauce tomate et couvrez d'une feuille de papier aluminium. Posez-le plat sur la clayette médiane du four et faites-le cuire pendant 35 à 40 minutes (retournez les pommes de terre à au moins une reprise pendant ce temps). Retirez le papier aluminium et continuez la cuisson jusqu'à ce que le poulet soit cuit et les pommes de terre dorées.

4 Entre-temps, préparez la salade. Mélangez le chou, le persil et ce qui reste de dés d'oignon dans une petite casserole. Versez l'eau, 30 mL (2 c. à s.) de vinaigre, l'huile et la moutarde. Couvrez et faites cuire pendant quatre minutes. Assaisonnez avec le sel et l'édulcorant, et touillez.

124

Poulet et risotto

Glucides	●●●●●	30 minutes
Matières grasses	++	
Fibres	●●	

Environ 675 calories par portion
15 g de protéines • 2 g de gras • 57 g de glucides

POUR 2 PORTIONS :
85 g (3 oz) de jambon cuit
1 oignon
60 mL (4 c. à s.) d'huile d'olive
400 mL (1 2/3 tasse) de bouillon de poulet
250 mL ou 75 g (1 tasse) de pois décongelés
150 mL ou 100 g (2/3 de tasse) de riz à grain long
300 g (10 oz) de poitrines de poulet désossées, sans la peau
sel et poivre du moulin
50 mL ou 30 g (1/4 de tasse) de parmesan fraîchement râpé
1 bouquet de persil
30 mL ou 30 g (2 c. à s.) de crème sure

1 Taillez le jambon en lanières et l'oignon en dés. Faites chauffer 30 mL (2 c. à s.) d'huile dans une casserole moyenne, ajoutez l'oignon en remuant et faites-le sauter à feu doux jusqu'à ce qu'il devienne transparent. Ajoutez le jambon et faites-le dorer.

2 Amenez 300 mL (1 1/4 tasse) de bouillon à ébullition. En remuant, ajoutez les pois et le riz à la préparation à base de jambon, et versez un peu de bouillon chaud. Versez un peu de bouillon et laissez cuire à couvert pendant 15 minutes à feu doux.

3 Faites chauffer le reste de l'huile pour y faire dorer le poulet de tous les côtés. Versez ce qui reste de bouillon et laissez cuire pendant 10 minutes à feu doux.

4 Entre-temps, hachez presque tout le persil. Salez et poivrez la préparation à base de riz. Incorporez le parmesan et le persil. Versez la crème sure dans le jus de cuisson, remuez et faites chauffer brièvement avant d'en napper le risotto et le poulet. Garnissez de brins de persil.

En haut : Cuisses de poulet braisées avec salade de chou et pommes de terre
En bas : Poulet et risotto

Poitrines de poulet en sauce au cari accompagnées de riz basmati

Glucides	●●●	40 minutes
Matières grasses	+	
Fibres	●	

Environ 423 calories par portion36 g de protéines • 17 g de gras • 33 g de glucides

POUR 2 PORTIONS :
125 mL ou 75 g (1/2 tasse) de riz basmati
250 mL (1 tasse) d'eau bouillante salée
125 mL (1/2 tasse) de lait de noix de coco non sucré
125 mL (1/2 tasse) de bouillon de poulet ou de légumes
le jus d'une limette
4 brins de coriandre fraîche
cari
sambal œlek ou une autre sauce à base de piment
sel et poivre du moulin
250 g (8 oz) de poitrine de poulet désossée, sans la peau
30 mL (2 c. à s.) d'huile d'olive
1 petit poivron rouge

1 Versez le riz dans l'eau, couvrez la cocotte et faites cuire à feu doux pendant 20 minutes en remuant à l'occasion.

2 Hachez la coriandre fraîche. Mélangez le lait de noix de coco au bouillon et amenez à ébullition. Ajoutez le jus de limette, la coriandre, le cari, le sambal œlek, le sel et le poivre.

3 Taillez le poulet et le poivron rouge en minces lanières. Faites chauffer l'huile dans une poêle à frire ou un wok. Faites revenir les lanières de poulet et de poivron à feu moyen. Ajoutez au mélange de bouillon et de lait de noix de coco et laissez mijoter à feu doux pendant 10 minutes. Servez avec du riz en accompagnement.

!! **REMARQUE** : Vous pouvez avantageusement remplacer le poulet par de grosses crevettes décortiquées et déveinées ou par du poisson.

Poulet en sauce au thon avec légumes

Glucides	●	50 minutes
Matières grasses	+	
Fibres	●●●	

Environ 461 calories par portion
56 g de protéines • 21 g de gras • 11 g de glucides

POUR 2 PORTIONS :
500 g (1 lb) de morceaux de poulet ou la moitié d'un petit poulet
poivre du moulin
2 carottes moyennes
3 branches de céleri
1 oignon
1 L (4 tasses) d'eau
le jus d'un citron
sel
la moitié d'une boîte de thon conservé dans l'eau, égoutté (170 g ou 6 oz)
15 mL (1 c. à s.) de câpres
30 mL (2 c. à s.) d'huile d'olive
1 jaune d'œuf
30 mL (2 c. à s.) de persil plat haché
30 mL (2 c. à s.) de feuilles de basilic hachées
feuilles de basilic frais

1 Enduisez le poulet de poivre. Taillez les carottes et le céleri en gros morceaux. Tranchez l'oignon en quartiers. Dans une soupière, mélangez l'eau à la moitié du jus de citron et à 5 mL (1 c. à t.) de sel. Ajoutez les carottes, le céleri et l'oignon, et amenez à ébullition. Ajoutez le poulet et faites cuire à feu doux pendant 40 minutes. Retirez 30 mL (2 c. à s.) de bouillon et laissez-le refroidir.

2 Dans une petite casserole, mélangez le thon, les câpres et 5 mL (1 c. à t.) d'huile. Réduisez-les en purée à l'aide d'un pilon à pommes de terre. Fouettez le jaune d'œuf, une pincée de sel et 15 mL (1 c. à s.) de jus de citron jusqu'à l'obtention d'une consistance homogène. Ajoutez en remuant 5 mL (1 c. à t.) d'huile. En remuant, ajoutez le persil, le basilic haché et les 30 mL (2 c. à s.) de bouillon refroidi, et faites cuire jusqu'à épaississement. Assaisonnez de sel, de poivre et du jus de citron qui reste.

3 Retirez le poulet de son bouillon, enlevez la peau et les os et disposez-le dans deux assiettes. Versez la sauce au thon sur le poulet. Déposez les légumes dans les assiettes et garnissez de quartiers de citron et de feuilles de basilic.

En haut : Poitrines de poulet en sauce au cari accompagnées de riz basmati
En bas : Poulet en sauce au thon avec légumes

Brochettes de poulet en sauce aux lentilles

Glucides	●●	35 minutes
Matières grasses	–	
Fibres	●●	

Environ 267 calories par portion
33 g de protéines • 3 g de gras • 24 g de glucides

POUR 2 PORTIONS :
200 g (7 oz) de poitrines de poulet désossées, sans la peau
30 mL (2 c. à s.) de sauce soja
5 mL (1 c. à t.) de sambal œlek ou de sauce pimentée
250 mL (1 tasse) de bouillon de légumes
3 échalotes
5 mL (1 c. à t.) de cari
125 mL ou 75 g (1/2 tasse) de lentilles rouges
la moitié d'un bouquet de persil

1 Taillez le poulet en morceaux de 1 cm (1/2 po). Mélangez la sauce soja et le sambal œlek dans un petit bol et faites-y tremper le poulet. Remuez afin de bien l'enduire et réfrigérez pendant 15 minutes.

2 Entre-temps, hachez finement les échalotes et déposez-les dans une casserole moyenne avec le bouillon. Ajoutez le cari en remuant. Amenez à ébullition, versez les lentilles en remuant et faites cuire à couvert pendant six à huit minutes à feu doux.

3 Faites chauffer un gril portatif ou la salamandre du four. Enfilez les morceaux de poulet sur six brochettes et faites-les grillez pendant six minutes de chaque côté, jusqu'à ce que la volaille soit dorée.

4 Réservez une petite portion de la préparation aux lentilles et laissez-la refroidir. Réduisez le reste en purée à l'aide d'un pilon. Ramenez à ébullition en ajoutant de l'eau, le cas échéant.

5 Déposez les brochettes dans deux assiettes en les nappant de sauce aux lentilles. Découpez quelques brins de ciboulette et saupoudrez-les sur la sauce avec les lentilles que vous avez réservées.

!! **REMARQUE** : Sans la peau, le poulet et la dinde contiennent très peu de matière grasse mais se dessèchent rapidement. Faites-les revenir légèrement ou badigeonnez-les d'une marinade faite à partir d'huile végétale.

Escalopes de dinde accompagnées de lentilles

Glucides	●●●●	50 minutes
Matières grasses	●●●	(+ 15 minutes de macération)
Fibres	●●	

Environ 447 calories par portion
48 g de protéines • 11 g de gras • 44 g de glucides

POUR 2 PORTIONS :
300 g (10 oz) de poitrine de dinde désossée, sans la peau
le jus d'une orange
30 mL (2 c. à s.) de sauce soja
75 mL ou 50 g (1/3 de tasse) de riz à grain long étuvé
150 mL (2/3 de tasse) d'eau bouillante salée
175 mL (3/4 de tasse) de bouillon de poulet
75 mL ou 50 g (1/3 de tasse) de lentilles vertes
1 poireau
15 mL (1 c. à s.) d'huile de noix
15 mL (1 c. à s.) de vinaigre de cidre
sel et poivre du moulin
poivre de Cayenne
15 mL (1 c. à s.) d'huile de colza ou d'huile végétale

1 Aplatissez quelque peu la dinde à l'aide d'un attendrisseur à viande. Mélangez le jus d'orange et la sauce soja dans un contenant plat. Déposez-y la dinde, enduisez-la de marinade et laissez-la macérer pendant 15 minutes.

2 Versez le riz dans l'eau et faites-le cuire à couvert pendant 20 minutes à feu doux, en remuant à l'occasion.

3 Amenez le bouillon à ébullition. Ajoutez les lentilles en remuant et faites-les cuire à feu moyen pendant 40 minutes.

4 Entre-temps, taillez les poireaux dans le sens de la longueur, rincez-les soigneusement et tranchez ses parties blanche et verte en fines lanières. Ajoutez-les aux lentilles 15 minutes avant la fin de la cuisson. Retirez la casserole du feu et laissez-la refroidir quelque peu. Ajoutez en remuant l'huile de noix, le vinaigre, le sel, le poivre et le poivre de Cayenne.

5 Sortez la dinde de sa marinade et épongez-la à l'aide d'un essuie-tout. Faites chauffer l'huile de colza dans une poêle à frire et faites revenir la dinde à feu moyen pendant quatre minutes de chaque côté. Déposez-la sur un lit de lentilles. Servez avec du riz et des demi-tranches d'orange, si vous le voulez.

En haut : Brochettes de poulet en sauce aux lentilles
En bas : Escalopes de dinde accompagnées de lentilles

Dinde et concombre en cocotte

Glucides	◖	1 h 25
Matières grasses	●	
Fibres	●	

Environ 217 calories par portion
38 g de protéines • 4 g de gras • 7 g de glucides

POUR 2 PORTIONS :
300 g (10 oz) de poitrine de dinde désossée, sans la peau
sel et poivre du moulin
graines de coriandre moulues
1 concombre anglais
1 botte d'oignons verts
3 ou 4 brins de livèche fraîche ou de feuilles de céleri
250 mL (1 tasse) de bouillon de légumes
15 mL (1 c. à s.) de jus de citron
paprika doux

1 Taillez la dinde en petites bouchées. Assaisonnez-les de sel, de poivre et de coriandre moulue et réfrigérez-les à couvert pendant 15 minutes.

2 Mettez à tremper la base et le couvercle d'une cocotte d'argile dans de l'eau pendant 15 minutes. Taillez le concombre en deux, épépinez-le et taillez-le en tranches; hachez les oignons et la livèche. Sortez la base de la cocotte de l'eau mais ne l'asséchez pas. Mettez-y les légumes et le bouillon, salez et poivrez.

3 Posez le couvercle sur la base de la cocotte et déposez-la sur la clayette médiane d'un four. Réglez le four à 180 °C (350 °F) et faites cuire pendant environ 30 minutes.

4 Sortez la cocotte du four et ajoutez la dinde en remuant. Retournez au four pendant 30 minutes de plus. Assaisonnez de sel, de poivre et de jus de citron. Saupoudrez le paprika au moment de servir.

Dinde et risotto sauvage

Glucides	●●●●	2 h
Matières grasses	●●●	(+4 h de trempage)
Fibres	●●●	

Environ 506 calories par portion
49 g de protéines • 13 g de gras • 48 g de glucides

POUR 2 PORTIONS :
4 g (8 oz) de cèpes séchés
15 mL (1 c. à s.) d'épeautre
1 poireau fin
3 carottes
375 mL (1 1/2 tasse) de céleri-rave pelé, haché finement
sel
1 gousse d'ail
1 brin de romarin frais
400g (14 oz) de cuisses de dinde
paprika doux
1 petit oignon
15 mL (1 c. à s.) d'huile de tournesol
125 mL ou 100 g (1/2 tasse) de riz brun à grain long
1 feuille de laurier
400 mL (1 2/3 tasse) d'eau froide
15 mL (1 c. à s.) de persil frais haché

1 Faites tremper les cèpes et l'épeautre dans deux bols d'eau pendant au moins quatre heures. Mettez à tremper dans de l'eau la base et le couvercle d'une cocotte d'argile pendant 15 minutes. Taillez les poireaux dans le sens de la longueur, rincez-les soigneusement et taillez-les en lanières. Hachez les carottes, le céleri-rave, l'ail et les feuilles de romarin. Déposez les légumes dans la base de la cocotte d'argile et assaisonnez-les de sel, de romarin et d'ail.

2 Frottez la dinde de sel et de paprika. Faites-la dorer sur son côté gras pendant quatre minutes dans une poêle à frire bien chaude. Posez la dinde sur les légumes, le côté doré sur le dessus. Insérez la clayette dans la seconde rainure à partir du fond du four et posez-y la cocotte. Réglez la température du four à 180 °C (350 °F) et faites cuire pendant une heure. Éteignez le four et laissez-y la cocotte pendant une demi-heure de plus.

3 Entre-temps, faites égoutter les cèpes et l'épeautre, et réservez l'eau de trempage des champignons. Taillez-les finement, hachez l'oignon et faites-les revenir dans de l'huile chaude. Mélangez le riz et l'é-peautre, et versez 50 mL (1/4 de tasse) d'eau de trempage. Ajoutez en remuant la feuille de laurier, l'eau froide et deux pincées de sel. Amenez à ébullition et faites cuire à découvert pendant 40 à 45 minutes.

4 Tranchez la dinde et disposez-la dans des assiettes avec les légumes. Saupoudrez le risotto de persil et servez-le avec la dinde.

À droite : Dinde et risotto sauvage

Fondue chinoise

Glucides	◖	45 minutes
Matières grasses	●	
Fibres	●	

Environ 474 calories par portion
49 g de protéines • 9 g de gras • 48 g de glucides

POUR 2 PORTIONS :
10 mL (2 c. à t.) d'huile de tournesol
1 petit oignon rouge
1 gousse d'ail
la moitié d'un concombre anglais
5 mL (1 c. à t.) de sucre
pincée de cari
15 mL (1 c. à s.) de vinaigre de riz
sel et poivre du moulin
1 piment du Chili rouge et 1 vert
1 oignon blanc
2 à 3 L (8 à 12 tasses) de bouillon de légumes
30 mL (2 c. à s.) de sauce soja
125 mL ou 75 g (1/2 tasse) de nouilles de riz
300 g (10 oz) de poitrines de poulet désossées, sans la peau
1 petit pé-tsai
2 carottes
37 mL ou 20 g (2 1/2 c. à s.) de gingembre frais

1 Hachez l'oignon rouge et râpez le concombre. Faites chauffer 5 mL (1 c. à t.) d'huile et déposez l'oignon rouge en remuant. Pelez l'ail et écrasez-les ou râpez-le, et ajoutez-le à l'oignon. Ajoutez le concombre râpé, le sucre, le cari, le vinaigre, le sel et le poivre. Faites mijoter à couvert pendant 15 minutes. Laissez refroidir.

2 Tranchez finement les piments du Chili et hachez l'oignon blanc. Faites-les sauter brièvement dans ce qui reste d'huile. Versez le bouillon et assaisonnez-le de sauce soja. Faites mijoter à couvert pendant 15 minutes.

3 Versez l'eau chaude sur les nouilles et laissez agir jusqu'à ce qu'elles soient souples, puis égouttez-les. Tranchez le poulet, le pé-tsai et les carottes. Disposez sur un plat de service avec les nouilles.

4 Amenez le bouillon à ébullition. Emplissez de bouillon la moitié d'un plat à fondue et allumez le brûleur. Pelez le gingembre, ajoutez-le au bouillon et faites mijoter. Chaque convive fait ainsi cuire la viande et les légumes de son choix dans un petit tamis en les trempant dans le bouillon chaud. Servez la sauce au concombre en accompagnement.

Poulet sauté

Glucides	●●●●	40 minutes
Matières grasses	●●●	(+ 1 h de macération)
Fibres	●●●	

Environ 356 calories par portion
29 g de protéines • 20 g de gras • 15 g de glucides

POUR 2 PORTIONS :
200 g (7 oz) de poitrines de poulet désossées, sans la peau
1 gousse d'ail
20 mL ou 10 g (4 c. à t.) de gingembre frais
30 mL (2 c. à s.) de sauce soja
2 mL (1/2 c. à t.) de sambal œlek ou de sauce pimentée
la moitié d'une botte d'oignons verts
30 mL (2 c. à s.) d'huile de tournesol
pincée de graines de coriandre moulues
pincée de citronnelle fraîche
pincée de galanga frais (facultatif)
750 mL ou 200 g (3 tasses) de pak-choï haché
150 mL ou 100 g (2/3 de tasse) de dés d'ananas (frais ou en conserve)
50 mL (1/4 de tasse) de bouillon de poulet
le jus d'une demi-limette
sel
15 mL (1 c. à s.) d'amandes effilées grillées

1 Taillez le poulet en lanières. À l'aide d'un presse-ail ou d'une râpe, réduisez l'ail et le gingembre en purée que vous déposerez dans un petit bol. Ajoutez en remuant la sauce soja et le sambal œlek. Ajoutez le poulet, enduisez-le bien de marinade et laissez-le mariner au frigo pendant une heure.

2 Hachez les oignons verts et réservez-en 5 mL (1 c. à t.). Faites chauffer l'huile dans un wok ou dans une poêle profonde et faites sauter le poulet jusqu'à ce qu'il soit doré. Ajoutez en remuant la coriandre moulue, la citronnelle, le galanga, les oignons verts, le pak-choï et l'ananas, et faites-les sauter pendant cinq minutes. Ajoutez en remuant le bouillon et le jus de limette. Couvrez et faites cuire à feu moyen pendant cinq minutes. Assaisonnez de sel.

3 Garnissez à l'aide des oignons verts que vous avez réservés, des amandes effilées et servez.

!! **REMARQUE** : Vous pourriez remplacer le pak-choï (un légume asiatique de la famille des choux) par du chou de Milan, du chou Napa ou du brocoli.

En haut : Fondue chinoise
En bas : Poulet sauté

Couscous au lapin

Glucides	●●●●◖	1 h 10
Matières grasses	++	
Fibres	●●●	

Environ 559 calories par portion
70 g de protéines • 27 g de gras • 53 g de glucides

POUR 2 PORTIONS :
75 mL (5 c. à s.) d'eau
125 mL ou 75 g (1/2 tasse) de semoule
250 mL (1 tasse) de bouillon de gibier ou d'une autre
   viande
2 filets de lapin
15 mL (1 c. à s.) d'huile de colza ou d'huile végétale
sel et poivre du moulin
15 mL (1 c. à s.) de porto
30 mL ou 30 g (2 c. à s.) de crème fraîche ou de crème
   sure
375 g (12 oz) de pois mange-tout
2 carottes

1 Versez l'eau sur la semoule, remuez-la à l'aide d'une fourchette et versez-la dans un grand tamis. Posez-le sur une casserole qui contient 175 mL (3/4 de tasse) de bouillon chaud. Couvrez d'un torchon à vaisselle et du couvercle de la casserole et faites cuire à la vapeur pendant 30 minutes. (Ou encore, versez le bouillon chaud sur du couscous instantané, couvrez et laissez infuser pendant 5 à 10 minutes.)

2 Faites chauffer le four à 100 °C (200 °F). Retirez la peau et les tendons du lapin. Faites chauffer l'huile dans une poêle à frire et faites dorer la viande de tous les côtés à feu moyen. Assaisonnez de sel et de poivre. Terminez la cuisson au four pendant 30 minutes.

3 Mélangez ce qui reste de bouillon au porto et amenez à ébullition. Versez la crème fraîche en remuant et laissez réduire de moitié à feu doux.

4 Tranchez les carottes et faites-les cuire pendant cinq minutes dans un peu d'eau salée. Ajoutez les pois mange-tout et faites cuire cinq minutes de plus. Salez et poivrez.

5 Taillez le lapin et servez-le avec le couscous, la sauce au porto et les légumes.

!! REMARQUE : On trouve le couscous traditionnel dans les épiceries moyen-orientales, dans les boutiques d'aliments naturels et dans les épiceries fines mais la version instantanée est en vente presque partout désormais.

Canard aigre-doux

Glucides	●●◖	50 minutes
Matières grasses	++++	
Fibres	●	

Environ 674 calories par portion
44 g de protéines • 42 g de gras • 29 g de glucides

POUR 2 PORTIONS :
2 petites poitrines de canard
poivre blanc
30 mL (2 c. à s.) d'alcool de riz
15 mL (1 c. à s.) de ketchup
30 mL (2 c. à s.) de vinaigre de riz
75 mL (5 c. à s.) d'eau
5 mL (1 c. à t.) de sucre
10 mL (2 c. à t.) de fécule de maïs
10 mL (2 c. à t.) d'huile de tournesol
30 mL (2 c. à s.) de sauce soja allégée
1 oignon
1 gousse d'ail
4 branches de céleri
2 tranches d'ananas frais ou en conserve
150 g (5 oz) de litchis frais ou 175 mL (3/4 de tasse) de
   litchis en conserve
Sauce chili ou sambal œlek

1 Retranchez le gras et la peau du canard, et taillez la viande en petites bouchées. Frottez-les de poivre blanc et arrosez-les d'alcool. Faites mariner pendant 10 minutes.

2 Mélangez le ketchup, le vinaigre, l'eau, le sucre et la fécule de maïs.

3 Faites chauffer l'huile dans une grande poêle à frire ou dans un wok. Faites dorer le canard à feu vif, retirez-le du feu et arrosez-le de sauce soja.

4 Hachez l'oignon, l'ail, le céleri et faites-les sauter pendant une minute. Remuez la préparation à base de ketchup et versez-la dans le wok avec les légumes. Amenez à ébullition.

5 Hachez l'ananas, écaillez et dénoyautez les litchis, et ajoutez-les en remuant. Ajoutez délicatement les morceaux de canard. Continuez de remuer pendant une ou deux minutes, jusqu'à ce que le tout soit chaud. Assaisonnez de sauce chili ou de sambal œlek.

En haut : Couscous au lapin
En bas : Canard aigre-doux

Médaillons de venaison aux chanterelles, à l'oignon et aux poires

Glucides	●◖	45 minutes
Matières grasses	●●	
Fibres	●●●	

Environ 312 calories par portion
31 g de protéines • 8 g de gras • 19 g de glucides

POUR 2 PORTIONS :
1 mL (1/4 de c. à t.) de grains de poivre noir
2 mL (1/2 c. à t.) de baies de genièvre séchées
2 mL (1/2 c. à t.) de romarin séché
sel et poivre du moulin
250 g (8 oz) de venaison
1 oignon rouge
2 petites poires
30 mL (2 c. à s.) de jus de citron
5 mL (1 c. à t.) d'huile de tournesol
200 g (7 oz) de chanterelles
5 mL (1 c. à t.) de farine de blé complet grossièrement moulue
125 mL (1/2 tasse) de rosé sec
1 bouquet de cerfeuil frais

1 Mélangez les grains de poivre, les baies de genièvre, le romarin, le sel et le poivre dans un mortier et broyez-les. Taillez la venaison en médaillons de 4 cm (1 1/2 po) et enrobez-les de l'assaisonnement.

2 Taillez l'oignon en petits quartiers. Pelez les poires, taillez-les en quartiers, évidez-les et tranchez-les dans le sens de la largeur. Arrosez aussitôt de jus de citron.

3 Faites chauffer l'huile dans une poêle antiadhésive et faites revenir la viande rapidement des deux côtés à feu moyen. Terminez la cuisson de chaque côté à feu doux pendant trois minutes. Retirez du feu et conservez au chaud.

4 Faites frire les quartiers d'oignon dans la poêle, puis faites revenir les chanterelles rapidement à feu moyen.

5 Saupoudrez la farine dans la poêle, faites-la roussir légèrement et humectez-la avec le vin. Ajoutez les tranches de poire et faites-les cuire pendant une ou deux minutes. Salez et poivrez.

6 Déposez les médaillons, les oignons, les chanterelles et les poires dans deux assiettes, saupoudrez de cerfeuil et servez.

Selle de gibier en sauce aux canneberges sur lit de mâches

Glucides	●●●◖	1 h 20
Matières grasses	++	
Fibres	●●	

Environ 584 calories par portion 62 g de protéines • 22 g de gras • 37 g de glucides

POUR 2 PORTIONS :
500 g (1 lb) de selle de gibier (épaule ou pointe)
sel et paprika doux
1 petite carotte
75 mL (1/3 de tasse) de racine de céleri en dés
1 petit oignon
1 brin de thym, 1 feuille de laurier, 3 baies de genièvre séchées
2 pommes de terre
60 g (2 oz) de mâches, de cresson ou de roquette
120 g (4 oz) de radicchio
le jus d'une demi-orange
5 mL (1 c. à t.) de vinaigre balsamique
15 mL (1 c. à s.) d'huile d'olive
2 mL (1/2 c. à t.) de moutarde de Dijon
2 mL (1/2 c. à t.) de marmelade
poivre du moulin
1 petite échalote
5 mL (1 c. à t.) de margarine
10 mL (2 c. à t.) de sauce aux canneberges (fruits entiers)
30 mL ou 30 g (2 c. à s.) de crème sure

1 Faites chauffer le four à 180 °C (350 °F). Assaisonnez le gibier avec le sel et le paprika. Pelez et taillez en dés les carottes, le céleri et l'oignon. Posez un sac à rôtir de 50 cm (20 po) dans un plat peu profond et mettez-y les carottes, le céleri, l'oignon, le thym, le laurier et les baies de genièvre. Posez la selle de gibier sur les légumes, la chair sur le dessus. Ajoutez 30 mL (2 c. à s.) d'eau et fermez le sac. Pratiquez une incision sur le dessus du sac et faites rôtir pendant 45 minutes.

2 Pelez les pommes de terre et taillez-les en quatre ou en huit morceaux. Faites-les bouillir à l'eau salée pendant 20 minutes.

3 Rompez les mâches et le radicchio en petites bouchées. Mélangez 5 mL (1 c. à t.) de jus d'orange au vinaigre, ajoutez l'huile, la moutarde, la marmelade, le sel et le poivre. Versez la moitié de la vinaigrette sur les laitues et touillez.

4 Hachez et faites sauter légèrement l'oignon vert dans de la margarine. Ouvrez le sac à rôtir. Enveloppez le gibier dans du papier aluminium et réservez le jus de cuisson. Versez 75 mL (1/3 de tasse) du jus de cuisson sur l'échalote, ainsi que la sauce de canneberges, ce qui reste de jus d'orange et de marinade, et la crème sure. Faites mijoter brièvement et salez. Tranchez la viande et servez-la accompagnée de pommes de terre, de sauce de canneberges, des laitues et de tranches d'orange.

En haut : Médaillons de venaison aux chanterelles, à l'oignon et aux poires
En bas : Selle de gibier en sauce aux canneberges sur lit de mâches

Pâtes, riz et compagnie

Pommes de terre et pâtes, riz, grains complets et légumineuses — partout, en tout temps!

On sait depuis longtemps dans les cercles scientifiques que les diabétiques ne sont pas tenus de s'abstenir de consommer des aliments riches en glucides, lesquels sont très nutritifs. Riches qu'ils sont en vitamines, en minéraux et en énergie, les aliments préparés avec des grains complets présentent le meilleur rapport qualité-prix. De plus, les fibres qu'ils contiennent ralentissent le transfert des glucides vers le système sanguin et reportent les signes annonciateurs de la faim.

Les légumineuses telles que les lentilles, les pois et les haricots contiennent bonne quantité de protéines de qualité. Elles gagnent d'ailleurs en popularité depuis quelques années. Désormais, ces aliments servent à préparer autre chose que des plats en cocotte, notamment des salades, des accompagnements et des plats principaux raffinés.

Lasagne végétarienne

Glucides	●●●●	30 minutes
Matières grasses	+	(+ 35 à 40 minutes
Fibres	●●●	de cuisson au four)

Environ 466 calories par portion
29 g de protéines • 19 g de gras • 43 g de glucides

POUR 2 PORTIONS :
5 tomates
200 g (7 oz) d'épinards
30 mL (2 c. à s.) d'huile de colza ou d'huile végétale
2 oignons
1 chou-rave
350 mL ou 210 g (1 1/2 tasse) de champignons en
 lamelles
muscade fraîchement moulue
sel et poivre du moulin
6 lasagnes fraîches ou prêtes à cuire
100 g (3 1/2 oz) de mozzarella
50 mL ou 30 g (1/4 de tasse) de parmesan fraîchement
 râpé

1 Taillez les tomates en huit morceaux. Rincez les épinards, retirez les tiges et faites-les égoutter. Hachez les oignons; pelez le chou-rave et taillez-le en dés.

2 Faites chauffer l'huile pour y faire sauter les oignons à feu doux jusqu'à ce qu'ils deviennent transparents. Ajoutez en remuant les dés de chou-rave et faites-les dorer. Ajoutez les épinards et les tomates. Faites cuire à couvert pendant 10 minutes. Ajoutez les champignons, remuez et poursuivez la cuisson. Assaisonnez de muscade, de sel et de poivre.

3 Faites chauffer le four à 180 °C (350 °F). Râpez la mozzarella ou taillez-la en petits dés. Badigeonnez d'un corps gras un plat carré allant au four qui mesure 23 cm (9 po) de côté et tapissez son fond de deux lasagnes crues. Couvrez les pâtes du tiers des légumes, du tiers de la mozzarella et d'autant de parmesan. Faites de même pour les deux autres étages en terminant avec le fromage.

4 Faites cuire au four pendant 35 à 40 minutes ou jusqu'à ce que les pâtes soient cuites et le fromage doré.

Lasagne à la tomate

Glucides	●●●	1 h
Matières grasses	●●●	(+ 35 à 40 minutes
Fibres	●	de cuisson au four)

Environ 319 calories par portion
20 g de protéines • 11 g de gras • 34 g de glucides

POUR 2 PORTIONS :
15 mL (1 c. à s.) d'huile d'olive
1 gros oignon
2 tomates Beefsteak
sel
2 mL (1/2 c. à t.) d'herbes de Provence séchées
1/2 poignée de feuilles de basilic frais
125 mL (1/2 tasse) de fromage blanc ou de purée de fromage cottage allégé
15 mL (1 c. à s.) de ketchup ou de purée de tomate
1 œuf extra-gros
6 lasagnes fraîches ou prêtes à cuire
30 mL ou 15 g (2 c. à s.) de parmesan fraîchement râpé

1 Hachez grossièrement l'oignon et taillez les tomates en quartiers. Faites chauffer l'huile pour y faire sauter l'oignon jusqu'à ce qu'il devienne transparent. Ajoutez en remuant les tomates, 2 mL (1/2 c. à t.) de sel et les herbes de Provence. Faites cuire à couvert pendant 15 minutes à feu doux. À l'aide d'un mélangeur plongeur ou d'un pilon métallique, réduisez la préparation en purée.

2 Hachez le basilic et mélangez-le au fromage blanc; ajoutez le ketchup, l'œuf et une pincée de sel.

3 Faites chauffer le four à 180 °C (350 °F). Étendez une fine couche de préparation à la tomate au fond d'un plat carré allant au four qui mesure 23 cm (9 po) de côté. Déposez deux lasagnes crues. Étendez une autre couche de préparation à la tomate et posez dessus deux autres lasagnes crues. Couvrez-les de la moitié de la préparation à base de fromage blanc, puis du reste de la préparation à la tomate. Déposez les deux dernières lasagnes que vous couvrirez de ce qui reste de fromage blanc. Saupoudrez de parmesan râpé.

4 Faites cuire pendant 35 à 40 minutes ou jusqu'à ce que les pâtes soient cuites et le fromage doré.

En haut : Lasagne végétarienne
En bas : Lasagne à la tomate

Spätzle au pesto

Glucides	●●●◖	40 min
Matières grasses	●●●	(+ 30 minutes
Fibres	●	d'attente)

Environ 318 calories par portion
12 g de protéines • 11 g de gras • 42 g de glucides

POUR 2 PORTIONS :
15 mL (1 c. à s.) d'huile d'olive
1 oignon
5 tomates
15 mL (1 c. à s.) de pignons
2 bouquets de basilic
1 gousse d'ail
250 mL ou 100 g (1 tasse) de farine à pâtisserie
1 œuf extra-gros
sel

1 Hachez l'oignon; pratiquez des incisions sur la pelure des tomates, faites-les blanchir, pelez-les et taillez-les en dés. Faites chauffer l'huile, déposez les oignons et les tomates en remuant et faites mijoter à feu doux pendant 10 minutes.

2 Faites griller les pignons sans corps gras dans une poêle anti-adhésive. À l'aide d'un mélangeur ou d'un robot culinaire, préparez une pâte à partir des pignons, des feuilles de basilic et de l'ail.

3 Mélangez la farine, l'œuf, un peu de sel et 45 mL (3 c. à s.) d'eau de manière à faire une pâte homogène. Ajoutez en remuant la préparation à base de basilic et mélangez à l'aide d'un batteur électrique jusqu'à ce que la pâte épaississe en ajoutant de l'eau, le cas échéant. Laissez reposer pendant 30 minutes.

4 Amenez à ébullition une grande marmite d'eau salée. Déposez-y la pâte en la passant dans un presse-purée, une passoire ou en en taillant de fines lanières. Faites cuire les nouilles pendant quatre minutes ou jusqu'à ce qu'elles flottent à la surface de l'eau. Égouttez-les et servez-les dans deux assiettes avec la sauce à la tomate en guise d'accompagnement.

Carrés au chou

Glucides	●●●●	45 min
Matières grasses	●	
Fibres	●●	

Environ 257 calories par portion
9 g de protéines • 4 g de gras • 46 g de glucides

POUR 2 PORTIONS :
5 mL (1 c. à t.) d'huile de colza ou d'huile végétale
1 oignon
1,25 L (5 tasses) de chou en lanières
10 mL (2 c. à t.) de vinaigre de vin blanc
150 mL (2/3 de tasse) de bouillon de légumes
sel et poivre du moulin
graines de carvi
100 g (3 1/2 oz) de petites pâtes carrées ou de farfalles

1 Hachez l'oignon. Faites chauffer l'huile pour y faire sauter l'oignon à feu doux jusqu'à ce qu'il devienne transparent. Ajoutez le chou en remuant et faites-le cuire pendant une ou deux minutes. Ajoutez le vinaigre et le bouillon de légumes, assaisonnez de sel, de poivre et de graines de carvi, et faites mijoter pendant 20 minutes.

2 Amenez à ébullition une grande marmite d'eau salée. Ajoutez les pâtes en remuant l'eau. Faites-les cuire à feu moyen pendant 10 minutes. Égouttez-les et mélangez-les au chou.

!! **REMARQUE** : Si vous avez du mal à digérer le chou, débarrassez-le de son cœur et des principales nervures des feuilles où se trouvent les éléments qui provoquent les flatulences. La mouture grossière des graines de carvi minimisera également les ballonnements.

spätzle à l'épeautre

Glucides	●●●◖	35 min
Matières grasses	●●●	
Fibres	●●	

Environ 310 calories par portion
16 g de protéines • 11 g de gras • 37 g de glucides

POUR 2 PORTIONS :
175 mL ou 100 g (3/4 de tasse) de farine d'épeautre complet
sel
muscade fraîchement moulue
1 œuf extra-gros
5 mL (1 c. à t.) d'huile de tournesol
1 petit oignon
60 g (2 oz) de jambon cuit
150 mL ou 140 g (2/3 de tasse) de choucroute au vin blanc
15 mL (1 c. à s.) de persil frais haché
poivre du moulin
quartiers de pomme

1 Mélangez la farine d'épeautre, deux pincées de sel et un soupçon de muscade. Faites un puits au centre du bol et déposez-y l'œuf. À partir du centre, pétrissez la farine et l'œuf de manière à former une pâte souple, en ajoutant peu à peu 75 mL (1/3 de tasse) d'eau froide, au besoin.

2 Amenez à ébullition une grande marmite d'eau salée. Déposez-y la pâte en la passant dans un presse-purée, une passoire ou en en taillant de fines lanières sur une planche humide à l'aide d'un couteau d'office. Faites cuire les nouilles pendant quatre minutes ou jusqu'à ce qu'elles flottent à la surface de l'eau. Retirez-les de la marmite, rincez-les à l'eau froide et égouttez-les.

3 Hachez l'oignon et le jambon. Faites chauffer l'huile, déposez-y l'oignon et faites-le sauter jusqu'à ce qu'il devienne transparent. Ajoutez le jambon en remuant et faites-le revenir pendant une ou deux minutes. Ajoutez les spätzle en remuant et faites-les revenir pendant une minute.

4 Assaisonnez la choucroute de persil, de sel et de poivre, et mélangez-la aux spätzle. Garnissez de minces quartiers de pomme et de feuilles de persil.

En haut : Spätzle au pesto
En bas à gauche : Carrés au chou
En bas à droite : Spätzle à l'épeautre

Risotto aux artichauts

Glucides ●●●●●
Matières grasses ●●●
Fibres ●●●

45 minutes

Environ 425 calories par portion
14 g de protéines • 10 g de gras • 60 g de glucides

POUR 2 PORTIONS :
4 petits artichauts
le jus d'un citron
375 mL (1 1/2 tasse) de bouillon de légumes à teneur
    réduite en sodium
10 mL (2 c. à t.) d'huile d'olive
1 échalote
125 mL ou 120 g (1/2 tasse) de riz arborio
50 mL (1/4 de tasse) de vin blanc sec
30 mL ou 30 g (2 c. à s.) de crème
sel et poivre du moulin
muscade fraîchement râpée
50 mL ou 30 g (1/4 de tasse) de parmesan fraîchement
    râpé

1 Rincez les artichauts. Enlevez les feuilles
extérieures et taillez la pointe des feuilles
intérieures. Pelez les fonds et les tiges. Détachez les
cœurs à l'aide d'une cuiller à thé. Taillez-les en huit
morceaux et
déposez-les dans
de l'eau citronnée.

2 Faites chauffer
le bouillon.

3 Hachez fine-
ment l'échalote.
Faites chauffer
l'huile, déposez-y
l'échalote en
remuant et faites-
la sauter à feu doux jusqu'à ce qu'elle devienne
transparente. Égouttez les artichauts, ajoutez-les à
l'échalote et faites-les revenir pendant trois minutes
en remuant. Versez le riz et faites-le cuire jusqu'à ce
qu'il devienne transparent.

4 Versez le vin et remuez. Lorsque le riz a absorbé
le vin, versez peu à peu le bouillon fumant
jusqu'à ce qu'il l'absorbe à son tour en remuant
souvent pour que le riz n'attache pas au fond de la
casserole. Faites cuire pendant 20 minutes en tout
ou jusqu'à ce que le riz soit *al dente*.

5 Ajoutez la crème en remuant, puis le sel, le
poivre, une pincée de muscade et la moitié du
parmesan. Garnissez du parmesan qui reste et de
quelques demi-tranches de citron.

Risotto au calmar

Glucides ●●●●◖
Matières grasses +
Fibres ●●●

40 minutes

Environ 479 calories par portion
25 g de protéines • 17 g de gras • 52 g de glucides

POUR 2 PORTIONS :
2 petits artichauts
le jus d'un demi-citron
200 g (7 oz) de calmar habillé
1 gousse d'ail
45 mL (3 c. à s.) d'huile d'olive
150 mL ou 100 g (2/3 de tasse) ou de petits pois
2 tomates
125 mL (1/2 tasse) d'eau
5 stigmates de safran
125 mL ou 100 g (1/2 tasse) de riz à grain court
250 mL (1 tasse) de bouillon de poisson ou de légumes
1 petite fronde de fenouil
3 tiges de persil plat
pincée de poivre de Cayenne
pincée de piments séchés
sel et poivre du moulin

1 Rincez les artichauts. Enlevez les feuilles extérieures et taillez la pointe des feuilles intérieures.
Pelez les fonds et les tiges. Détachez les cœurs à
l'aide d'une cuiller à thé. Taillez-les en huit
morceaux et déposez-les dans de l'eau citronnée.

2 Taillez le calmar en quartiers. Hachez finement
l'ail; pelez et taillez les tomates en dés. Faites
chauffer 30 mL (2 c. à s.) d'huile d'olive. Déposez-y
le calmar et faites-le sauter pendant deux minutes;
retirez-le de l'huile et réservez-le. Faites égoutter les
artichauts et faites-les sauter dans l'huile qui reste
dans la poêle. Ajoutez en remuant les pois, les tomates
et l'ail, et faites-les revenir légèrement. Ajoutez le calmar. Versez 125 mL (1/2 tasse) d'eau et faites chauffer.

3 Faites tremper les stigmates de safran dans
30 mL (2 c. à s.) d'eau. Rincez le riz et faites-le
égoutter. Faites chauffer les 15 mL (1 c. à s.) d'huile
qui restent et faites sauter le riz jusqu'à ce qu'il
devienne transparent. Ajoutez la préparation au
calmar. Versez un peu de bouillon et l'eau safranée,
et faites cuire à feu doux. Hachez finement le fenouil
et le persil, et ajoutez-les en remuant. Assaisonnez
de poivre de Cayenne, de piments séchés, de sel et
de poivre. Versez peu à peu le reste de bouillon
jusqu'à ce que le riz ait absorbé le liquide en
remuant sans cesse. Faites cuire le riz pendant
20 minutes jusqu'à ce qu'il soit *al dente*.

À droite : Risotto au calmar

Riz brun aux carottes

Glucides	●●●●●	45 min
Matières grasses	●●●	
Fibres	●●●	

Environ 365 calories par portion
10 g de protéines • 12 g de gras • 57 g de glucides

POUR 2 PORTIONS :

150 mL ou 120 g (2/3 de tasse) de riz brun à grain long

500 mL (2 tasses) d'eau bouillante légèrement salée

15 mL (1 c. à s.) de graines de tournesol

5 carottes moyennes

4 oignons verts

10 mL (2 c. à t.) d'huile d'olive

sel

sucre

la moitié d'une poignée de coriandre

75 mL ou 75 g (1/3 de tasse) de crème sure

2 mL (1/2 c. à t.) de jus de citron

1 Versez le riz dans l'eau et faites-le cuire à couvert pendant 40 minutes à feu doux. Faites griller les graines de tournesol sans corps gras dans une poêle antiadhésive jusqu'à ce qu'elles soient dorées, puis laissez-les refroidir.

2 Râpez finement les carottes et hachez les oignons verts. Faites chauffer l'huile. Ajoutez les carottes et les oignons en remuant et faites-les sauter à feu moyen pendant environ deux minutes. Assaisonnez de deux pincées de sel et d'un peu de sucre. Couvrez et faites cuire à feu doux pendant cinq minutes.

3 Hachez la coriandre et mélangez-la à la crème sure, au jus de citron et à une pincée de sel.

4 Faites égoutter le riz et garnissez-le de légumes. Saupoudrez les graines de tournesol. Servez la sauce à la coriandre en accompagnement.

Jambalaya de riz brun

Glucides	●●●●◖	50 min
Matières grasses	●	
Fibres	●●●	

Environ 319 calories par portion
8 g de protéines • 6 g de gras • 53 g de glucides

POUR 2 PORTIONS :

300 mL (1 1/4 tasse) de bouillon de légumes

125 mL ou 100 g (1/2 tasse) de riz brun à grain court

15 mL (1 c. à s.) d'huile d'olive

1 gros oignon

1 gousse d'ail

1 piment du Chili

1 branche de céleri

1 poivron rouge

1 boîte de tomates en conserve (398 mL ou 14 oz)

15 mL (1 c. à s.) de purée de tomate

la moitié d'un bouquet de persil plat

pincée de clou de girofle moulu

sel et poivre du moulin

sambal œlek

1 Amenez le bouillon à ébullition. Versez le riz en remuant et faites-le cuire à couvert pendant 30 à 40 minutes à feu doux.

2 Hachez l'oignon, l'ail et le persil. Tranchez le piment, le céleri et le poivron rouge. Faites chauffer l'huile, jetez-y l'oignon et l'ail, et faites-les sauter jusqu'à ce que l'oignon devienne transparent. Ajoutez le piment, le céleri et le poivron rouge en remuant. Faites cuire pendant trois ou quatre minutes en remuant.

3 Ajoutez les tomates et leur jus, et écrasez-les en remuant. Ajoutez la purée de tomate et la moitié du persil. Assaisonnez de clou de girofle, de sel, de poivre et de sambal œlek. Faites mijoter à découvert pendant 10 minutes.

4 Faites égoutter le riz, ajoutez-le aux légumes en remuant et faites-les chauffer rapidement. Salez, poivrez et saupoudrez ce qui reste de persil avant de servir.

Riz au concombre et aux câpres

Glucides	●●●●	35 min
Matières grasses	+	
Fibres	●●	

Environ 364 calories par portion
15 g de protéines • 16 g de gras • 46 g de glucides

POUR 2 PORTIONS :

400 mL (2/3 de tasse) de bouillon de légumes

125 mL ou 100 g (1/2 tasse) de riz à grain court étuvé

15 mL (1 c. à s.) d'huile de colza ou d'huile végétale

les trois quarts d'un concombre

45 mL ou 45 g (3 c. à s.) de crème fraîche ou sure

2 mL (1/2 c. à t.) de moutarde de Dijon

15 mL (1 c. à s.) de câpres

sel et poivre du moulin

la moitié d'un bouquet de persil

1 Amenez 250 mL (1 tasse) de bouillon à ébullition, versez-y le riz en remuant et faites-le cuire à couvert pendant 20 minutes à feu doux en remuant à l'occasion.

2 Pelez le concombre, taillez-le en deux sur le sens de la longueur, épépinez-le et tranchez-le. Faites chauffer l'huile et faites braiser le concombre pendant cinq minutes. Ajoutez les 150 mL (2/3 de tasse) de bouillon qui restent. Ajoutez la crème fraîche et la moutarde en remuant. Faites cuire à couvert pendant 15 minutes à feu doux.

3 Incorporez le riz cuit à la préparation à base de concombre. Ajoutez les câpres, salez et poivrez. Ajoutez la moitié du persil en remuant et saupoudrez le reste sur le dessus du plat. Servez immédiatement.

En haut : Riz brun aux carottes

En bas à gauche : Jambalaya de riz brun

En bas à droite : Riz au concombre et aux câpres

Soufflé de millet aux pois

Glucides	●●●	40 minutes
Matières grasses	●●●	(+ 25 minutes de
Fibres	●	cuisson au four)

Environ 321 calories par portion
18 g de protéines • 11 g de gras • 36 g de glucides

POUR 2 PORTIONS :
50 mL ou 50 g (1/4 de tasse) de millet
175 mL (3/4 de tasse) de bouillon de légumes
325 mL ou 200 g (1 1/3 tasse) de pois surgelés
3 œufs
sel et poivre du moulin
150 mL (2/3 de tasse) de jus de carotte
15 mL (1 c. à s.) de fécule de maïs
persil frais
cari

1 Versez le millet dans le jus de légumes, remuez et faites cuire à couvert pendant 20 minutes à feu doux, en remuant à l'occasion. Au bout de 10 minutes, ajoutez les pois en remuant.

2 Faites chauffer le four à 180 °C (350 °F). Séparez le jaune et le blanc des œufs. Fouettez légèrement les jaunes et incorporez le millet. En vous servant de fouets propres, montez les blancs d'œufs en neige et incorporez-les au premier mélange. Salez et poivrez. Badigeonnez d'un corps gras deux petits ramequins. Déposez la moitié de la préparation au millet dans chacun et faites-les cuire au four pendant 25 minutes.

3 Amenez le jus de carotte à ébullition. Diluez la fécule de maïs dans un peu d'eau froide, ajoutez-la au jus en remuant et faites cuire jusqu'à épaississement. Laissez refroidir. Hachez le persil et ajoutez-le au jus de carotte; salez, poivrez et ajouter du cari au goût. Servez en accompagnement des soufflés.

REMARQUE : Le millet est un article de consommation courante en plusieurs pays. Si vous aimez le goût de ses grains jaunes riches en minéraux, vous pouvez le servir avec des légumes ou du riz en tout temps. Pour deux portions, versez 250 mL (2 tasses) de millet dans 750 mL (3 tasses) d'eau bouillante et faites cuire à couvert pendant 15 à 20 minutes à feu doux.

Risotto de millet au fenouil

Glucides	●●●●◖	55 minutes
Matières grasses	●●●	
Fibres	●●●	

Environ 393 calories par portion
20 g de protéines • 14 g de gras • 51 g de glucides

POUR 2 PORTIONS :
1 grosse tomate Beefsteak
300 mL (1 1/4 tasse) de bouillon de poulet
1 gros bulbe de fenouil
1 gros oignon
1 gousse d'ail
15 mL (1 c. à s.) d'huile d'olive
125 mL ou 120 g (1/2 tasse) de millet
75 mL ou 40 g (1/3 de tasse) de parmesan frais râpé
sel et poivre du moulin

1 Pratiquez des incisions sur la pelure des tomates, faites-les blanchir, pelez-les, taillez-les en quartiers et réduisez-les en purée. Mélangez les tomates au bouillon. Amenez à ébullition et faites cuire à feu doux pendant quelques minutes.

2 Tranchez finement le fenouil. Réservez les feuilles. Hachez finement l'oignon et l'ail. Faites chauffer l'huile, déposez-y l'oignon et l'ail, et faites-les sauter à feux doux jusqu'à ce que l'oignon devienne transparent. Ajoutez le fenouil et le millet en remuant, et faites-les cuire brièvement. Ajoutez peu à peu le bouillon aux tomates en vous assurant que le millet est couvert de liquide et en remuant souvent. Faites cuire pendant 20 minutes environ.

3 Ajoutez le parmesan en remuant, salez et poivrez. Hachez les feuilles de fenouil et saupoudrez-les sur le risotto, si vous le voulez.

REMARQUE : Tous n'apprécient pas le goût particulier du fenouil. Vous pouvez ici le remplacer par des dés de poivron, de carotte, de céleri, d'aubergine, de champignons ou d'asperges. Les asperges et les champignons cuisent plus vite; il faut donc les ajouter au cours des 10 dernières minutes de cuisson.

En haut : Soufflé de millet aux pois
En bas : Risotto de millet au fenouil

Quinoa aux carottes et aux poireaux

Glucides	●●●◐	40 minutes
Matières grasses	●●	
Fibres	●●●	

Environ 265 calories par portion
10 g de protéines • 7 g de gras • 39 g de glucides

POUR 2 PORTIONS :

325 mL (1 1/3 tasse) d'eau salée
150 mL ou 100 g (2/3 de tasse) de quinoa
2 petits poireaux
1 gousse d'ail
2 grosses carottes
15 mL (1 c. à s.) d'huile de colza ou d'huile végétale
125 mL (1/2 tasse) de bouillon de légumes
2 mL (1/2 c. à t.) de moutarde douce
curcuma
sel
la moitié d'un bouquet de persil

1 Amenez l'eau à ébullition. Versez le quinoa en remuant et faites-le cuire à couvert pendant 20 minutes à feu doux.

2 Taillez le blanc et le vert du poireau en rondelles. Tranchez finement l'ail, taillez les carottes en dés et hachez le persil.

3 Faites chauffer l'huile. Déposez-y l'ail, les carottes et le poireau, et faites-les sauter à feu moyen pendant une ou deux minutes. Versez le bouillon et faites mijoter à feu moyen pendant 15 minutes.

4 Ajoutez le quinoa cuit en remuant et parfumez-le de curcuma, de moutarde, de sel et de la moitié du persil. Saupoudrez ce qui reste de persil sur le plat et servez.

 REMARQUE : On se procure le quinoa dans les boutiques d'aliments naturels. En fait, il ne s'agit pas d'une céréale mais des graines d'une plante herbacée de la famille des chénopodes. On peut cuisiner cet aliment aussi ancien que riche en protéines comme on le fait du riz ou du millet. Suivez attentivement les indications paraissant sur l'emballage car le quinoa cuit rapidement.

Bulgur aux tomates et aux poivrons

Glucides	●●●◐	55 minutes
Matières grasses	●●●	
Fibres	●●●	

Environ 328 calories par portion
11 g de protéines • 10 g de gras • 52 g de glucides

POUR 2 PORTIONS :

175 mL ou 120 g (3/4 de tasse) de bulgur
1 oignon moyen
4 poivrons jaunes
2 tomates
15 mL (1 c. à s.) de beurre
175 mL (3/4 de tasse) de bouillon de légumes ou de poulet
sel et poivre du moulin
15 mL (1 c. à s.) de noix concassées
45 mL (3 c. à s.) de persil frais haché

1 Rincez le bulgur à l'eau froide et laissez-le égoutter. Hachez l'oignon et les poivrons. Pratiquez des incisions sur la pelure des tomates, faites-les blanchir, pelez-les et taillez-les en dés.

2 Faites chauffer le beurre dans une casserole moyenne. Ajoutez l'oignon, les poivrons et les tomates en remuant, et faites cuire pendant deux minutes à feu moyen en remuant sans cesse. Versez le bouillon, amenez à ébullition, salez et poivrez. Ajoutez le bulgur en remuant, couvrez et faites cuire à feu doux jusqu'à ce que le bulgur ait absorbé le bouillon. Retirez du feu.

3 Faites griller les noix sans corps gras dans une poêle antiadhésive jusqu'à ce qu'elles soient dorées et ajoutez-les au bulgur. Ajoutez le persil en remuant. Posez un torchon propre sur la casserole, couvrez et laissez gonfler le bulgur pendant 30 minutes.

 REMARQUE : On trouve le bulgur (une sorte de blé cassé) dans les boutiques d'aliments naturels et les épiceries moyen-orientales. On peut le servir seul, avec du poulet rôti ou cuit sur le gril, ou encore avec des boulettes de viande frites et une salade.

En haut : Quinoa aux carottes et aux poireaux
En bas : Bulgur aux tomates et aux poivrons

Gnocchis d'épeautre en sauce au fromage

Glucides	●●●	
Matières grasses	●●●	45 minutes
Fibres	●●	

Environ 337 calories par portion
17 g de protéines • 13 g de gras • 36 g de glucides

POUR 2 PORTIONS :

85 g (3 oz) d'épeautre vert grossièrement moulu
425 mL (1 3/4 tasse) de bouillon de légumes
125 mL ou 100 g (1/2 tasse) de fromage blanc ou de purée de cottage allégé
1 œuf extra-gros
15 mL (3 c. à s.) de persil frais, haché
5 mL (1 c. à t.) d'herbes salées
farine de blé complet
5 mL (1 c. à t.) d'huile
1 petit oignon
15 g (1/2 oz) de fromage suisse aux herbes allégé
60 mL ou 60 g (4 c. à s.) de crème sure

1 Faites griller à feu moyen l'épeautre sans corps gras dans une poêle antiadhésive jusqu'à ce qu'il embaume. Amenez à ébullition 75 mL (3/4 de tasse) de bouillon. Versez-y l'épeautre en remuant et faites-le cuire à couvert pendant 15 minutes à feu doux. Laissez quelque peu refroidir.

2 Mélangez le fromage blanc, l'œuf, 15 mL (1 c. à s.) de persil et d'herbes salées. Ajoutez l'épeautre en remuant, puis 15 mL (1 c. à s.) de farine.

3 Hachez finement l'oignon. Faites chauffer l'huile, déposez-y l'oignon en remuant et faites-le sauter légèrement. Saupoudrez 7 mL (1 c. à t. comble) de farine, couvrez et faites

dorer rapidement. Versez les 250 mL (1 tasse) de bouillon qui restent et amenez à ébullition. Râpez le fromage et ajoutez-le à la préparation avec la crème sure et le persil qui reste. Laissez mijoter à feu doux.

4 Façonnez 12 gnocchis avec la préparation à base d'épeautre et faites-les cuire dans une grande marmite d'eau bouillante salée jusqu'à ce qu'ils flottent. Sortez-les de l'eau et nappez-les de sauce au fromage.

Orge et betteraves

Glucides	●●●●	
Matières grasses	●●●	1 h 25
Fibres	●●	

Environ 358 calories par portion
13 g de protéines • 14 g de gras • 44 g de glucides

POUR 2 PORTIONS :

125 mL ou 100 g (1/2 tasse) d'orge
400 mL (1 2/3 tasse) de bouillon de légumes
2 betteraves rouges
1 botte d'oignons verts
15 mL (1 c. à s.) d'huile de colza ou d'huile végétale
50 mL ou 30 g (1/4 de tasse) de parmesan fraîchement râpé
la moitié d'un bouquet de persil
sel et poivre du moulin

1 Mélangez l'orge au bouillon de légumes et amenez-le à ébullition. Posez les betteraves sur l'orge et faites-les cuire à couvert pendant une heure à feu doux.

2 Retirez les betteraves de la marmite, pelez-les et taillez-les en petits dés. Tranchez finement le blanc et le vert des oignons verts. Hachez presque tout le persil. Faites chauffer l'huile, déposez-y les oignons en remuant et faites-les sauter à feu moyen.

3 Ajoutez l'orge, l'eau de cuisson et les betteraves, et faites-les cuire pendant 10 minutes. Ajoutez le persil haché et la moitié du parmesan. Salez et poivrez. Servez en garnissant de parmesan et de feuilles de persil.

‼ REMARQUE : Les betteraves rouges sont parentes de la betterave à sucre mais 100 g (3 1/2 oz) des premières ne contiennent que 7,5 g de glucides lorsqu'elles sont cuites. Les betteraves ont un goût agréable qui accompagne bien le hareng et le raifort. Elles sont également délicieuses servies crues en salade.

PÂTES, RIZ ET COMPAGNIE

À droite : Orge et betteraves

Brochettes de légumes et chutney de poivrons rouges

Glucides	●◖	1 h
Matières grasses	✚	
Fibres	●●●	

Environ 257 calories par portion
5 g de protéines • 19 g de gras • 17 g de glucides

POUR 2 PORTIONS :
2 oignons
2 petits poivrons rouges
1 petit rhizome de gingembre
45 mL (3 c. à s.) d'huile d'olive
poudre de cari
50 mL (1/4 de tasse) de vinaigre de cidre
5 mL (1 c. à t.) de jus de citron
5 mL (1 c. à t.) de sucre
sel et poivre du moulin
1 petit épi de maïs
175 mL (3/4 de tasse) de bouillon de légumes
1 petite aubergine
1 petite courgette
6 à 10 tomates cerises
1 gousse d'ail

1 Hachez les oignons, les poivrons rouges et le gingembre. Faites chauffer 30 mL (2 c. à s.) d'huile, ajoutez les oignons en remuant et faites-les sauter. Ajoutez les poivrons rouges et faites-les revenir. Ajoutez en remuant le gingembre, le cari dosé selon votre goût, le vinaigre, le jus de citron et le sucre. Faites cuire à feu doux pendant 30 minutes. Assaisonnez de sel, de poivre et réservez.

2 Plongez le maïs dans l'eau bouillante pendant quatre à cinq minutes. Tranchez l'aubergine et la courgette. Faites chauffer le bouillon et ajoutez-y l'aubergine et la courgette. Faites cuire pendant 10 minutes. Retirez et faites égoutter sur des essuie-tout.

3 Tranchez l'épi de maïs en rondelles aussi épaisses que les tranches d'aubergine et les morceaux de courgette. Enfilez les légumes sur deux ou trois brochettes en commençant et en terminant par une tomate cerise.

4 Hachez l'ail et faites chauffer dans une grande poêle à frire les 15 mL (1 c. à s.) d'huile qui restent. Faites sauter l'ail à feu moyen. Posez les brochettes dans la poêle et faites-les revenir de tous les côtés. Déposez-les dans deux assiettes accompagnées de chutney aux poivrons.

Ragoût d'aubergine et de pois chiches

Glucides	●●◖	1 h
Matières grasses	●●	(+ 12 h de trempage)
Fibres	●●●	

Environ 254 calories par portion
14 g de protéines • 9 g de gras • 30 g de glucides

POUR 2 PORTIONS :
125 mL ou 100 g (1/2 tasse) de pois chiches séchés
1 oignon
1 aubergine
3 tomates
15 mL (1 c. à s.) d'huile d'olive
1 gousse d'ail
la moitié d'un bouquet de romarin frais
15 mL (1 c. à s.) de vinaigre de vin blanc
sel et poivre du moulin

1 Faites tremper les pois chiches dans de l'eau pendant 8 à 12 heures.

2 Taillez l'oignon et l'aubergine en dés. Pratiquez des incisions sur la pelure des tomates, faites-les blanchir, pelez-les et taillez-les en dés grossiers. Faites chauffer l'huile, ajoutez l'oignon en remuant et faites-le sauter à feu moyen jusqu'à ce qu'il devienne transparent. Ajoutez l'aubergine en remuant et faites-la sauter jusqu'à ce qu'elle soit dorée.

3 Hachez finement l'ail ou râpez-le. Faites égoutter les pois chiches, ajoutez-les à l'aubergine avec l'ail et les tomates, et faites mijoter à feu doux pendant au moins 30 minutes. Hachez les feuilles de romarin et ajoutez le vinaigre, le sel et le poivre en remuant.

!! REMARQUE : Si vous préférez les pois chiches plus mous, faites-les mijoter pendant 45 minutes. Le temps de cuisson ne change rien aux éléments nutritifs de la tomate ; en fait, la cuisson fait en sorte que l'organisme est mieux à même de les absorber.

En haut : Brochettes de légumes et chutney de poivrons rouges
En bas : Ragoût d'aubergine et de pois chiches

Chili
con carne

Glucides ●●●●   1 h
Matières grasses ++
Fibres ●●●

Environ 533 calories par portion
45 g de protéines • 20 g de gras • 43 g de glucides

POUR 2 PORTIONS :
1 oignon
1 gousse d'ail
15 mL (1 c. à s.) d'huile de colza ou d'huile végétale
200 g (7 oz) de bœuf haché
540 mL (19 oz) de haricots rouges en conserve
2 piments verts jalapenos ou serranos
5 tomates
5 mL (1 c. à t.) d'origan séché
sel et poivre du moulin
sucre

1 Hachez l'oignon et l'ail. Faites chauffer l'huile dans une grande poêle à frire. Déposez-y l'oignon et l'ail en remuant et faites-les sauter à feu moyen jusqu'à ce qu'ils deviennent transparents. Ajoutez le bœuf haché en remuant et faites-le revenir pendant 10 minutes.

2 Épépinez les piments et hachez-les finement. Taillez les tomates en tranches fines. Faites égouttez les haricots et ajoutez-les au bœuf haché avec les piments, les tomates et l'origan. Faites mijoter à feu doux pendant 20 minutes. Assaisonnez de sel, de poivre et d'un peu de sucre.

!! **REMARQUE** : Vous pouvez préparer cette recette sans viande. Faites noircir un gros poivron rouge sous la salamandre ou au-dessus de la flamme d'un brûleur à gaz. Saupoudrez-le de sel et couvrez-le d'un torchon humide. Patientez cinq minutes et pelez le poivron afin d'en hacher la chair grossièrement. Faits sauter l'oignon et l'ail, ajoutez le poivron rouge, les piments et les tomates, et laissez mijoter pendant 20 minutes. Épaississez à l'aide de purée de tomate et assaisonnez de poivre de Cayenne et de basilic.

Cari de lentilles
accompagné de riz

Glucides ●●●●●◖   55 minutes
Matières grasses ●●
Fibres ●●●

Environ 407 calories par portion
18 g de protéines • 9 g de gras • 63 g de glucides

POUR 2 PORTIONS :
125 mL ou 75 g (1/2 tasse) de riz brun
250 mL (1 tasse) d'eau bouillante légèrement salée
1 botte d'oignons verts
1 gousse d'ail
1 chou-rave
5 mL (1 c. à t.) d'huile d'olive
400 mL (1 2/3 tasse) de bouillon de légumes
125 mL ou 100 g (1/2 tasse) de lentilles rouges
60 mL ou 60 g (4 c. à s.) de crème sure
cari
graines de coriandre moulues
sel et poivre du moulin

1 Versez le riz dans l'eau et faites-le cuire à couvert pendant 40 minutes à feu doux en remuant à l'occasion.

2 Tranchez finement les parties blanche et vert pâle des oignons verts. Hachez l'ail et pelez le chou-rave avant de le tailler en dés. Faites chauffer l'huile, jetez-y l'ail et faites-le sauter à feu moyen jusqu'à ce qu'il devienne transparent. Ajoutez le chou-rave et les oignons verts en remuant et faites-les revenir légèrement. Versez la moitié du bouillon et faites cuire à couvert pendant 20 minutes à feu doux.

3 Ajoutez les lentilles à ce qui reste de bouillon, remuez et amenez à ébullition. Faites cuire à couvert pendant 8 ou 10 minutes à feu doux. Ajoutez en remuant la préparation au chou-rave et faites cuire jusqu'à ce que les lentilles soient molles sans être en bouillie. Laissez refroidir quelque peu avant d'ajouter la crème sure, le cari, la coriandre moulue, le sel et le poivre. Servez avec du riz.

En haut : Chili con carne
En bas : Cari de lentilles accompagné de riz

Gâteries et desserts

Pas tout le temps mais plus souvent

Les fruits frais, le yaourt, le fromage cottage et le fromage blanc entrent souvent dans la confection de desserts rafraîchissants qui ont l'heur de plaire à tous, pas seulement à ceux qui sont friands de sucreries. Un dessert peut être plus extravagant si on le sert à la fin d'un repas léger, pauvre en calories.

Les desserts aux fruits ont une teneur relativement élevée en fructose. Si le plat principal d'un repas est riche en glucides, ne préparez que la moitié d'un dessert et accompagnez-le de fromage blanc, de fromage cottage ou de yaourt.

Crêpes de blé entier et compote de prunes

Glucides	●●●●●	40 minutes
Matières grasses	+	(+ 15 minutes d'attente)
Fibres	●●●	

Environ 455 calories par portion
13 g de protéines • 16 g de gras • 61 g de glucides

POUR 2 PORTIONS :
4 prunes
20 mL ou 10 g (4 c. à t.) de gingembre frais
zeste de citron
50 mL (1/4 de tasse) de vin rouge sec
édulcorant liquide
1 œuf
250 mL (1 tasse) de lait écrémé
175 mL ou 100 g (3/4 de tasse) de farine de blé entier grossièrement moulue
la moitié d'une gousse de vanille
sel
20 mL ou 20 g (4 c. à t.) de beurre clarifié
2 mL (1/2 c. à t.) de cannelle moulue
5 mL (1 c. à t.) de cassonade

1 Dénoyautez les prunes et tranchez-les en quartiers; râpez le gingembre. Mélangez un petit zeste de citron au vin et faites-les mijoter à feu doux pendant 15 minutes. Ajoutez quelques gouttes d'édulcorant et laissez refroidir.

2 Séparez le blanc du jaune de l'œuf et fouettez le jaune avec le lait. Tamisez peu à peu la farine en remuant. Taillez la gousse de vanille dans le sens de la longueur. Raclez les graines et ajoutez-les à la pâte avec un peu de zeste de citron râpé. Laissez la pâte reposer pendant 15 minutes. Ajoutez un peu d'édulcorant en remuant. Fouettez le blanc de l'œuf et une pincée de sel pour le faire monter en neige et incorporez-le à la pâte à crêpes.

3 Faites chauffer 5 mL (1 c. à t.) de beurre dans une poêle antiadhésive. Versez-y le quart de la pâte, faites tourner la poêle pour que la pâte en couvre le fond et faites cuire jusqu'à ce que la crêpe soit dorée. Retournez la crêpe et faites-la dorer de l'autre côté.

4 Faites ainsi trois autres crêpes et déposez-les dans deux assiettes. Saupoudrez de cannelle et de cassonade, et servez avec la compote de prunes.

!! **REMARQUE** : Vous pouvez également préparer la compote avec des pruneaux. Faites-les tremper dans le vin pendant une nuit, puis faites-les cuire pendant 10 minutes en suivant la recette.

Crêpes aux pommes et aux bleuets

Glucides	●●●	30 minutes
Matières grasses	++	(+ 10 minutes d'attente)
Fibres	●●●	

Environ 410 calories par portion
12 g de protéines • 23 g de gras • 32 g de glucides

POUR 2 PORTIONS :
2 oeufs
125 mL (1/2 tasse) de lait écrémé
2 mL (1/2 c. à t.) de sucre vanillé
35 mL ou 20 g (2 1/3 c. à s.) de sucre
125 mL ou 60 g (1/2 tasse) de farine de blé entier grossièrement moulue
pincée de sel
1 pomme sure
édulcorant liquide
30 mL ou 30 g (2 c. à s.) de beurre clarifié
150 mL ou 100 g (2/3 de tasse) de bleuets

1 Séparez les blancs des jaunes d'œufs et fouettez les jaunes avec le lait, le sucre vanillé et le sucre. Tamisez peu à peu la farine en remuant. Laissez la pâte reposer pendant 10 minutes.

2 Mélangez les blancs d'œufs et le sel, et fouettez-les jusqu'à ce qu'ils montent en neige. Incorporez-les à la pâte à crêpes. Pelez la pomme, évidez-la et taillez-la en tranches minces. Ajoutez-les à la pâte. Ajoutez un trait d'édulcorant.

3 Faites chauffer un peu de beurre dans une poêle antiadhésive. Versez le quart de la pâte et déposez le quart des bleuets dessus. Faites cuire un côté de la crêpe jusqu'à ce qu'il soit doré et déposez-la dans une assiette. Badigeonnez un peu de beurre au fond de la poêle et faites-le chauffer; retournez la crêpe à la poêle pour y faire dorer l'autre côté.

4 Préparez ainsi trois autres crêpes que vous servirez chaudes.

!! **REMARQUE** : Si vous employez des baies surgelées, faites-les d'abord décongeler puis mettez-les à égoutter. Conservez leur jus pour en faire une sauce.

!! **REMARQUE** : Pour confectionner du sucre vanillé, ajoutez une ou deux gousses de vanille (même les gousses que vous avez raclées) à 500 mL ou 400 g (2 tasses) de sucre cristallisé que vous conserverez dans un récipient couvert.

En haut : Crêpes de blé entier et compote de prunes
En bas : Crêpes aux pommes et aux bleuets

Crème de ricotta et de kiwi avec purée de groseilles

Glucides	●●	20 min
Matières grasses	●	
Fibres	●	

Environ 126 calories par portion
8 g de protéines • 4 g de gras • 13 g de glucides

POUR 2 PORTIONS :
1 kiwi mûr
la moitié d'un citron (de culture organique, de préférence)
250 mL ou 150 g (1 tasse) de groseilles
édulcorant liquide
50 mL ou 60 g (1/4 de tasse) de ricotta
50 mL ou 60 g (1/4 de tasse) de fromage blanc ou de purée de fromage cottage allégé
30 à 45 mL (2 à 3 c. à s.) d'eau minérale

1 Pelez le kiwi et taillez-le en quartiers. Trempez-le vite dans de l'eau bouillante, puis rincez-le à l'eau froide et laissez-le égoutter.

2 Râpez finement le zeste du citron et exprimez-en le jus. À l'aide d'un mélangeur ou d'un pilon métallique, réduisez en purée le kiwi, les deux tiers des groseilles, 15 mL (1 c. à s.) de jus de citron et un trait d'édulcorant.

3 Mélangez la ricotta et le fromage blanc à l'eau minérale; ajoutez le zeste de citron, 30 mL (2 c. à s.) de jus de citron et un trait d'édulcorant. Remuez jusqu'à l'obtention d'une consistance crémeuse.

4 Déposez la préparation à la ricotta dans des assiettes à dessert et garnissez de purée aux fruits et de quelques groseilles.

Crêpes au miel et aux pommes

Glucides	●●●◖	40 min
Matières grasses	++	
Fibres	●	

Environ 425 calories par portion
15 g de protéines • 21 g de gras • 43 g de glucides

POUR 2 PORTIONS :
175 mL ou 75 g (3/4 de tasse) de farine de blé entier grossièrement moulue
30 mL ou 15 g (2 c. à s.) de farine
125 mL (1/2 tasse) de lait écrémé
150 mL (2/3 de tasse) d'eau minérale
sel
édulcorant liquide
30 mL (2 c. à s.) d'amandes effilées ou de noisettes hachées
2 œufs extra-gros
30 mL (6 c. à t.) d'huile
1 petite pomme
30 mL (2 c. à s.) de jus de citron
5 mL (1 c. à t.) de miel liquide
2 mL (1/2 c. à t.) de cannelle moulue

1 Mélangez la farine, le lait, l'eau minérale, une pincée de sel et deux traits d'édulcorants. Laissez la pâte reposer pendant 30 minutes.

2 Faites dorer les amandes sans corps gras dans une poêle anti-adhésive. Ajoutez les œufs à la pâte.

3 Faites chauffer le four à 50 °C (120 °F). Faites cuire six petites crêpes. Pour chacune, faites chauffer 5 mL (1 c. à t.) d'huile et faites cuire le sixième de la pâte des deux côtés, jusqu'à ce que les crêpes soient dorées. Conservez au chaud dans le four.

4 Évidez et taillez la pomme en fines tranches; arrosez-les de jus de citron sans tarder. Roulez les crêpes et déposez-les dans un plat de service. Garnissez-les de tranches de pomme, de miel, de cannelle et d'amandes grillées.

Pouding aux cerises et aux amandes

Glucides	●●●●	35 min
Matières grasses	+	(+ 45 min
Fibres	●●	de cuisson)

Environ 386 calories par portion
13 g de protéines • 15 g de gras • 47 g de glucides

POUR 2 PORTIONS :
huile
chapelure fine
4 tranches de pain
300 g (2 tasses ou 10 oz) de cerises sucrées dénoyautées
2 œufs
35 mL ou 30 g (2 1/3 c. à s.) de sucre
300 mL (1 1/4 tasse) de lait écrémé
1 citron
1 gousse de vanille
30 mL (2 c. à s.) d'amandes hachées

1 Badigeonnez d'huile le fond d'un petit plat qui va au four et enduisez-le de chapelure. Taillez les tranches de pain en trois et posez-en quatre morceaux au fond du plat. Déposez dessus la moitié des cerises, puis posez quatre autres morceaux de pain, puis ce qui reste de cerises et enfin les derniers morceaux de pain.

2 Mélangez les œufs, le sucre et le lait. Râpez finement le zeste du citron et exprimez son jus. Taillez la gousse de vanille dans le sens de la longueur et raclez ses graines. Ajoutez les graines de vanille, le zeste et le jus de citron à la préparation aux œufs. Versez sur le pouding et laissez tremper pendant cinq minutes.

3 Faites chauffer le four à 200 °C (400 °F). Saupoudrez les amandes hachées et faites cuire au four pendant 45 minutes.

En haut : Crème de ricotta et de kiwi avec purée de groseilles

En bas à gauche : Crêpes au miel et aux pommes

En bas à droite : Pouding aux cerises et aux amandes

GÂTERIES ET DESSERTS

Glace au babeurre et à la limette

Glucides	–		30 minutes
Matières grasses	●●	(+ 3 à 4 h de congélation)	
Fibres	–		

Environ 90 calories par portion
1 g de protéines • 8 g de gras
• 4 g de glucides

POUR 2 PORTIONS :

500 mL (2 tasses) de babeurre

150 mL ou 150 g (2/3 de tasse) de crème fraîche ou sure

le jus d'une limette et demie

10 mL (2 c. à t.) d'extrait de citron

30 mL (2 c. à s.) de sucre glace

5 mL (1 c. à t.) d'édulcorant liquide

de fines tranches de limette

brins de menthe ou citronnelle hachée

1 Fouettez le babeurre, la crème fraîche, le jus de limette, l'extrait de citron, le sucre glace et l'édulcorant.

2 Versez la préparation dans une sorbetière (ou déposez-la dans un cul-de-poule de métal ou de plastique que vous mettrez au congélateur pendant trois à quatre heures en remuant à chaque heure pour que la consistance demeure homogène). Versez dans un bol qui ne gèle pas et mettez au congélateur. Avant de servir, passez les coupes à sorbet au frigo.

3 À l'aide d'une cuiller à crème glacée, déposez la glace dans les coupes. Garnissez de demi-tranches de limette et d'un brin de menthe avant de servir.

Sorbet à la mangue et à l'orange marinée

Glucides	●●◖		30 minutes
Matières grasses	–	(+ 15 à 20 minutes de congélation)	
Fibres	●●		

Environ 135 calories par portion
2 g de protéines • 1 g de gras
• 27 g de glucides

POUR 2 PORTIONS :

1 grosse mangue mûre

15 mL (1 c. à s.) de lait de noix de coco

le jus d'une limette

édulcorant liquide

2 mL (1/2 c. à t.) de graines de coriandre

pincée de graines de coriandre moulues

2 oranges moyennes

2 mL (1/2 c. à t.) d'eau de fleur d'oranger

5 mL (1 c. à t.) de liqueur à l'orange

5 mL (1 c. à t.) de sucre glace

brins de menthe

1 Taillez la mangue en morceaux, pelez-la, enlevez son noyau et réservez son jus.

Mélangez la chair et le jus au lait de noix de coco, au jus de limette, à l'édulcorant, à la cannelle et à la coriandre. Réduisez en purée et filtrez à l'aide d'un tamis. Passez à la sorbetière pendant 15 à 20 minutes.

2 Pelez les oranges et détachez les quartiers que vous mélangerez à l'eau de fleur d'oranger et à la liqueur à l'orange.

3 Saupoudrez du sucre glace au fond de deux assiettes. Disposez les quartiers d'orange dans les assiettes. À l'aide d'une cuiller, faites des boules de sorbet et posez-les dans les assiettes. Garnissez de feuilles de menthe.

Yaourt glacé à la framboise

Glucides	●●	15 minutes
Matières grasses	●●●	(+ 2 h de congélation)
Fibres	●●	

Environ 230 calories par portion
17 g de protéines • 12 g de
gras • 21 g de glucides

POUR 2 PORTIONS :
500 mL ou 250 g (2 tasses)
de framboises
5 mL (1 c. à t.) de brandy à la
framboise
5 mL (1 c. à t.) de sucre vanillé
2 mL (1/2 c. à t.) de jus de citron
15 mL (1 c. à s.) d'amandes
effilées
175 mL ou 175 g
(3/4 de tasse) de yaourt
15 mL (1 c. à s.) de sirop
d'érable
une pincée de gingembre
moulu
45 mL ou 50 g (3 c. à s.) de
crème à fouetter

1 Réservez quelques-unes
des plus belles framboi-
ses. Mélangez le reste au
brandy, au sucre vanillé et
au jus de citron, et laissez
reposer pendant 10 minutes.

2 Faites dorer les amandes et laissez-les
refroidir. Réduisez en
purée la préparation aux
framboises, puis ajoutez le
yaourt, le sirop d'érable et
le gingembre en remuant.

3 Fouettez la crème
jusqu'à ce qu'elle
monte et incorporez-la à
la préparation aux fram-
boises. Versez dans un
plat qui ne craint pas le
gel et mettez-la pendant
deux heures au congéla-
teur. Remuez à l'occasion
pour prévenir l'appari-
tion de gros cristaux.

4 Déposez des boules de
yaourt glacé dans des
coupes. Garnissez d'a-
mandes grillées et de
framboises.

Yaourt glacé aux cerises

Glucides	–	15 minutes
Matières grasses	●●	(+ 1 h 30 de congélation)
Fibres	–	

Environ 90 calories par portion
1 g de protéines • 8 g de gras
• 4 g de glucides

POUR 2 PORTIONS :
45 mL ou 50 g (3 c. à s.)
de crème à fouetter
soupçon de vanille
édulcorant liquide
125 mL ou 100 g (1/2 tasse)
de cerises aigres
dénoyautées
75 mL ou 75 g (1/3 de tasse)
de yaourt allégé

1 Fouettez la crème jusqu'à ce qu'elle monte,
puis ajoutez la vanille et
un peu d'édulcorant.

2 Réduisez les cerises en
purée à l'aide d'un
mélangeur ou d'un pilon
métallique. Dans un petit
bol, mélangez la purée de
cerises, le yaourt, un ou
deux traits d'édulcorant,
puis incorporez délicate-
ment la crème fouettée.

3 Déposez la prépara-
tion dans deux
moules ou deux rame-
quins et passez-les au
congélateur pendant une
heure et demie.

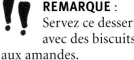

REMARQUE :
Servez ce dessert
avec des biscuits
aux amandes.

Granité à la poire et au gingembre

Glucides	●	30 minutes
Matières grasses	–	(+ 40 minutes de réfrigération)
Fibres	●	(+ 2 h de congélation)

Environ 96 calories par portion
1 g de protéines • 2 g de gras • 10 g de glucides

POUR 2 PORTIONS :
1 citron (de culture biologique, de préférence)
2 mL (1/2 c. à t.) de gingembre frais râpé
5 mL (1 c. à t.) de fructose
175 mL (3/4 de tasse) d'eau
1 poire mûre
chocolat mi-amer finement râpé
quartiers de citron

1 À l'aide d'un zesteur, prélevez de fines lanières à même l'écorce du citron. Taillez-les en plus petits morceaux, le cas échéant. Exprimez le jus du citron.

2 Dans une petite casserole, amenez à ébullition le zeste de citron, le gingembre, le fructose et 125 mL (1/2 tasse) d'eau. Laissez mijoter à découvert pendant 10 minutes à feu doux, jusqu'à l'obtention d'une consistance sirupeuse.

3 Pelez la poire, évidez-la et tranchez-la; déposez-la dans une petite casserole avec 10 mL (2 c. à t.) de jus de citron et les 50 mL (1/4 de tasse) d'eau qui restent. Faites cuire à couvert pendant huit minutes à feu doux.

4 Filtrez le sirop parfumé au citron et au gingembre dans un tamis fin; recueillez-le dans un cul-de-poule de métal de taille moyenne et laissez-le refroidir à couvert pendant 40 minutes.

5 À l'aide d'une fourchette, écrasez les tranches de poire et ajoutez-les au sirop. Passez le cul-de-poule au congélateur pendant deux heures. Remuez à l'occasion pour prévenir la formation de gros cristaux.

6 Servez dans deux verres garnis de chocolat râpé et de quartiers de citron.

Glace aux noix

Glucides	◀	30 minutes
Matières grasses	+	(+ le temps de congélation)
Fibres	–	

Environ 180 calories par portion
3 g de protéines • 15 g de gras • 8 g de glucides

POUR 2 PORTIONS :
125 mL ou 60 g (1/2 tasse) de noix hachées
175 mL ou 200 g (3/4 de tasse) de crème ou de crème simple
300 mL ou 300 g (1 1/4 tasse) de lait écrémé
la moitié d'une gousse de vanille
30 mL (2 c. à s.) de sucre glace, plus la quantité nécessaire au saupoudrage des assiettes
2 jaunes d'œufs
75 mL (5 c. à s.) de liqueur à la noix, plus une larme pour la garniture
soupçon de cannelle moulue
quelques tranches d'orange

1 Faites griller les noix sans corps gras dans une poêle antiadhésive et laissez-les refroidir. Réservez la moitié des noix et broyez le reste.

2 Mélangez la crème et le lait dans une casserole moyenne. Taillez la gousse de vanille dans le sens de la longueur, raclez les graines et déposez les graines et la coque dans la préparation.

3 Ajoutez le sucre glace en remuant. Faites chauffer quasiment jusqu'au point d'ébullition puis retirez du feu. Fouettez les jaunes d'œufs et ajoutez-les en remuant. Faites chauffer de nouveau en remuant sans cesse jusqu'à épaississement. Laissez refroidir en remuant à l'occasion.

4 Ajouter les noix moulues, la liqueur et la cannelle. Passez à la sorbetière.

5 Mettez deux assiettes à dessert à réfrigérer. Saupoudrez-les de sucre glace. Posez des boules de crème glacée dans chacune, saupoudrez ce qui reste de noix, versez un trait de liqueur et garnissez de demi-tranches d'orange.

!! REMARQUE : Vous pouvez remplacer les noix par des noisettes ou des amandes blanchies et la liqueur à l'orange par une liqueur aux amandes.

En haut : Granité à la poire et au gingembre
En bas : Glace aux noix

Cocktail glacé de champagne et framboise

Glucides	◗		20 minutes
Matières grasses	–		(+ 2 à 3 h de réfrigération)
Fibres	●●		

Environ 65 calories par portion
2 g de protéines • 1 g de gras
• 8 g de glucides

POUR 2 PORTIONS :

**500 mL ou 250 g (2 tasses)
de framboises**
édulcorant liquide
175 mL (3/4 de tasse) d'eau
1 lanière de zeste de citron
**5 mL (1 c. à t.) de fécule de
maïs**
**50 mL (1/4 de tasse) de
champagne sec**
**quelques feuilles de
menthe**

1 Mélangez environ le tiers des framboises avec un peu d'édulcorant et réservez. Mélangez le reste des framboises à l'eau et au zeste de citron. Faites mijoter à découvert pendant quatre minutes. Passez au tamis pendant que les fruits sont chauds.

2 Diluez la fécule avec 15 mL (1 c. à s.) d'eau froide, versez sur les framboises et faites-les cuire de nouveau jusqu'à épaississement. Ajoutez les framboises qui restent, le champagne et un trait d'édulcorant.

3 Réfrigérez dans deux petits bols pendant deux à trois heures. Garnissez de feuilles de menthe et servez.

Gelée à la pomme et à la framboise

Glucides	●●		15 minutes
Matières grasses	–		(+ 4 h de réfrigération)
Fibres	●●		

Environ 132 calories par portion
5 g de protéines • 1 g de gras
• 22 g de glucides

POUR 2 PORTIONS :

**1 sachet de gélatine non
aromatisée (7 g, 1/4 d'oz
ou 1 c. à s.)**
**300 mL (1 1/2 tasse) de jus
de pomme**
**400 mL ou 200 g (1 2/3 tasse)
de framboises fraîches ou
surgelées**
**15 mL (1 c. à s.) d'infusion
de menthe**
quelques feuilles de menthe

1 Versez la gélatine dans 50 mL (1/4 de tasse) de jus de pomme. Si les framboises sont surgelées, faites-les décongeler et égoutter.

2 Mélangez l'infusion de menthe aux 250 mL (1 tasse) de jus de pomme qui restent, amenez à ébullition, puis passez le liquide dans un filtre à café. Faites se dissoudre la gélatine dans le liquide chaud. Ajoutez en remuant la moitié des framboises. Versez dans deux moules coniques et réfrigérez pendant quatre heures.

3 Faites tremper le moule pendant quelques secondes en eau chaude et retournez la gelée dans les deux assiettes. Garnissez des baies qui restent, de quelques feuilles de menthe et servez.

Macédoine de fruits en barquettes de melon

Glucides	●●	35 minutes
Matières grasses	●	
Fibres	●●	

Environ 143 calories par portion
3 g de protéines • 4 g de gras
• 2 g de glucides

POUR 2 PORTIONS :
l moitié d'un petit melon
  d'Antibes ou Galia (200 g,
  300 mL ou 1 1/4 tasse)
150 mL ou 100 g
  (2/3 de tasse) de bleuets
  frais ou surgelés
1 petite pomme
1 kiwi
15 mL (1 c. à s.) d'amandes
  effilées

1 Épépinez le melon. Retirez sa chair à l'aide d'une cuiller parisienne. Réservez l'écorce. Faites décongeler et égouttez les bleuets, s'ils sont surgelés. Taillez les pommes en petits quartiers, pelez le kiwi et taillez-le en fines tranches.

2 Mélangez délicatement les bleuets, les boules de melon, la pomme et le kiwi, et déposez la macédoine dans l'écorce du melon. Laissez reposer pendant 10 minutes.

3 Faites dorer les amandes sans corps gras dans une poêle antiadhésive et parsemez-en les fruits.

Gelée de fruits verts en sauce vanille

Glucides	●●	30 minutes
Matières grasses	●	
Fibres	●	

Environ 126 calories par portion
3 g de protéines • 3 g de gras
• 20 g de glucides

POUR 4 PORTIONS :
175 mL (3/4 de tasse) de jus
  de pomme
50 mL ou 30 g (3 c. à s.) de
  tapioca minute
2 mL (1/2 c. à t.) de clou de
  girofle moulu
325 mL ou 200 g (1 1/3 tasse)
  de groseilles vertes
1 gousse de vanille
2 kiwis
150 mL (2/3 de tasse) de
  lait écrémé
1 c. à t. de fécule de maïs
1 jaune d'œuf légèrement
  fouetté
15 mL (1 c. à s.) de sucre

1 Mélangez le jus de pomme à 175 mL (3/4 de tasse) d'eau. Versez-y le tapioca et laissez-le reposer 10 minutes. Amenez la préparation à ébullition et ajoutez en remuant le clou de girofle.

Laissez mijoter à couvert pendant 20 minutes à feu doux.

2 Ajoutez 15 mL (1 c. à s.) d'eau aux groseilles et faites-les cuire pendant 10 minutes, puis ajoutez la préparation au tapioca. Pelez et tranchez le kiwi. Taillez la gousse de vanille dans le sens de la longueur et raclez les graines. Ajoutez la moitié des graines de vanille et le kiwi à la préparation aux fruits. Versez dans des verres et réfrigérez.

3 Faites mijoter le lait et ajoutez-y le reste de la vanille. Diluez la fécule de maïs dans un peu d'eau froide et versez-la dans le lait en remuant, en même temps que le jaune d'œuf et le sucre. Faites cuire en remuant jusqu'à épaississement. Laissez refroidir. Servez avec le fruit en gelée.

Mousse de yaourt et figues marinées

Glucides	◗◖	
Matières grasses	+	45 minutes
Fibres	–	(+ 2 à 3 h de réfrigération)

Environ 266 calories par portion
6 g de protéines • 16 g de gras • 18 g de glucides

POUR 2 PORTIONS :

la moitié d'un sachet de gélatine non aromatisée
 (7 g, 1/4 d'oz ou 1 c. à s.)
150 mL ou 150 g (2/3 de tasse) de yaourt allégé
15 mL (1 c. à s.) de jus de citron
15 mL (1 c. à s.) d'eau de fleur d'oranger
édulcorant liquide
75 mL ou 80 g (1/3 de tasse) de crème à fouetter
5 mL (1 c. à t.) de sucre vanillé
huile de tournesol
50 mL (1/4 de tasse) de porto
50 mL (1/4 de tasse) de jus d'orange frais
pincée de zeste d'orange
2 mL (1/2 c. à t.) de miel
2 figues mûres
1 mL (1/2 c. à t.) de fécule de maïs
feuilles de mélisse-citronnelle

1 Versez la gélatine dans 50 mL (1/4 de tasse) d'eau froide. Ajoutez 50 mL (1/2 tasse) d'eau bouillante et remuez jusqu'à ce que la gélatine soit dissoute. Laissez quelque peu refroidir.

2 Mélangez le yaourt, le jus de citron et l'eau de fleur d'oranger jusqu'à l'obtention d'une consistance homogène. Ajoutez l'édulcorant et réservez. Fouettez la crème avec le sucre vanillé jusqu'à ce qu'elle monte.

3 Incorporez la gélatine à la crème fouettée. Incorporez la crème fouettée à la préparation à base de yaourt. Badigeonnez deux moules d'un peu d'huile, versez-y la mousse et couvrez d'une pellicule plastique. Réfrigérez pendant deux à trois heures, jusqu'à ce que la mousse soit ferme.

4 Faites chauffer le porto, le jus d'orange, le zeste d'orange et le miel. Taillez les figues en quartiers et ajoutez-les au porto. Laissez refroidir et faites mariner les figues à couvert pendant une heure.

5 Égouttez les figues. Amenez la marinade à ébullition. Diluez la fécule de maïs dans 15 mL (1 c. à s.) d'eau et versez dans la marinade. Remuez jusqu'à épaississement, puis laissez refroidir. Renversez la mousse au yaourt sur deux assiettes à dessert. Garnissez de sauce, des figues et de mélisse-citronnelle.

!! REMARQUE : Vous pourriez remplacer les figues par une poire pelée et évidée. Présentez-la en éventail. Faites-la mariner dans le porto selon la recette et servez-la avec la mousse.

Gelée de fruits rouges avec sauce au yaourt

Glucides	●◗◖	
Matières grasses	●●●	35 minutes
Fibres	●●	

Environ 224 calories par portion
5 g de protéines • 12 g de gras • 26 g de glucides

POUR 2 PORTIONS :

400 mL ou 350 g (1 2/3 tasse) de baies mélangées :
 mûres, framboises, bleuets, etc.
125 mL (1/2 tasse) de jus de cerises ou de groseilles
 rouges non sucré
15 mL (1 c. à s.) de farine de sarrasin grossièrement
 moulue
50 mL (1/4 de tasse) d'eau
édulcorant liquide
15 mL (1 c. à s.) d'amandes effilées
125 mL ou 125 g (1/2 tasse) de yaourt allégé
2 mL (1/2 c. à t.) de sucre vanillé
5 mL (1 c. à t.) de jus de citron
45 mL ou 50 g (3 c. à s.) de crème à fouetter
petites feuilles de menthe

1 Déposez les deux tiers des baies dans une petite casserole. Versez le jus de cerises et amenez à ébullition. Mélangez la farine et l'eau, ajoutez aux baies et faites cuire pendant deux minutes en remuant sans cesse. Ajoutez l'édulcorant en remuant.

2 Ajoutez le reste des baies à la préparation, versez dans deux bols à dessert et réfrigérez.

3 Faites dorer les amandes sans corps gras dans une poêle antiadhésive, puis faites-les refroidir dans une assiette.

4 Mélangez le yaourt, le sucre vanillé et le jus de citron. Fouettez la crème jusqu'à ce qu'elle monte et incorporez-la au yaourt. Garnissez chaque plat de fruits d'un nuage de préparation au yaourt, garnissez d'amandes et de feuilles de menthe.

 REMARQUE : Vous pouvez éliminer 6 g de matières grasses en préparant la sauce avec du lait écrémé plutôt que de la crème.

En haut : **Mousse de yaourt et figues marinées**
En bas : **Gelée de fruits rouges avec sauce au yaourt**

Pouding au riz exotique

Glucides	●●●●	30 min.
Matières grasses	–	
Fibres	●	

Environ 235 calories par portion
5 g de protéines • 2 g de gras • 48 g de glucides

POUR 4 PORTIONS :
250 mL (1 tasse) de lait écrémé
125 mL (1/2 tasse) de lait de noix de coco non sucré
120 g (1 sachet) de préparation à pouding au riz instantané
1 petite papaye
1 gousse de vanille
1 ananas ou 1 boîte de morceaux d'ananas en conserve (540 mL ou 19 oz)
2 bananes

1 Mélangez le lait et le lait de noix de coco et amenez-les à ébullition. Ajoutez la préparation de pouding au riz et faites cuire à découvert à feu moyen jusqu'à ce qu'elle commence à épaissir, soit 10 minutes environ.

2 Épépinez la papaye. Pelez-la et tranchez-le finement. Taillez la gousse de vanille dans le sens de la longueur et raclez-en les graines. Hachez l'ananas et taillez les bananes.

3 Mélangez les graines de vanille, la papaye, l'ananas et les bananes au pouding.

 REMARQUE : Ce pouding peut faire un plat principal sucré.

Yaourt aux pommes et au fromage blanc

Glucides	●	20 minutes
Matières grasses	–	
Fibres	–	

Environ 137 calories par portion
19 g de protéines • 2 g de gras • 11 g de glucides

POUR 2 PORTIONS :
1 grosse pomme
250 mL ou 250 g (1 tasse) de fromage blanc ou de purée de fromage cottage allégé
45 à 60 mL (3 à 4 c. à s.) d'eau minérale
le jus d'un demi-citron ou d'une demi-limette
5 mL (1 c. à t.) de sucre vanillé
75 mL (1/3 de tasse) de yaourt allégé
15 mL (1 c. à s.) d'amandes hachées

1 Pelez la pomme, évidez-la et taillez-la en dés. Dans une petite casserole, couvrez la pomme d'eau et faites-la cuire jusqu'à ce que ce qu'elle soit tendre.

2 Mélangez le fromage blanc, l'eau minérale, le jus de citron et le sucre vanillé. Remuez jusqu'à l'obtention d'une consistance homogène.

3 Incorporez le yaourt à la préparation à base de fromage et servez dans des assiettes à dessert. Garnissez de pommes et d'amandes hachées avant de servir.

REMARQUES : Vous pouvez remplacer le jus de citron par de la cannelle moulue et la pomme par un autre fruit frais, ou encore râpez la pomme afin de l'incorporer au fromage blanc.

Pouding au millet avec abricots et canneberges

Glucides	●●●◖	30 min.
Matières grasses	●	(+ 1 h
Fibres	●	de réfrigération)

Environ 217 calories par portion
6 g de protéines • 4 g de gras • 37 g de glucides

POUR 2 PORTIONS :
250 mL (1 tasse) de lait écrémé
50 mL ou 50 g (1/4 de tasse) de millet
25 mL ou 30 g (2 c. à s.) de crème
5 mL (1 c. à t.) de zeste d'orange
édulcorant liquide
5 ou 6 abricots
50 mL (1/4 de tasse) de jus d'abricot non sucré
30 mL (2 c. à s.) de canneberges séchées
1 bâtonnet de cannelle
quelques gouttes de jus de citron

1 Versez le lait dans une petite casserole. Broyez finement le millet et versez-le dans le lait. Amenez à ébullition en remuant sans cesse et faites cuire à découvert pendant deux minutes.

2 En remuant, versez la crème, la moitié du zeste d'orange et l'édulcorant selon votre goût. Retirez du feu et laissez épaissir pendant cinq minutes. Rincez à l'eau froide deux petits moules ou deux ramequins. Versez-y la préparation à base de millet en l'étendant uniformément et faites réfrigérer pendant une heure.

3 Taillez les abricots en quartiers et dénoyautez-les. Faites-les mijoter à feu doux avec les canneberges et le bâtonnet de cannelle pendant 20 minutes. Versez le jus de citron et un trait d'édulcorant, remuez et laissez refroidir.

4 Renversez les poudings dans deux assiettes. Garnissez d'abricots et du zeste d'orange qui reste.

En haut : **Pouding au riz exotique**
En bas à gauche : **Yaourt aux pommes et au fromage blanc**
En bas à droite : **Pouding au millet avec abricots et canneberges**

Pains, brioches, croissants, tartes et gâteaux frais sortis du four

De délicieuses gâteries pour les jours de fête

Aimeriez-vous ponctuer un dîner tranquille d'un délicieux dessert ? Gâtez vos invités et faites-vous plaisir avec une tarte ou un gâteau délicieux dont vous trouverez la recette dans les pages qui suivent. Personne n'osera affirmer que vous servez des desserts de diabétique !

Brioches granola

Glucides	●●		30 minutes
Matières grasses	●●		(+ 50 minutes d'attente)
			(+ 30 à 35 minutes de cuisson)

Environ 210 calories par portion
9 g de protéines • 4 g de gras • 35 g de glucides

POUR FAIRE 8 BRIOCHES :
500 mL ou 250 g (2 tasses) de farine de blé entier
  grossièrement moulue
2 mL (1/2 c. à t.) de sel
le zeste d'un demi-citron
2 sachets (7 g, 1/4 d'oz ou 2 1/4 c. à t.) de levure vivante
150 mL (2/3 de tasse) de lait tiède
1 œuf
250 mL ou 100 g (1 tasse) de granola ou de müesli aux
  raisins et aux noix non sucré
flocons d'avoine à l'ancienne
lait (pour glacer)

1 Tamisez la farine au-dessus d'un grand bol.
Ajoutez le sel et le zeste de citron en remuant.
Versez la levure dans le lait, remuez jusqu'à obtention d'une consistance homogène et laissez reposer
jusqu'à ce que le mélange soit mousseux, soit
10 minutes environ. Ajoutez l'œuf et la levure à la
farine. Remuez et pétrissez la pâte jusqu'à ce qu'elle
soit souple et élastique. Couvrez-la et laissez-la
gonfler dans un endroit chaud pendant 30 minutes.

2 Pétrissez de nouveau la pâte en l'étirant un peu.
Saupoudrez le granola et incorporez-le à la pâte.
Répartissez la pâte en huit portions que vous façon-
nerez en boules. Saupoudrez une mince couche de
flocons d'avoine sur votre plan de travail et roulez
les boules de pâte sur les flocons en pressant délicatement.

3 Faites chauffer le four à 160 °C (325 °F). Déposez
les brioches sur une plaque à pâtisserie chemisée
de papier sulfurisé. Badigeonnez-les de lait et laissez-les reposer en les couvrant d'un linge pendant
20 minutes. Faites cuire au four pendant 30 à
35 minutes.

!! REMARQUE : Ces brioches peuvent être
congelées et cuites au moment opportun.
Faites-les décongeler et enfournez-les dans
un four préchauffé à 160 °C (325 °F).

!! REMARQUE : Ces savoureuses brioches font
une bonne collation, nature ou tartinées de
beurre ou de margarine.

Brioches au fromage blanc

Glucides	●●		30 minutes
Matières grasses	●●		(+ 15 minutes d'attente)
			(+ 20 à 25 minutes de cuisson)

Environ 159 calories par portion
7 g de protéines • 5 g de gras • 23 g de glucides

POUR FAIRE 8 BRIOCHES :
125 mL ou 125 g (1/2 tasse) de fromage blanc ou de purée
  de fromage cottage allégé
30 mL (2 c. à s.) d'huile de tournesol
75 mL (5 c. à s.) de lait
1 œuf
2 mL (1/2 c. à t.) de sel
500 mL ou 230 g (2 tasses) de farine de blé entier
  grossièrement moulue
7 mL (1 1/2 c. à t.) de levure chimique
lait (pour glacer)

1 Mélangez le fromage blanc, l'huile, le lait, l'œuf et
le sel jusqu'à l'obtention d'une consistance
homogène. Mélangez la farine et la levure chimique
avant de les tamiser et de les incorporer à la préparation au fromage. Lorsque la pâte est trop massive pour
que vous puissiez la remuer, ajoutez la farine qui reste
en pétrissant. Torsadez la pâte à la manière d'un
colombin. Laissez-la reposer pendant 15 minutes. Si
elle colle encore à vos doigts, ajoutez davantage de
farine et pétrissez-la.

2 Faites chauffer le four à 180 °C (350 °F).
Répartissez la pâte en huit portions, façonnez
des boules et disposez-les sur une plaque à pâtisserie chemisée d'un papier sulfurisé. Badigeonnez-les
de lait et pratiquez une incision sur chacune à l'aide
d'un couteau tranchant. Faites-les cuire au four
pendant 20 à 25 minutes ou jusqu'à ce qu'elles
soient dorées.

!! REMARQUES : Ces brioches sont meilleures
lorsqu'elles sortent du four mais vous pouvez les congeler. Disposez-les en forme de
roue, badigeonnez-les de jaune d'œuf, saupoudrez-
les de graines de pavot et de noix hachées ou de
graines de sésame et enfournez-les.

En haut : Brioches granola
En bas : Brioches au fromage blanc

Rondelles aux graines de citrouille

Glucides	●●◖	1 h
Matières grasses	●●	(+ 30 min
d'attente) (+20 à 30 min de cuisson)		

Environ 213 calories par portion
9 g de protéines • 8 g de gras • 26 g de glucides

POUR FAIRE 8 PETITES RONDELLES :
500 mL ou 250 g (2 tasses) de farine de blé entier grossièrement moulue
2 mL (1/2 c. à t.) de sel
1 sachet (7 g ou 1/4 d'oz ou 2 1/4 c. à t.) de levure vivante
125 mL (1/2 tasse) d'eau tiède
5 mL (1 c. à t.) de sucre
22 mL ou 20 g (1 1/2 c. à s.) de beurre fondu refroidi
30 mL (2 c. à s.) de lait
30 mL (2 c. à s.) de graines de citrouille
30 mL (2 c. à s.) de graines de tournesol

1 Tamisez la farine au-dessus d'un bol et saupoudrez le sel. Faites dissoudre le sucre dans l'eau et saupoudrez la levure. Laissez reposer pendant 10 minutes ou jusqu'à ce que la levure soit mousseuse. Mélangez la farine et le beurre. Huilez vos mains avant de pétrir la pâte; couvrez-la d'un linge et laissez-la gonfler pendant 30 minutes dans un endroit chaud.

2 Faites chauffer le four à 180 °C (350 °F). Pétrissez de nouveau la pâte et répartissez-la en six portions. Huilez vos mains et roulez chaque portion de pâte en un colombin de 30 à 35 cm (12 à 14 po) de long. Formez des anneaux et joignez les extrémités en les pressant l'une contre l'autre. Faites brièvement tremper les anneaux dans un bol d'eau tiède, laissez-les égoutter puis disposez-les sur une plaque à pâtisserie chemisée d'un papier sulfurisé. Badigeonnez-les de lait. Saupoudrez les graines de citrouille et appuyez dessus pour qu'elles adhèrent à la pâte. Couvrez les anneaux d'un linge et laissez-les reposer pendant 10 minutes. Faites-les cuire pendant 20 à 30 minutes ou jusqu'à ce qu'ils soient dorés.

Pain à l'épeautre et aux noix

Glucides	●◖	30 min
Matières grasses	–	(+ 50 min
d'attente) (+ 40 min de cuisson)		

Environ 114 calories par portion
4 g de protéines • 3 g de gras • 17 g de glucides

POUR FAIRE 1 PAIN :
10 mL (2 c. à t.) de sucre
375 mL (1 1/2 tasse) d'eau tiède
1 L ou 500 g (4 tasses) de farine d'épeautre
2 sachets (7 g, 1/4 d'oz ou 2 1/4 c. à t.) de levure vivante
10 mL (2 c. à t.) de sel
5 mL (1 c. à t.) de cardamome moulue
125 mL ou 60 g (1/2 tasse) de noix hachées
30 mL (2 c. à s.) d'huile de noix
farine

1 Faites dissoudre le sucre dans l'eau, saupoudrez la levure dessus et laissez reposer pendant 10 minutes ou jusqu'à ce qu'elle soit mousseuse. Versez la farine dans un autre bol, faites un puits en son centre et versez-y la levure humide. Ajoutez en remuant le sel, la cardamome, les noix et l'huile; ajoutez de l'eau, le cas échéant, si la pâte est trop massive. Pétrissez-la jusqu'à ce qu'elle soit souple et élastique. Couvrez-la et laissez-la reposer pendant 30 minutes dans un endroit chaud.

2 Badigeonnez d'huile un moule à pain de 25 sur 15 cm (10 sur 6 po). Pétrissez la pâte une fois de plus sur une surface farinée, façonnez-la en forme de pain et déposez-la dans le moule. Laissez-la gonfler pendant 20 minutes.

3 Faites chauffer le four à 180 °C (350 °F). Déposez un plateau d'eau chaude sur la clayette inférieure du four. Pulvérisez un peu d'eau sur le pain et faites-le cuire pendant 40 minutes.

Ciabatta au thym

Glucides	●●●	40 min
Matières grasses	–	(+ 1 h 15 min
d'attente) (+ 45 min de cuisson)		

Environ 163 calories par portion
5 g de protéines • 3 g de gras • 28 g de glucides

POUR FAIRE 1 GROS PAIN ROND OU 12 PETITS PAINS :
825 mL ou 400 g (3 1/3 tasses) de farine de blé grossièrement moulue
250 mL ou 100 g (1 tasse) de farine de seigle légère
sel
30 mL (2 c. à s.) d'huile d'olive
10 mL (2 c. à t.) de sucre
300 mL (1 1/4 tasse) d'eau tiède
2 sachets (7 g, 1/4 d'oz ou 2 1/4 c. à t.) de levure vivante
30 mL (2 c. à s.) de thym séché

1 Tamisez les deux farines au-dessus d'un grand bol. Saupoudrez 2 mL (1/2 c. à t.) de sel et versez 15 mL (1 c. à s.) d'huile. Dans un petit bol, faites dissoudre le sucre dans de l'eau, saupoudrez la levure et laissez reposer pendant 10 minutes ou jusqu'à ce qu'elle soit mousseuse. Versez la levure lentement dans la farine et remuez. Pétrissez la pâte, couvrez-la et laissez-la gonfler pendant 45 minutes dans un endroit chaud.

2 Chemisez une plaque à pâtisserie de papier sulfurisé et saupoudrez 15 mL (1 c. à s.) de thym en son centre. Pétrissez de nouveau la pâte, modelez-la comme une grosse miche ronde ou en 12 petits pains que vous poserez sur la plaque. Mélangez les 15 mL (1 c. à s.) d'huile et le thym qui restent à deux pincées de sel, et badigeonnez généreusement la pâte. Laissez gonfler pendant 30 minutes.

3 Faites chauffer le four à 180 °C (350 °F). Faites cuire pendant 15 minutes. Réduisez la chaleur à 160 °C (325 °F) et poursuivez la cuisson pendant 30 minutes.

En haut : Rondelles aux graines de citrouille
En bas à gauche : Pain à l'épeautre et aux noix
En bas à droite : Ciabatta au thym

Croissants au jambon

Glucides	●◖	45 minutes
Matières grasses	●	(+ 30 minutes d'attente)
		(+ 15 minutes de cuisson)

Environ 117 calories par portion
6 g de protéines • 4 g de gras • 14 g de glucides

POUR FAIRE 12 CROISSANTS :

POUR FAIRE LA PÂTE :

1 pomme de terre farineuse, cuite la veille
400 mL ou 200 g (1 2/3 tasse) de farine de blé entier grossièrement moulue
150 mL ou 150 g (2/3 de tasse) de chédar ou cottage allégé
30 mL ou 30 g (2 c. à s.) de margarine molle
1 petit œuf
pincée de muscade
sel

POUR FAIRE LA GARNITURE :

1 botte d'oignons verts
60 g (2 oz) de jambon fumé maigre
30 mL ou 30 g (2 c. à s.) de margarine
15 mL (1 c. à s.) de farine
30 mL ou 30 g (2 c. à s.) de crème sure
30 à 45 mL (2 à 3 c. à s.) d'eau
15 mL (1 c. à s.) de persil frais haché
5 mL (1 c. à t.) de marjolaine fraîche hachée ou 2 mL (1/2 c. à t.) de marjolaine séchée
poivre du moulin
50 mL (1/2 tasse) de lait
pincée de curcuma
15 à 30 mL (1 à 2 c. à s.) de graines de carvi

1 Pelez la pomme de terre et passez-la au presse-purée ou encore râpez-la finement. Mélangez-la à la farine, au fromage blanc, à la margarine, à l'œuf, à la muscade et au sel. Pétrissez la pâte jusqu'à ce qu'elle soit homogène. Couvrez-la et laissez-la reposer dans un endroit frais pendant au moins 30 minutes.

2 Tranchez les oignons verts et taillez le jambon en dés fins. Faites légèrement chauffer la margarine avant d'y déposer les oignons verts et les dés de jambon pour les faire revenir pendant une ou deux minutes à feu moyen. Saupoudrez-les de farine et faites-les cuire une minute de plus. Retirez du feu, ajoutez en remuant la crème sure, l'eau, le persil, la marjolaine et un soupçon de poivre. Réservez.

3 Pétrissez vigoureusement la pâte. Roulez-la afin de former un rectangle de 30 sur 40 cm (12 sur 16 po) et taillez-le en 12 carrés. Déposez un peu de farce au jambon au centre de chaque carré. À partir d'un angle, roulez chaque carré de pâte et recourbez-le afin de former un croissant. Posez les croissants sur leurs joints sur une plaque à pâtisserie chemisée de papier sulfurisé.

4 Faites chauffer le four à 200 °C (400 °F). Fouettez le lait et le curcuma avant d'en badigeonner les croissants et de saupoudrer les graines de carvi. Faites cuire au four pendant 15 minutes ou jusqu'à ce que les croissants soient dorés.

Pains aux olives noires et aux tomates séchées

Glucides	●◖	30 minutes
Matières grasses	–	(+ 1 h d'attente)
		(+ 35 minutes de cuisson)

Environ 124 calories par portion
4 g de protéines • 3 g de gras • 19 g de glucides

POUR FAIRE 2 PAINS :

825 mL ou 400 g (3 1/3 tasses) de farine de blé entier grossièrement moulue
400 mL ou 200 g (1 2/3 tasse) d'amarante fraîchement moulue
5 mL (1 c. à t.) d'origan séché
5 mL (1 c. à t.) de sucre
375 mL (1 1/2 tasse) d'eau tiède
1 sachet (7 g, 1/4 d'oz ou 2 1/4 c. à t.) de levure vivante
45 mL (3 c. à s.) d'huile d'olive
175 mL ou 100 g (3/4 de tasse) d'olives noires dénoyautées
60 g (2 oz) de tomates séchées au soleil qui macèrent dans l'huile

1 Tamisez la farine et l'amarante, et versez l'origan en remuant. Dans un grand bol, faites dissoudre le sucre dans l'eau, saupoudrez la levure et laissez-la reposer pendant 10 minutes ou jusqu'à ce qu'elle soit mousseuse. Ajoutez peu à peu la farine et 30 mL (2 c. à s.) d'huile; ajoutez de l'eau, le cas échéant, si la pâte est trop sèche. Pétrissez la pâte jusqu'à ce qu'elle soit homogène et élastique. Couvrez-la et laissez-la gonfler pendant 30 minutes dans un endroit chaud.

2 Hachez les olives et les tomates séchées, et incorporez-les à la pâte en la pétrissant. Divisez la pâte en deux et façonnez chaque part en un pain ovale. Posez les pains sur une plaque à pâtisserie chemisée d'un papier sulfurisé. Couvrez la pâte et laissez-la gonfler pendant 30 minutes.

3 Faites chauffer le four à 180 °C (350 °F). Badigeonnez les pains avec les 15 mL (1 c. à s.) d'huile qui restent et pratiquez des incisions sur la pâte. Faites cuire au four pendant 35 minutes et laissez refroidir sur une grille à pâtisserie.

‼ **REMARQUE** : Si la pâte reste collante après avoir gonflé, ajoutez un peu de germe de blé et pétrissez-la puis laissez-la reposer pendant 5 à 10 minutes. Le germe de blé absorbe l'excédent de liquide; n'en ajoutez pas trop, car la pâte risquerait d'être trop sèche.

‼ **REMARQUE** : Ce pain est délicieux lorsqu'on le sert avec du fromage blanc, du fromage, du jambon ou nature. On peut également le congeler.

En haut : Croissants au jambon
En bas : Pains aux olives noires et aux tomates séchées au soleil

Bâtonnets parfumés au carvi

Glucides	●●◦	1 h
Matières grasses	–	(+ 40 minutes d'attente)
		(+ 20 à 25 minutes de cuisson)

Environ 165 calories par portion
6 g de protéines • 2 g de gras • 29 g de glucides

POUR FAIRE 6 BÂTONNETS :
400 mL ou 200 g (1 2/3 tasse) de farine de blé entier
    grossièrement moulue
125 mL ou 50 g (1/2 tasse) de farine de seigle
pincée de poivre du moulin
1 sachet (7 g, 1/4 d'oz ou 2 1/4 c. à t.) de levure active
125 mL (1/2 tasse) de lait écrémé tiède
graines de carvi
1 jaune d'œuf

1 Tamisez les deux farines avec le sel et le poivre. Saupoudrez la levure sur le lait et laissez reposer pendant 10 minutes ou jusqu'à ce qu'elle soit mousseuse. Versez peu à peu la levure dans la farine. Pétrissez la pâte pendant au moins 5 minutes, couvrez-la et laissez-la gonfler dans un endroit chaud pendant 40 minutes.

2 De nouveau, pétrissez vigoureusement la pâte. Modelez-la comme un colombin, taillez-la en six parts et façonnez-les en miches. À l'aide d'un rouleau à pâtisserie, aplanissez les miches pour qu'elles entrent dans des moules rectangulaires de 5 sur 12 cm (2 sur 5 po), saupoudrez les graines de carvi et taillez-les en des bâtonnets. Déposez-les sur une plaque à pâtisserie chemisée d'un papier sulfurisé.

3 Faites chauffer le four à 180 °C (350 °F). Fouettez le jaune d'œuf et 15 mL (1 c. à s.) d'eau; badigeonnez les bâtonnets de jaune d'œuf allongé et saupoudrez d'autres graines de carvi. Faites cuire au four pendant 20 à 25 minutes.

 REMARQUE : Garnissez les bâtonnets de graines de sésame ou de fromage emmenthal avant de les enfourner.

Galette savoureuse

Glucides	●●●	50 minutes
Matières grasses	+	(+ 40 minutes d'attente)
		(+ 30 minutes de cuisson)

Environ 380 calories par portion
21 g de protéines • 18 g de gras • 33 g de glucides

POUR 6 À 8 PORTIONS :
POUR FAIRE LA CROÛTE :
400 mL ou 200 g (1 2/3 tasse) de farine de blé entier
    grossier
1 sachet (7 g, 1/4 d'oz ou 2 1/4 c. à t.) de levure active
125 mL (1/2 tasse) de lait tiède
POUR FAIRE LA GARNITURE :
100 g (3 1/2 oz) de jambon cuit écouenné
15 mL (1 c. à s.) d'huile d'olive
2 oignons verts
1 gousse d'ail
1,25 L (5 tasses) de chou de Milan ou de pé-tsai en
    lanières
2 tomates
poivre du moulin
muscade fraîchement râpée
4 brins de basilic frais
30 mL ou 30 g (2 c. à s.) de crème sure
125 mL ou 60 g (1/2 tasse) de provolone ou de gouda râpé

1 Tamisez la farine au-dessus d'un grand bol et ajoutez un peu de sel. Saupoudrez la levure sur le lait et laissez-la reposer pendant 10 minutes ou jusqu'à ce qu'elle soit mousseuse. Ajoutez peu à peu la levure à la pâte. Pétrissez la pâte jusqu'à ce qu'elle soit homogène. Couvrez-la et laissez-la gonfler pendant 30 minutes dans un endroit chaud.

2 Taillez le jambon en lanières de 2 cm (3/4 de po). Taillez les oignons verts et hachez l'ail. Faites chauffer l'huile, ajoutez les oignons et l'ail en remuant et faites-les doucement sauter jusqu'à ce qu'ils deviennent transparents. Pratiquez des incisions sur la pelure des tomates, faites-les blanchir, pelez-les et taillez-les en dés. Ajoutez le chou et salez. Faites cuire à découvert pendant cinq minutes ou jusqu'à ce que le liquide se soit presque tout évaporé. Ajoutez le poivre et la muscade. Hachez le basilic et ajoutez-le à la crème sure.

3 Faites chauffer le four à 180 °C (350 °F). Badigeonnez d'huile un moule à charnière de 25 cm (10 po). Pétrissez la pâte, aplanissez-la à l'aide d'un rouleau à pâtisserie et déposez-la dans le moule afin d'en couvrir le fond et une partie des côtés. Déposez la garniture et saupoudrez le fromage. Laissez gonfler la pâte pendant 10 minutes, puis cuisez au four pendant 30 minutes.

À droite : Galette savoureuse

Chaussons au poireau

Glucides	●●	1 h
Matières grasses	●●●	(+ 30 minutes d'attente)
		(+ 20 minutes de cuisson)

Environ 247 calories par portion
11 g de protéines • 12 g de gras • 24 g de glucides

POUR FAIRE 8 CHAUSSONS :
POUR FAIRE LA PÂTE FEUILLETÉE :
500 mL ou 250 g (2 tasses) de farine de blé entier grossièrement moulue
5 mL (1 c. à t.) de sel
2 mL (1/2 c. à t.) d'origan séché
1 jaune d'œuf
45 mL (3 c. à s.) d'huile d'olive
125 mL (1/2 tasse) d'eau
POUR FAIRE LA GARNITURE :
2 poireaux
60 g (2 oz) de salami à la dinde
75 g (2 1/2 oz) de fromage allégé
10 mL (2 c. à t.) d'origan séché
45 mL (3 c. à s.) de graines de tournesol entières
sel et poivre du moulin
30 mL (2 c. à s.) de lait
1 blanc d'œuf
1 mL (1/4 de c. à t.) de curcuma
45 mL (3 c. à s.) de graines de tournesol hachées

1 Mélangez la farine, le sel, 2 mL (1/2 c à t.) d'origan, le jaune d'œuf, l'huile et l'eau. Pétrissez la pâte jusqu'à ce qu'elle soit homogène. Enveloppez-la d'une pellicule plastique et mettez-la au frigo pendant 30 minutes.

2 Taillez les poireaux dans le sens de la longueur, rincez-les soigneusement et taillez-les en lanières. Déposez-les dans une casserole, couvrez-les d'un peu d'eau et faites-les cuire à feu moyen pendant cinq minutes. Égouttez-les. Taillez le salami et le fromage en petits dés. Mélangez-les aux poireaux, à l'origan, aux graines de tournesol entières, au sel et au poivre.

3 À nouveau, pétrissez vigoureusement la pâte et répartissez-la en huit portions. Roulez chacune dans un moule rond de 15 cm (6 po) et déposez une part de garniture aux poireaux en leur centre. Badigeonnez les bordures de blanc d'œuf, repliez la pâte pour former des demi-cercles, appuyez sur les bordures à l'aide d'une fourchette afin de les sceller. Déposez les chaussons sur une plaque à pâtisserie chemisée d'un papier sulfurisé.

4 Faites chauffer le four à 200 °C (400 °F). Fouettez le lait et le curcuma afin d'en badigeonner les chaussons. Saupoudrez les graines de tournesol hachées. Faites cuire pendant 20 minutes ou jusqu'à ce que les chaussons soient dorés.

Brioches à l'épeautre

Glucides	●●●●◐	20 minutes
Matières grasses	●●●	(+ 1 h 5 d'attente)
		(+ 20 minutes de cuisson)

Environ 216 calories par portion 7 g de protéines • 10 g de gras • 51 g de glucides

POUR FAIRE 2 BRIOCHES :
300 mL ou 160 g (1 1/4 tasse) de farine d'épeautre
2 mL (1/2 c. à t.) de sel
5 mL (1 c. à t.) de sucre
100 mL (7 c. à s.) d'eau tiède
1 sachet (7 g, 1/4 d'oz ou 2 1/4 c. à t.) de levure active
15 mL (1 c. à s.) d'huile d'olive
2 mL (1/2 c. à t.) de beurre
farine

1 Mélangez la farine et le sel dans un grand bol. Faites dissoudre le sucre dans l'eau et saupoudrez la levure. Laissez reposer pendant 10 minutes ou jusqu'à ce que la levure soit mousseuse. Faites un puits au centre de la farine et versez-y la levure humide. Versez l'huile autour de la farine. Pétrissez la pâte à partir du centre, puis modelez-la en miche. Couvrez la pâte et laissez-la gonfler pendant 45 minutes ou jusqu'à ce qu'elle ait doublé de volume.

2 Badigeonnez de beurre deux moules à brioche de 250 mL (1 tasse) ou quatre ramequins de 125 mL (1/2 tasse). Pétrissez de nouveau la pâte à l'aide de vos doigts farinés et faites-en deux ou quatre parts. Divisez chaque part en deux boules, l'une plus grosse que l'autre. Déposez les boules les plus grosses dans les moules. À l'aide du bout de vos doigts, creusez le centre de chaque boule et posez dessus une boule plus petite. Couvrez la pâte et laissez-la gonfler pendant 20 minutes.

3 Faites chauffer le four à 180 °C (350 °F). Faites cuire au four pendant 20 minutes ou jusqu'à ce que les brioches soient dorées. Retournez les moules et laissez-les brioches refroidir sur une grille à pâtisserie.

 REMARQUE : Ces brioches accompagnent délicieusement le gratin aux épinards (voyez la page 80).

En haut : Chaussons aux poireaux
En bas : Brioches d'épeautre

Tartelettes à la féta et aux épinards

Glucides	●●●●	45 minutes
Matières grasses	●●●	(+ 20 minutes de cuisson)

Environ 341 calories par portion
17 g de protéines • 13 g de gras • 40 g de glucides

POUR FAIRE 4 TARTELETTES :
POUR FAIRE LA PÂTE FEUILLETÉE :
400 mL ou 200 g (1 2/3 tasse) de farine de blé entier
2 mL (1/2 c. à t.) de levure chimique
sel
125 mL ou 100 g (1/2 tasse) de fromage blanc ou de purée de fromage cottage allégé
45 à 60 mL (3 à 4 c. à s.) de lait
POUR FAIRE LA GARNITURE :
30 mL (2 c. à s.) d'huile d'olive
1 petit oignon
300 g (10 oz) d'épinards
1 gousse d'ail
sel et poivre du moulin
pincée de piment de la Jamaïque moulu
2 mL (1/2 c. à t.) de paprika doux
1 œuf
30 mL (2 c. à s.) de persil frais haché
175 mL ou 100 g (3/4 de tasse) de tomates cerises taillées en deux
175 mL ou 100 g (3/4 de tasse) de féta en miettes

1 Badigeonnez d'huile quatre moules à tartelettes de 12 cm (5 po). Mélangez la farine, la levure, une pincée de sel, le fromage blanc et le lait. Pétrissez la pâte jusqu'à ce qu'elle soit homogène. Divisez-la en quatre parts et roulez-les. Déposez la pâte dans les moules de manière à en couvrir le fond et les côtés.

2 Hachez l'oignon, l'ail et les épinards. Faites chauffer l'huile, déposez-y les oignons et l'ail, et faites-les sauter jusqu'à ce qu'ils deviennent transparents. Ajoutez les épinards en remuant et faites cuire à feu vif jusqu'à ce que le liquide soit évaporé. Assaisonnez de sel, de poivre, de piment de la Jamaïque et de paprika. Laissez refroidir.

3 Faites chauffer le four à 180 °C (350 °F). Fouettez l'œuf et le persil, ajoutez-les aux épinards et versez la préparation dans les moules. Disposez à plat les tomates cerises sur le dessus et saupoudrez les miettes de féta. Faites cuire au four pendant 20 minutes.

!! REMARQUE : Si vous vous servez d'épinards surgelés, une boîte de 300 g (10 oz) fera l'affaire. Ajoutez-les à l'oignon et à l'ail sautés, et laissez-les décongeler à couvert. Lorsque c'est chose faite, soulevez le couvercle pour que le liquide s'évapore.

Pizzas au pain plat

Glucides	●●●	25 minutes
Matières grasses	+++	(+ 15 minutes de cuisson)

Environ 522 calories par portion
29 g de protéines • 33 g de gras • 27 g de glucides

POUR 2 PORTIONS :
6 pains plats (ou suédois)
30 mL ou 30 g (2 c. à s.) de crème sure
40 g (1 1/2 oz) de prosciutto écouenné en fines tranches
30 mL (2 c. à s.) d'huile d'olive
2 petits oignons
1 gousse d'ail
30 mL (2 c. à s.) de vin blanc sec
sel et poivre du moulin
50 mL ou 30 g (1/4 de tasse) de parmesan fraîchement râpé
300 mL ou 150 g (1 1/4 tasse) de mozzarella râpée
10 tomates cerises
5 mL (1 c. à t.) d'origan séché

1 Faites chauffer le four à 180 °C (350 °F). Déposez les pains plats sur une plaque à pâtisserie et nappez-les de crème sure. Posez le prosciutto sur la crème.

2 Tranchez finement les oignons et hachez l'ail. Faites chauffer 15 mL (1 c. à s.) d'huile. Mettez-y les oignons et l'ail en remuant, et faites-les sauter à feu doux jusqu'à ce qu'ils deviennent transparents. Versez le vin et laissez cuire pendant deux minutes. Salez, poivrez, ajoutez le parmesan et tartinez les pains plats. Saupoudrez la mozzarella sur l'ensemble.

3 Taillez les tomates cerises en deux et posez-les en équilibre sur le fromage. Saupoudrez de sel, de poivre, d'origan et versez les 15 mL (1 c. à s.) d'huile qui restent. Faites cuire au four pendant 15 minutes.

!! REMARQUE : Tranchez finement un bulbe de fenouil, faites-le cuire avec l'oignon et l'ail et déposez-les sur les pains plats avec le reste des ingrédients.

En haut : Tartelettes aux épinards et au féta
En bas : Pizzas au pain plat

Tartelettes aux baies et au babeurre

Glucides	●●	1 h 15
Matières grasses	●●●	(+ 30 minutes d'attente)
	(+ réfrigération)	(+ 15 minutes de cuisson)

Environ 229 calories par portion
7 g de protéines • 12 g de gras • 2 g de glucides

POUR FAIRE 6 TARTELETTES :

POUR LA PÂTE FEUILLETÉE :

250 mL ou 125 g (1 tasse) de farine de blé entier grossièrement moulue

75 mL ou 65 g (1/3 de tasse) de margarine froide

1 petit jaune d'œuf

15 mL (1 c. à s.) de sucre glace

Pour la crème pâtissière :

1 sachet de gélatine non aromatisée (7 g, 1/4 d'oz ou 1 c. à s.)

le zeste et le jus d'un demi-citron

250 mL ou 250 g (1 tasse) de babeurre

édulcorant liquide

vanille

POUR LA GARNITURE :

1/2 sachet de gélatine non aromatisée (7 g, 1/4 d'oz ou 1 c. à s.)

125 mL (1/2 tasse) de jus de baies ou de pomme non sucré

375 mL ou 200 g (1 1/2 tasse) de baies mélangées

50 mL ou 20 g (1/4 de tasse) de pistaches hachées

1 Mélangez la farine, la margarine, le jaune d'œuf et le sucre glace. Pétrissez la pâte jusqu'à ce qu'elle soit homogène. Enveloppez-la d'une pellicule plastique et réfrigérez-la pendant 30 minutes.

2 Faites chauffer le four à 180 °C (350 °F). Divisez la pâte en six boules d'égale grosseur. À l'aide d'un rouleau, aplanissez chaque boule de pâte entre deux pellicules plastiques de manière à former un cercle. Déposez les abaisses au fond de moules à tartelettes de 10 cm (4 po) et faites-les cuire au four pendant 15 minutes ou jusqu'à ce qu'elles soient dorées. Laissez-les refroidir sur une grille à pâtisserie.

3 Versez la gélatine dans 30 mL (2 c. à s.) d'eau et laissez reposer pendant une minute. Mélangez le zeste et le jus de citron au babeurre et à quelques traits d'édulcorant et à quelques gouttes de vanille. Ajoutez 30 mL (2 c. à s.) d'eau bouillante à la gélatine et remuez afin qu'elle se dissolve. Versez le babeurre en remuant. Démoulez délicatement les fonds de tartelettes. Lavez les moules, passez-les sous l'eau froide et versez-y la préparation au babeurre. Réfrigérez sur-le-champ jusqu'à ce que la préparation fige.

4 Faites tremper la moitié du sachet de gélatine dans 30 mL (2 c. à s.) d'eau froide. Mélangez-la dans une casserole à la moitié du jus de fruit et amenez à ébullition. Versez le jus qui reste. Réfrigérez sans laisser figer la gélatine. Démoulez la gelée de babeurre et déposez-la dans les fonds de tartelettes. Saupoudrez les pistaches et posez les baies dessus. Abricotez avec le jus de fruit partiellement figé et réfrigérez.

Tartelettes aux fruits

Glucides	●●●●	40 minutes
Matières grasses	+	(+ 30 minutes d'attente)
	(+ 15 minutes de cuisson)	(+ 1 h 15 de réfrigération)

Environ 376 calories par portion
7 g de protéines • 18 g de gras • 46 g de glucides

POUR FAIRE 4 TARTELETTES :

POUR LA PÂTE FEUILLETÉE :

300 mL ou 150 g (1 1/4 tasse) de farine de blé entier grossièrement moulue

45 mL (3 c. à s.) de noix de coco non sucrée râpée

30 mL (2 c. à s.) de sucre

pincée de sel

37 mL ou 40 g (2 1/2 c. à s.) de beurre

1 jaune d'œuf

45 à 60 mL (3 à 4 c. à s.) de lait

POUR LA GARNITURE :

2 tranches d'ananas frais ou en conserve (environ 150 g ou 5 oz)

8 raisins rouges

1 figue mûre

la moitié d'une banane

1 petit kiwi

1 mandarine

30 mL ou 30 g (2 c. à s.) de crème fraîche ou sure

30 mL ou 30 g (2 c. à s.) de yaourt allégé

5 mL (1 c. à t.) de jus de citron

édulcorant liquide

pistaches finement hachées (facultatif)

1 Mélangez la farine, la noix de coco, le sucre, le sel, le beurre, le jaune d'œuf et le lait. Pétrissez vigoureusement la pâte, emballez-la sous pellicule plastique et réfrigérez-la pendant 30 minutes.

2 Faites chauffer le four à 180 °C (350 °F). Badigeonnez d'huile quatre moules à tartelettes de 10 à 12 cm (4 à 5 po). Divisez la pâte en quatre parts égales, aplanissez-les à l'aide d'un rouleau entre deux pellicules plastiques de manière à former des cercles et déposez les abaisses dans les moules. Piquez le fond de chaque abaisse à plusieurs reprises à l'aide d'une fourchette et couvrez chacune d'un papier sulfurisé et de poids à tarte. Faites cuire au four pendant 15 minutes. Laissez refroidir, retirez les poids et le papier.

3 Pelez les fruits et tranchez-les en petites bouchées appétissantes, emplissez les fonds de tartelettes et réfrigérez-les pendant une heure.

4 Mélangez la crème fraîche, le yaourt, le jus de citron et l'édulcorant. Garnissez les tartelettes de cette préparation et ajoutez les pistaches, si vous le souhaitez.

En haut : Tartelettes aux baies et au babeurre
En bas : Tartelettes aux fruits

Scones aux raisins

Glucides	●●◖	30 minutes
Matières grasses	●	(+ 15 minutes de cuisson)

Environ 163 calories par portion
2 g de protéines • 5 g de gras • 26 g de glucides

POUR FAIRE 10 SCONES :

500 mL ou 250 g (2 tasses) de farine de blé entier grossièrement moulue

5 mL (1 c. à t.) de levure chimique

15 mL (1 c. à s.) de sucre

sel

50 mL ou 50 g (1/4 de tasse) de margarine

125 mL (1/2 tasse) de lait écrémé froid

45 mL ou 20 g (3 c. à s.) de raisins

lait pour glacer

1 Mélangez la farine, la levure chimique, le sucre et une pincée de sel. Incorporez quelque peu la margarine. Faites un puits au centre de la pâte, versez-y le lait et pétrissez quelque peu. Passez les raisins sous l'eau chaude, épongez-les pour enlever le surplus d'eau, hachez-les finement et incorporez-les à la pâte.

2 Faites chauffer le four à 160 °C (325 °F). À l'aide d'un rouleau à pâtisserie, aplanissez la pâte sur un plan de travail fariné de sorte qu'elle fasse 1 cm (1/2 po) d'épaisseur. Découpez des cercles de 8 cm (3 po). Déposez-les sur une plaque à pâtisserie chemisée d'un papier sulfurisé et badigeonnez-les avec du lait. Faites cuire au four pendant 15 minutes ou jusqu'à ce que les scones soient dorés.

Muffins aux bleuets

Glucides	●◖	20 minutes
Matières grasses	●	(+ 20 minutes de cuisson)

Environ 144 calories par portion
4 g de protéines • 7 g de gras • 18 g de glucides

POUR FAIRE 12 MUFFINS :

75 mL ou 75 g (1/2 tasse) de margarine

50 mL ou 50 g (1/4 de tasse) de sucre

édulcorant liquide

2 petits œufs

2 mL (1/2 c. à t.) de vanille

pincée de sel

425 mL ou 220 g (1 3/4 tasse) de farine de blé entier grossièrement moulue

10 mL (2 c. à t.) de levure chimique

175 mL ou 180 g (3/4 de tasse) de babeurre

300 mL ou 170 g (1 1/4 tasse) de bleuets

1 Faites chauffer le four à 160 °C (325 °F). Chemisez un moule à muffins de caissettes en papier.

2 Fouettez la margarine et le sucre jusqu'à l'obtention d'une consistance légère, aérienne. Versez quelques traits d'édulcorant, les œufs, la vanille et le sel. Mélangez la farine et la levure chimique et incorporez à la pâte en alternant avec le babeurre. Incorporez délicatement les bleuets.

3 Déposez la pâte dans les caissettes en papier et faites cuire au four pendant 20 à 25 minutes.

 REMARQUE : Vous pouvez employer ici des bleuets surgelés.

Muffins aux carottes et aux noisettes

Glucides	●◖	30 minutes
Matières grasses	●	(+ 20 minutes de cuisson)

Environ 116 calories par portion
3 g de protéines • 6 g de gras • 13 g de glucides

POUR FAIRE 12 MUFFINS :

3 petits œufs, jaunes et blancs séparés

2 grosses carottes

125 mL ou 90 g (1/2 tasse) de sucre

45 mL (3 c. à s.) d'eau chaude

pincée de clou de girofle moulu

pincée de cannelle moulue

250 mL ou 75 g (1 tasse) de noisettes moulues

5 mL (1 c. à t.) de levure chimique

150 mL ou 75 g (2/3 de tasse) de farine de blé entier grossièrement moulue

1 Faites chauffer le four à 160 °C (325 °F). Déposez les caissettes en papier dans un moule à muffins. Râpez les carottes. Faites monter les blancs d'œufs en neige et mettez-les au frigo.

2 Fouettez les jaunes d'œufs, le sucre et l'eau jusqu'à ce que le mélange soit mousseux. Versez les carottes râpées en remuant. Mélangez le clou de girofle, la cannelle, les noisettes, la levure et la farine. Incorporez à la pâte en alternant avec les blancs d'œufs en neige.

3 Déposez sans tarder dans les caissettes en papier. Faites cuire au four pendant 20 minutes. Laissez les muffins refroidir dans le moule.

REMARQUE : Ces muffins sont très moelleux et sont aussi savoureux si on réduit la quantité de sucre à 75 mL (70 g ou 1/3 de tasse).

À droite : Muffins aux carottes et aux noisettes

Choux à la crème et aux framboises

Glucides	●	40 minutes
Matières grasses	●	(+ 30 minutes de cuisson)

Environ 110 calories par portion - 5 g de protéines • 6 g de gras • 9 g de glucides

POUR FAIRE 6 CHOUX :

POUR LA GARNITURE :

1/3 sachet de gélatine non aromatisée (7 g, 1/4 d'oz ou 1 c. à s.)

300 mL ou 150 g (1 1/4 tasse) de framboises

125 mL ou 100 g (1/2 tasse) de chedar ou cottage allégé

POUR LA PÂTE À CHOUX :

250 mL (1 tasse) d'eau

50 mL ou 50 g (1/4 de tasse) de beurre

5 mL (1 c. à t.) de sucre

pincée de sel

250 mL ou 150 g (1 tasse) de farine

3 oeufs

5 mL (1 c. à t.) de levure chimique

1 Faites tremper la gélatine dans 15 mL (1 c. à s.) d'eau froide pendant 10 minutes. Mélangez les framboises et le chedar. Faites chauffer la gélatine dans une petite casserole afin qu'elle se dissolve. Versez un peu de préparation à la framboise dans la gélatine, puis versez vite la gélatine sur la préparation aux framboises et remuez. Réfrigérez.

2 Faites chauffer le four à 180 °C (350 °F). Mélangez l'eau, le beurre, le sucre, le sel et amenez à ébullition. Retirez du feu, ajoutez la farine en remuant, jusqu'à l'obtention d'une consistance homogène. Ramenez sur le feu et chauffez rapidement en remuant sans cesse, puis versez dans un bol. Incorporez la levure chimique et les œufs, un à la fois, jusqu'à ce que la pâte soit lustrée et qu'elle forme des pics.

3 Versez la pâte dans une poche à grosse douille et dressez 12 petits tas de pâte sur une plaque à pâtisserie chemisée de papier sulfurisé. Faites cuire pendant 30 minutes au four ou jusqu'à ce que les choux soient dorés. Sortez-les du four, taillez-les en deux et laissez-les refroidir. Garnissez les choux de préparation aux framboises.

Chaussons aux pommes et au fromage blanc

Glucides	●●●	45 minutes
Matières grasses	●●●	(+ 20 min. d'attente) (+ 25 minutes de cuisson)

Environ 248 calories par portion
6 g de protéines • 10 g de gras • 32 g de glucides

POUR FAIRE 6 CHAUSSONS :

POUR LA PÂTE :

75 mL ou 60 g (1/3 de tasse) de chedar ou de cottage allégé

37 mL (2 1/2 c. à s.) d'huile

30 mL (2 c. à s.) de lait

30 mL (2 c. à s.) de sucre

1 jaune d'œuf

250 mL ou 100 g (1 tasse) de farine à pâtisserie

2 mL (1/2 c. à t.) de levure chimique

POUR LA GARNITURE :

45 mL ou 30 g (3 c. à s.) de raisins

15 mL (1 c. à s.) de rhum et autant d'eau

2 pommes sures

7 mL ou 10 g (1 1/2 c. à t.) de beurre

1 petit zeste de citron

5 mL (1 c. à t.) de miel

8 gouttes d'édulcorant liquide

pincée de cannelle moulue

30 mL (2 c. à s.) de noisettes moulues

30 mL (2 c. à s.) de chapelure fine

1 œuf, le jaune séparé du blanc

1 Mélangez le chedar, l'huile, le lait, le sucre, le jaune d'œuf, la farine et la levure chimique. Pétrissez la pâte jusqu'à ce qu'elle soit lisse. Façonnez-la en un colombin et laissez-la reposer couverte d'un linge pendant 20 minutes.

2 Mettez les raisins à tremper dans le rhum et l'eau. Pelez les pommes et évidez-les. Mélangez les pommes, le beurre, le zeste de citron et les raisins trempés dans le rhum et faites cuire pendant cinq minutes. Laissez refroidir puis enlevez le zeste. Ajoutez en remuant tous les autres ingrédients, à l'exception de l'œuf.

3 Faites chauffer le four à 180 °C (350 °F). À l'aide d'un rouleau, aplanissez la pâte pour en faire six ronds de 2 cm (5 po). Déposez un peu de garniture au centre de chacun. Badigeonnez le pourtour de la pâte de blanc d'œuf. Repliez et scellez le bord des chaussons. Déposez-les sur une plaque à pâtisserie chemisée de papier sulfurisé et badigeonnez-les de jaune d'œuf. Faites cuire au four pendant 25 minutes.

Chaussons aux pommes et aux raisins

Glucides	●◖	40 minutes
Matières grasses	●	(+ 1 h d'attente) (+ 25 minutes de cuisson)

Environ 134 calories par portion
4 g de protéines • 5 g de gras • 19 g de glucides

POUR FAIRE 12 CHAUSSONS :

POUR LA PÂTE :

400 mL ou 200 g (1 2/3 tasse) de farine de blé entier grossièrement moulue

1 sachet de levure vivante (7 g, 1/4 d'oz ou 2 1/4 c. à t.)

5 mL (1 c. à t.) de sucre

125 mL (1/2 tasse) de lait tiède

50 mL ou 60 g (1/4 de tasse) de margarine molle

pincée de sel

POUR LA GARNITURE :

125 mL ou 125 g (1/2 tasse) de chedar ou de cottage allégé

édulcorant liquide

pincée de cannelle moulue

75 mL ou 50 g (1/3 de tasse) de raisins

2 grosses pommes

30 mL (2 c. à s.) de jus de citron

1 Tamisez la farine au-dessus d'un grand bol et creusez un puits en son centre. Faites dissoudre le sucre dans un peu de lait et saupoudrez-y la levure. Laissez agir jusqu'à ce que la levure soit mousseuse. Ajoutez le reste des ingrédients de la pâte et pétrissez-la jusqu'à ce qu'elle soit homogène. Couvrez-la et laissez-la gonfler pendant 40 minutes.

2 Mélangez le fromage, un peu d'édulcorant et la cannelle. Ajoutez les raisins en remuant. Taillez les pommes en petits dés; arrosez-les de jus de citron et ajoutez-les au fromage.

3 Pétrissez la pâte et façonnez 12 boules. À l'aide d'un rouleau, aplanissez-les en cercles de 12 cm (5 po). Déposez un peu de garniture aux pommes et au fromage au centre de chaque cercle, repliez et scellez son pourtour.

4 Faites chauffer le four à 180 °C (350 °F). Déposez les chaussons sur une plaque à pâtisserie chemisée de papier sulfurisé, couvrez-les et laissez-les gonfler pendant 10 minutes. Enfournez-les et laissez-les cuire pendant 20 à 25 minutes ou jusqu'à ce qu'ils soient dorés.

En haut : Choux à la crème et aux framboises
En bas à gauche : Chaussons aux pommes et au fromage blanc
En bas à droite : Chaussons aux pommes et aux raisins

Gaufres aux fraises et au fromage à la crème

Glucides	●●◖	45 minutes
Matières grasses	+ +	(+ 15 minutes de cuisson)

Environ 374 calories par portion
12 g de protéines • 22 g de gras • 31 g de glucides

POUR FAIRE 4 GAUFRES :
375 mL ou 250 g (1 1/2 tasse) de fraises
175 mL ou 200 g (3/4 de tasse) de fromage à la crème
  allégé
édulcorant
125 mL ou 100 g (1/2 tasse) de crème à fouetter
30 mL ou 30 g (2 c. à s.) de beurre mou
30 mL (2 c. à s.) de sucre
pincée de sel
1 œuf, le jaune séparé du blanc
5 mL (1 c. à t.) de rhum
5 mL (1 c. à t.) de zeste de citron râpé
250 mL ou 100 g (1 tasse) de farine à pâtisserie
pincée de levure chimique

1 Taillez quelques fraises en quartiers, réservez-les et réduisez le reste en purée. Mélangez cette purée au fromage à la crème et ajoutez un peu d'édulcorant. Fouettez la crème à 35 pour cent jusqu'à ce qu'elle monte, incorporez-la à la préparation aux fraises et réfrigérez.

2 Mélangez le beurre, le sucre, le sel, le jaune d'œuf, le rhum et le zeste de citron. Mélangez la farine et la levure chimique, tamisez-les au-dessus du mélange de beurre et de sucre, et liez-les. Montez le blanc d'œuf en neige et incorporez-le à la pâte.

3 Faites chauffer un gaufrier pour y faire cuire quatre grandes gaufres que vous laisserez refroidir. (N'empilez pas les gaufres, elles amolliraient.) Déposez la garniture aux fraises sur les gaufres et décorez de quartiers de fraises.

Paniers de fruits en pâte phyllo

Glucides	●●●	35 minutes
Matières grasses	+ +	(+ 3 à 4 minutes de cuisson)

Environ 398 calories par portion
5 g de protéines • 27 g de gras • 34 g de glucides

POUR FAIRE 4 PANIERS :
POUR LA PÂTE :
3 feuilles de pâte phyllo
22 mL ou 20 g (1 1/2 c. à s.) de beurre fondu
POUR LA GARNITURE :
1 nectarine
1 poire
175 mL ou 100 g (3/4 de tasse) de framboises
50 mL ou 50 g (1/4 de tasse) de mascarpone
graines d'un quart de gousse de vanille
édulcorant liquide
45 mL (3 c. à s.) de lait
feuilles de menthe

1 Faites chauffer le four à 160 °C (325 °F). Enduisez de beurre quatre moules de 10 à 12 cm (4 à 5 po). Superposez les feuilles de pâte phyllo et taillez-les en quatre carrés. Badigeonnez de beurre fondu le dessus de chaque feuille, déposez-les dans le moule et appuyez dessus. Taillez le surplus de pâte à l'aide de ciseaux de cuisine. Faites cuire pendant trois à quatre minutes ou jusqu'à ce que la pâte soit dorée. Laissez refroidir quelque peu avant de retourner délicatement les moules.

2 Pelez la nectarine et la poire, dénoyautez la première et épépinez l'autre, et taillez-les en dés; mélangez ces fruits aux framboises. Mélangez le mascarpone, les graines de vanille, l'édulcorant et le lait; ajoutez ensuite les fruits. Emplissez les paniers de préparation aux fruits et garnissez de feuilles de menthe.

En haut : Gaufres aux fraises et au fromage à la crème
En bas : Panier de fruits en pâte phyllo

Clafoutis

| Glucides | ●◖ | 15 minutes |
| Matières grasses | ●● | (+ 30 à 35 minutes de cuisson) |

Environ 182 calories par portion
10 g de protéines • 8 g de gras • 17 g de glucides

POUR FAIRE 4 CLAFOUTIS :
675 mL ou 400 g (2 3/4 tasses) de bleuets
4 œufs
15 mL (1 c. à s.) de sucre glace
graines d'une demi-gousse de vanille
pincée de sel
125 mL (1/2 tasse) de lait
75 mL ou 40 g (1/3 de tasse) de farine à pâtisserie

1 Faites chauffer le four à 200 °C (400 °F). Badigeonnez d'huile quatre ramequins ou moules de 13 cm (5 po) et déposez les bleuets au fond.

2 Fouettez les œufs et le sucre glace, les graines de vanille et le sel jusqu'à ce que les œufs soient mousseux. Versez le lait en remuant, tamisez la farine au-dessus du lait et mélangez. Déposez la pâte dans les ramequins. Faites cuire au four pendant 30 à 35 minutes et servez les clafoutis chauds.

!! **REMARQUE** : Vous pouvez préparer ce dessert avec d'autres baies ou des cerises. Si vous vous servez de baies surgelées, ajoutez-les à la pâte sans les décongeler.

Panettones miniatures

Glucides	●●●●	45 minutes
Matières grasses	●●●	(+ 50 minutes d'attente)
		(+ 20 à 30 minutes de cuisson)

Environ 339 calories par portion
9 g de protéines • 12 g de gras • 49 g de glucides

POUR FAIRE 6 PETITS PANETTONES :
625 mL ou 300 g (2 1/2 tasses) de farine à pâtisserie
30 mL (2 c. à s.) de sucre
1 sachet de levure vivante (7 g, 1/4 d'oz ou 2 1/4 c. à t.)
125 mL (1/2 tasse) de lait tiède
50 mL ou 50 g (1/4 de tasse) de beurre fondu refroidi
2 œufs moyens
muscade fraîchement moulue
pincée de sel
le zeste râpé d'un citron (de culture biologique, de préférence)
50 mL ou 30 g (1/4 de tasse) de raisins de Corinthe

1 Dans un grand bol, faites dissoudre 5 mL (1 c. à t.) de sucre dans le lait et saupoudrez la levure dessus. Laissez reposer pendant 10 minutes ou jusqu'à ce que la levure soit mousseuse. Ajoutez la farine et le reste du sucre, et remuez jusqu'à l'obtention d'une consistance homogène. Fouettez le beurre, les œufs, une pincée de muscade et de sel, et le zeste de citron. Ajoutez cette préparation à la farine. Ajoutez les raisins de Corinthe et pétrissez la pâte. Couvrez-la et laissez-la gonfler dans un endroit chaud pendant 30 minutes.

2 De nouveau, pétrissez vigoureusement la pâte. Sur un plan de travail fariné, étirez la pâte de manière à façonner un pâté plat. Badigeonnez d'huile six petits moules de 10 à 12 cm (4 à 5 po) de haut. Formez six boules de pâte et déposez-les dans les moules. Couvrez-les et laissez gonfler la pâte pendant 20 minutes.

3 Faites chauffer le four à 160 °C (325 °F). Faites cuire pendant 20 à 30 minutes, jusqu'à ce que la pâte monte et que le dessus soit doré. Laissez refroidir quelque peu avant de renverser les moules. Les panettones sont plus savoureux lorsqu'ils sortent du four mais ils se conservent deux ou trois jours.

En haut : Clafoutis
En bas : Panettones miniatures

Croissants aux noix

Glucides	●●●	45 minutes
Matières grasses	+	(+ 20 à 25 minutes de cuisson)

Environ 298 calories par portion
8 g de protéines • 15 g de gras • 33 g de glucides

POUR FAIRE 8 CROISSANTS :
POUR LA PÂTE :
425 mL ou 200 g (1 3/4 tasse) de farine à pâtisserie
sel
5 mL (1 c. à t.) de sucre
2 mL (1/2 c. à t.) de zeste d'orange râpé
1 sachet de levure vivante (7 g, 1/4 d'oz ou 2 1/4 c. à t.)
75 mL (1/3 de tasse) de lait tiède
1 jaune d'œuf
22 mL ou 20 g (1 1/2 c. à s.) de beurre fondu refroidi
POUR LA GARNITURE :
75 mL ou 70 g (1/3 de tasse) de noix mélangées hachées
7 mL (1 1/2 c. à t.) de sucre
1 mL (1/4 de c. à t.) de cannelle moulue
1 mL (1/4 de c. à t.) de poudre de cacao non sucré
45 mL (3 c. à s.) d'eau
1 jaune d'œuf
30 mL (2 c. à s.) d'amandes blanchies hachées

1 Tamisez la farine au-dessus d'un grand bol avec une pincée de sel, le sucre et le zeste d'orange. Saupoudrez la levure sur le lait; laissez reposer pendant 10 minutes ou jusqu'à ce qu'elle soit mousseuse. Remuez la levure et le lait avant de les incorporer à la farine avec le jaune d'œuf et le beurre. Pétrissez la pâte jusqu'à ce qu'elle soit homogène. Couvrez-la et laissez-la gonfler dans un endroit chaud pendant 30 minutes.

2 Mélangez les noix, le sucre, la cannelle, le cacao et l'eau.

3 Faites chauffer le four à 180 °C (350 °F). De nouveau, pétrissez la pâte et divisez-la en deux. À l'aide d'un rouleau à pâtisserie, abaissez la pâte sur un plan de travail fariné pour former un carré de 25 cm (10 po) de côté que vous découperez en quatre. Déposez la garniture aux noix dans un coin de chacun. Partant de ce coin, roulez la pâte sur elle-même et courbez les extrémités de manière à former un croissant. Déposez les croissants sur une plaque à pâtisserie chemisée d'un papier sulfurisé et badigeonnez-les de jaune d'œuf. Saupoudrez les amandes et faites-les cuire au four pendant 20 à 25 minutes, ou jusqu'à ce qu'ils soient dorés.

Brioches aux prunes et aux noix

Glucides	●●●◖	40 minutes
Matières grasses	●●●	(+ 50 minutes d'attente)
	●●●	(+ 25 minutes de cuisson)

Environ 302 calories par portion
7 g de protéines • 11 g de gras • 41 g de glucides

POUR FAIRE 6 BRIOCHES :
500 mL ou 250 g (2 tasses) de farine
50 mL ou 50 g (1/4 de tasse) de beurre
125 mL (1/2 tasse) de lait tiède
45 mL (3 c. à s.) de sucre
1 sachet de levure vivante (7 g, 1/4 d'oz ou 2 1/4 c. à t.)
1 jaune d'œuf
5 prunes (environ 300 g ou 10 oz)
4 à 6 clous de girofle entiers
45 mL (3 c. à s.) d'eau
édulcorant liquide
5 mL (1 c. à t.) de cannelle moulue
45 mL (3 c. à s.) d'amandes hachées

1 Tamisez la farine au-dessus d'un bol. Faites fondre la moitié du beurre et laissez-le refroidir. Mélangez le lait à 30 mL (2 c. à s.) de sucre et saupoudrez la levure dessus. Laissez agir pendant 10 minutes ou jusqu'à ce que la levure soit mousseuse. Remuez jusqu'à l'obtention d'une consistance homogène. Versez le beurre et le jaune d'œuf dans la farine, puis ajoutez la levure peu à peu. Pétrissez la pâte jusqu'à ce qu'elle soit homogène et élastique. Couvrez-la et laissez-la gonfler dans un endroit chaud pendant 30 minutes.

2 Dénoyautez les prunes et taillez-les en quartiers. Faites chauffer les clous de girofle dans l'eau, ajoutez les prunes et faites-les mijoter à feu moyen jusqu'à ce que l'eau se soit évaporée. Enlevez les clous, ajoutez l'édulcorant et laissez refroidir.

3 Sur un plan de travail fariné, pétrissez la pâte et roulez-la de manière à façonner un rectangle de 20 sur 30 cm (8 sur 12 po). Mélangez les 15 mL (1 c. à s.) de sucre qui restent à la cannelle et aux amandes. Saupoudrez-les uniformément sur la pâte et tartinez la compote de prunes. Partant du côté le plus long, roulez la pâte sur elle-même et tranchez-la en six. Déposez les rondelles de pâte sur une plaque à pâtisserie chemisée d'un papier sulfurisé, couvrez-les et laissez-les gonfler pendant 20 minutes.

4 Faites chauffer le four à 180 °C (350 °F). Faites fondre le beurre qui reste pour en badigeonner les brioches. Faites cuire pendant 25 minutes.

À droite : Brioches aux prunes et aux noix

Macarons
à l'avoine

Glucides	◗		30 minutes
Matières grasses	●		(+ 10 à 12 minutes de cuisson)

Environ 47 calories par portion
1 g de protéines • 3 g de gras
• 4 g de glucides

POUR FAIRE 32 MACARONS :
50 mL ou 60 g
   (1/4 de tasse) de beurre
300 mL ou 100 g
   (1 1/4 tasse) de flocons
   d'avoine à l'ancienne
1 œuf
75 mL ou 50 g (1/3 de tasse)
   de sucre
les graines d'une demi-
   gousse de vanille
pincée de sel
2 mL (1/2 c. à t.) de cannelle
   moulue
2 mL (1/2 c. à t.) de poudre
   de cacao non sucré
125 mL ou 50 g (1/2 tasse)
   de farine de blé entier
   grossièrement moulue
75 mL ou 50 g (1/3 de tasse)
   d'arachides, de noisettes
   ou de noix non salées,
   hachées

1 Faites chauffer le four à 180 °C (350 °F). Faites fondre le beurre dans une petite casserole, ajoutez les flocons d'avoine en remuant et faites-les dorer; réservez-les. Fouettez l'œuf, le sucre, la vanille, le sel, la cannelle et le cacao jusqu'à l'obtention d'une consistance légère. Versez la farine, les flocons d'avoine et les noix en remuant.

2 Déposez des cuillerées de préparation à 4 cm (1 1/2 po) de distance l'une de l'autre sur une plaque à pâtisserie chemisée de papier sulfurisé. Faites cuire au four pendant 10 à 12 minutes, ou jusqu'à ce que les macarons soient dorés.

Barres épicées
aux amandes

Glucides	●		30 minutes
Matières grasses	●	●	(+ 30 minutes de cuisson)

Environ 121 calories par portion
2 g de protéines • 8 g de gras
• 12 g de glucides

POUR FAIRE 20 BARRES :
300 mL ou 150 g (1 1/4 tasse)
   de farine de blé entier
   grossièrement moulue
5 mL (1 c. à t.) de levure
125 mL (1/2 tasse) de sucre
2 mL (1/2 c. à t.) de zeste
   d'orange râpé
2 mL (1/2 c. à t.) de gingembre moulu
2 mL (1/2 c. à t.) de graines
   de coriandre moulues
pincée de sel
1 œuf
125 mL ou 90 g (1/2 tasse) de
   beurre froid
30 mL (2 c. à s.) de lait
175 mL ou 100 g (3/4 de
   tasse) d'amandes en julienne
2 carrés de chocolat mi-amer
   (30 g ou 1 oz)

1 Mélangez la la levure, chimique, la moitié du sucre, le zeste d'orange, le gingembre, la coriandre et le sel. Ajoutez l'œuf et les deux tiers du beurre en remuant et pétrissez la pâte jusqu'à ce qu'elle soit homogène. Faites chauffer le four à 160 °C (325 °F). Chemisez une plaque à pâtisserie de papier sulfurisé. À l'aide d'un rouleau, façonnez un rectangle de pâte mesurant 20 sur 30 cm (8 sur 12 po). Faites-le cuire au four pendant 20 minutes.

2 Mélangez ce qui reste de sucre et de beurre, le lait et les amandes, et amenez à ébullition. Étendez cette garniture sur la pâte et remettez-la au four pendant 10 minutes de plus. Laissez refroidir et taillez la pâte pour en faire 20 barres. Faites fondre le chocolat et trempez-y les extrémités de chaque barre. Réfrigérez jusqu'à ce que les barres soient fermes.

Petits gâteaux aux noix et au gingembre

Glucides	●	30 minutes
Matières grasses	●●	(+ 1 nuit d'attente)
		(+ 15 à 20 minutes de cuisson)

Environ 113 calories par portion
2 g de protéines • 7 g de gras
• 9 g de glucides

POUR FAIRE 20 PETITS GÂTEAUX :

50 mL (1/4 de tasse) de sucre

30 mL ou 30 g (2 c. à s.) de beurre

4 mL (3/4 de c. à t.) de levure chimique

15 mL (1 c. à s.) de rhum

1 œuf

300 mL ou 150 g (1 1/4 tasse) de farine de blé entier

150 mL ou 75 g (2/3 de tasse) de noix finement hachées

pincée de cannelle, de clou de girofle, de macis, de piment de la Jamaïque et de cardamome

5 mL (1 c. à t.) de zeste de citron râpé

pincée de sel

2 carrés de chocolat mi-amer

20 demi-noix

1 Mélangez le sucre et le beurre. Mélangez la levure chimique, le rhum et l'œuf. Mélangez la farine, les noix, les épices, le zeste de citron et le sel. Pétrissez la pâte, emballez-la sous une pellicule plastique et laissez-la gonfler pendant une nuit.

2 Roulez la pâte pour en faire un colombin, divisez-la en 20 morceaux et façonnez-en des boules. À l'aide d'un rouleau à pâtisserie, faites-en des cercles de 1 cm (1/2 po) d'épaisseur.

3 Faites chauffer le four à 160 °C (325 °F). Chemisez une plaque à pâtisserie de papier sulfurisé et déposez les cercles sur le papier. Faites-les cuire pendant 15 à 20 minutes. Faites fondre le chocolat afin de glacer les petits gâteaux et garnissez de demi-noix.

Barres granola

Glucides	●	15 minutes
Matières grasses	●●	(+1 h 30 de cuisson)
		(+ 1 h de cuisson)

Environ 106 calories par portion
2 g de protéines • 7 g de gras
• 9 g de glucides

POUR FAIRE 24 BARRES:

50 mL ou 50 g (1/4 de tasse) de beurre

175 mL ou 200 g (3/4 de tasse) de crème

50 mL (1/4 de tasse) de lait

50 mL (1/4 de tasse) de sucre

5 mL (1 c. à t.) de cannelle moulue

2 mL (1/2 c. à t.) de gingembre moulu

pincée de cardamome moulue

575 mL ou 250 g (2 1/3 tasses) de müesli non sucré aux raisins et aux noix

75 mL ou 40 g (1/3 de tasse) de farine à pâtisserie

125 mL ou 50 g (1/2 tasse) de noisettes hachées

1 Faites fondre le beurre. Ajoutez la crème, le lait, le sucre, la cannelle, le gingembre et la cardamome en remuant. Amenez à ébullition sans cesser de remuer et laissez cuire jusqu'à épaississement. Versez le müesli et la farine, et laissez cuire jusqu'à l'obtention d'un porridge épais. Retirez du feu, couvrez et laissez reposer pendant 30 minutes.

2 À l'aide d'un rouleau, abaissez la pâte pour qu'elle fasse 0,5 cm (1/4 de po) d'épaisseur; posez-la sur une plaque chemisée d'un papier sulfurisé. Saupoudrez les noix et laissez sécher pendant une heure.

3 Faites chauffer le four à 160 °C (325 °F). Faites cuire pendant une heure; laissez refroidir un peu avant de tailler 24 barres. Laissez refroidir, séparez délicatement les barres et laissez-les sécher sur une grille à pâtisserie.

Carrés de noisettes

Glucides	◖	30 minutes
Matières grasses	++	(+ 15 minutes de cuisson)
		(+ 1 h 20 de réfrigération)

Environ 304 calories par portion
1 g de protéines • 27 g de gras • 7 g de glucides

POUR FAIRE 10 CARRÉS :

POUR LA BASE :

37 mL ou 40 g (2 1/2 c. à s.) de beurre mou
2 œufs, les blancs séparés des jaunes
45 mL (3 c. à s.) de sucre
50 mL ou 60 g (1/4 de tasse) de crème
575 mL ou 200 g (2 1/3 tasses) de noisettes moulues
5 mL (1 c. à t.) de cannelle moulue
5 mL (1 c. à t.) de poudre de cacao non sucré
les graines d'une demi-gousse de vanille
sel

POUR LA GLACE :

125 mL ou 100 g (1/2 tasse) de yaourt allégé
250 mL ou 250 g (8 oz) de mascarpone
5 mL (1 c. à t.) de zeste d'orange râpé
30 mL (2 c. à s.) de liqueur à l'orange
édulcorant
1 sachet de gélatine non aromatisée (7 g, 1/4 d'oz ou 1 c. à s.)
50 mL (1/4 de tasse) de jus d'orange frais
125 mL ou 50 g (1/2 tasse) de noisettes blanchies, sans leur peau, hachées

1 Faites chauffer le four à 160 °C (325 °F). Fouettez le beurre, les jaunes d'œufs et le sucre jusqu'à l'obtention d'une consistance crémeuse et lisse. Ajoutez la crème, les noisettes, la cannelle, le cacao et les graines de vanille en remuant. Faites monter les blancs d'œufs en neige avec une pincée de sel et incorporez-les à la préparation. Chemisez de papier sulfurisé une plaque à pâtisserie de 23 sur 33 cm (9 sur 13 po). Versez-y la pâte et étendez-la à l'aide d'une spatule. Faites cuire au four pendant 15 minutes et laissez refroidir sur la plaque.

2 Entre-temps, mélangez le yaourt, le mascarpone, le zeste d'orange, la liqueur et l'édulcorant. Versez la gélatine dans le jus d'orange et faites chauffer afin qu'elle se dissolve. Ajoutez en remuant un peu de la préparation au yaourt, puis, en remuant toujours, versez la gélatine dans la préparation au yaourt. Réfrigérez pendant 20 minutes.

3 Glacez le gâteau avec la préparation au yaourt et réfrigérez pendant une heure. Avant de servir, saupoudrez les noix hachées et découpez le gâteau en 10 carrés.

Trottoirs aux pommes

Glucides	●●◖	45 minutes
Matières grasses	●●	(+ 1 h d'attente)
		(+ 20 minutes de cuisson)

Environ 214 calories par portion
4 g de protéines • 9 g de gras • 28 g de glucides

POUR FAIRE 8 TROTTOIRS :

POUR LA BASE :

400 mL ou 200 g (1 2/3 tasse) de farine de blé entier grossièrement moulu
5 mL (1 c. à t.) de sucre
125 mL (1/2 tasse) de lait tiède
1 sachet de levure vivante (7 g, 1/4 d'oz ou 2 1/4 c. à t.)
50 mL ou 50 g (1/4 de tasse) de margarine molle
sel

POUR LA GARNITURE :

4 petites pommes sures
45 mL (3 c. à s.) de jus de citron
50 mL ou 40 g (1/4 de tasse) de pignons
pincée de cannelle moulue

POUR LA GLACE :

30 mL (2 c. à s.) de confiture à l'abricot (au moins 40 p. cent de fruits)
30 mL (2 c. à s.) d'eau

1 Versez la farine dans un bol et faites un puits en son centre. Faites dissoudre le sucre dans le lait et saupoudrez la levure dessus. Laissez agir pendant 10 minutes ou jusqu'à ce qu'elle soit mousseuse. Versez la levure humide dans le puits avec la margarine et une pincée de sel. Pétrissez la pâte à partir du centre pour qu'elle soit bien lisse. Couvrez-la et laissez-la gonfler pendant 40 minutes dans un endroit chaud.

2 Pelez les pommes, évidez-les et taillez-les en fins quartiers. Arrosez-les de jus de citron. De nouveau, pétrissez la pâte sur un plan de travail fariné et, à l'aide d'un rouleau à pâtisserie, formez un rectangle de 20 sur 30 cm (8 sur 12 po).

3 Chemisez une plaque à pâtisserie de papier sulfurisé. Déposez la pâte sur le papier, façonnez tout autour une bordure crénelée. Déposez les quartiers de pommes sur la pâte et garnissez-les de pignons et de cannelle. Couvrez et laissez gonfler la pâte pendant 10 minutes.

4 Faites chauffer le four à 180 °C (350 °F). Faites cuire pendant 20 minutes. Faites chauffer la confiture à l'abricot, allongez-la d'eau et étendez-la sur le gâteau. Découpez en huit parts.

En haut : Carrés de noisettes
En bas : Trottoirs aux pommes

Galette à l'abricot

Glucides	●	25 minutes
Matières grasses	–	(+ 30 minutes d'attente) (+ 1 h de cuisson)

Environ 67 calories par portion
2 g de protéines • 2 g de gras • 11 g de glucides

POUR 10 PORTIONS :

POUR LA BASE :

1 sachet de levure vivante
  (7 g, 1/4 d'oz ou 2 1/4 c. à t.)
30 mL (2 c. à s.) de sucre
50 mL (1/4 de tasse) de lait tiède
175 mL ou 75 g (3/4 de tasse) de farine à pâtisserie
15 mL (1 c. à s.) de beurre mou
pincée de cannelle
pincée de sel

POUR LA GARNITURE :

6 abricots
75 mL (1/3 de tasse) de babeurre
30 mL (2 c. à s.) de sucre
30 mL ou 30 g (2 c. à s.) de crème
15 mL (1 c. à s.) de fécule de maïs

1 Saupoudrez la levure sur le lait tiède et laissez-la reposer pendant 10 minutes ou jusqu'à ce qu'elle soit mousseuse. Mélangez-la au sucre, à la farine, au beurre, à la cannelle et au sel. Pétrissez la pâte jusqu'à ce qu'elle soit homogène. Couvrez-la, laissez-la gonfler dans un endroit chaud pendant 30 minutes.

2 Badigeonnez d'un corps gras un moule à charnière de 20 cm (8 po). Pétrissez de nouveau la pâte, abaissez-la à l'aide d'un rouleau à pâtisserie et déposez-la dans le moule en prévoyant une bordure sur les côtés. Taillez les abricots, dénoyautez-les et disposez-les sur la pâte.

3 Faites chauffer le four à 180 °C (350 °F). Mélangez le sucre, le babeurre, la crème et la fécule de maïs; versez ce mélange sur les abricots. Faites cuire au four pendant une heure. Taillez en 10 parts et servez.

!! **REMARQUE :** Vous pouvez remplacer les abricots par la même quantité de pêches.

Tarte Tatin aux poires

Glucides	●●	30 minutes
Matières grasses	●●●	(+ 20 min d'attente) (+ 30 à 35 min de cuisson)

Environ 162 calories par portion
3 g de protéines • 9 g de gras • 17 g de glucides

POUR 12 PORTIONS :

POUR FAIRE LA CROÛTE :

325 mL ou 150 g (1 1/3 tasse) de farine à pâtisserie
sel
50 mL ou 50 g (1/4 de tasse) de beurre
1 œuf
30 à 45 mL (2 à 3 c. à s.) de lait
30 mL (2 c. à s.) de sucre
les graines d'une demi-gousse de vanille

POUR FAIRE LA GARNITURE :

5 poires moyennes à moitié mûres
22 mL ou 20 g (1 1/2 c. à s.) de beurre
30 mL (2 c. à s.) de sucre
5 mL (1 c. à t.) de cannelle moulue
125 mL (1/2 tasse) de noix hachées
sucre glace (facultatif)

1 Mélangez la farine, le sel, le beurre, l'œuf, le lait, le sucre et les graines de vanille jusqu'à l'obtention d'une pâte lisse. Emballez-la sous pellicule plastique et laissez-la reposer pendant 20 minutes.

2 Pelez les poires, taillez-les en deux et évidez-les. Badigeonnez de beurre un moule à charnière de 25 cm (10 po). Saupoudrez le sucre, la cannelle et les noix au fond du moule et disposez les poires à plat sur les noix.

3 Faites chauffer le four à 180 °C (350 °F). À l'aide d'un rouleau à pâtisserie, abaissez la pâte de sorte qu'elle soit un peu plus grande que le moule. Posez-la sur les fruits en appuyant délicatement dessus et tapissez également les côtés du moule. Piquez-la par endroits à l'aide d'une fourchette. Faites cuire au four pendant 30 à 35 minutes. Laissez quelque peu refroidir dans le moule. Renversez le moule sur un plateau de service et laissez refroidir. Taillez la tarte en 12 parts, saupoudrez un peu de sucre glace sur chacune et servez.

Tarte aux pommes et aux poires

Glucides	●●	20 minutes
Matières grasses	●●	(+ 1 h de refroidissement) (+ 1 h de cuisson)

Environ 125 calories par portion
2 g de protéines • 8 g de gras • 13 g de glucides

POUR 10 PORTIONS :

POUR FAIRE LA CROÛTE :

175 mL ou 100 g (3/4 de tasse) de farine
5 mL (1 c. à t.) de sucre
75 mL ou 70 g (1/3 de tasse) de beurre
1 jaune d'œuf
sel

POUR FAIRE LA GARNITURE :

1 grosse pomme
1 poire
1 jaune d'œuf

Pour faire la glace :

15 mL (1 c. à s.) de confiture à l'abricot

1 Mélangez la farine, le sucre, le beurre, le jaune d'œuf et le sel jusqu'à l'obtention d'une pâte lisse. Emballez-la sous pellicule plastique et laissez-la reposer pendant une heure.

2 Faites chauffer le four à 180 °C (350 °F). Badigeonnez d'un corps gras un moule à charnière de 20 cm (8 po). À l'aide d'un rouleau à pâtisserie, abaissez la pâte de sorte qu'elle soit un peu plus grande que le moule. Déposez-la au fond du moule, de telle sorte qu'elle en couvre un peu les côtés. Pelez la pomme et la poire, évidez-les et tranchez-les. Disposez-les en éventail sur la pâte. Badigeonnez le tout de jaune d'œuf. Faites cuire au four pendant une heure.

3 Faites chauffer la confiture d'abricot avec un peu d'eau, remuez et badigeonnez la tarte pendant qu'elle est chaude. Taillez-la en 10 parts et servez.

En haut : Galette à l'abricot
En bas à gauche : Tarte Tatin aux poires
En bas à droite : Tarte aux pommes et aux poires

Gâteau pour le thé

Glucides ●◐	45 minutes
Matières grasses ●●●	(+ 50 minutes de cuisson)

Environ 206 calories par portion
4 g de protéines • 14 g de gras • 16 g de glucides

Pour 10 portions :
75 mL ou 70 g (1/3 de tasse) de beurre
50 mL (1/4 de tasse) de sucre
2 œufs
le jus et le zeste d'un demi-citron
175 mL ou 75 g (3/4 de tasse) de farine de blé entier
   grossièrement moulue
125 mL ou 50 g (1/2 tasse) de fécule de maïs
175 mL ou 100 g (3/4 de tasse) d'abricots séchés
175 mL ou 100 g (3/4 de tasse) d'amandes hachées
5 mL (1 c. à t.) de levure chimique
sel

1 Faites chauffer le four à 160 °C (325 °F). Hachez finement les abricots. Fouettez le beurre pour qu'il soit crémeux, puis ajoutez peu à peu le sucre et les œufs jusqu'à l'obtention d'une consistance homogène. Incorporez le jus et le zeste de citron, la farine, la fécule de maïs, les abricots, les amandes, la levure chimique et un peu de sel.

2 Badigeonnez d'un corps gras un moule à charnière de 20 cm (8 po). Versez-y la pâte, enfournez et faites cuire pendant 50 minutes. Renversez le moule sur une grille à pâtisserie afin qu'il refroidisse. Taillez en 10 parts et servez.

Gâteau à la carotte et à la pomme de terre

Glucides ●◐	25 minutes
Matières grasses ◐	(+ 1 h de cuisson)

Environ 100 calories par portion
4 g de protéines • 4 g de gras • 14 g de glucides

POUR 10 PORTIONS :
1 petite pomme de terre cuite
1 carotte
175 mL ou 100 g (3/4 de tasse) de farine de blé entier
   grossièrement moulue
5 mL (1 c. à t.) de levure chimique
30 mL ou 15 g (2 c. à s.) de raisins secs
2 œufs, les jaunes séparés des blancs
30 mL ou 30 g (2 c. à s.) de beurre
45 mL (3 c. à s.) de cannelle moulue
le jus et le zeste râpé d'un citron
muscade fraîchement râpée

1 Pelez et râpez la pomme de terre et la carotte. Mélangez-les à la farine, à la levure et aux raisins secs.

2 Faites chauffer le four à 180 °C (350 °F). Badigeonnez d'un corps gras un moule à charnière de 20 cm (8 po). Faites monter les blancs d'œufs en neige. Mélangez les jaunes d'œufs, le beurre, le sucre, la cannelle, le jus de citron, le zeste et la muscade. Incorporez la pâte au mélange de carotte et de pomme de terre. Incorporez les œufs en neige. Versez la pâte dans le moule et faites cuire au four pendant une heure. Laissez refroidir dans le moule. Taillez en 10 parts et servez.

 REMARQUE : Vous pouvez remplacer la pomme de terre par de la courgette ou de la citrouille râpée. Le gâteau sera très moelleux.

À droite : Gâteau à la carotte et à la pomme de terre

Cake au yaourt et aux figues fraîches

Glucides	●●	20 minutes
Matières grasses	●●	(+ 45 à 50 minutes de cuisson)

Environ 175 calories par portion
5 g de protéines • 7 g de gras • 23 g de glucides

POUR 12 PORTIONS :
250 mL ou 250 g (1 tasse) de yaourt
2 œufs
50 mL (1/4 de tasse) de sucre
1 gousse de vanille
sel
5 mL (1 c. à t.) de zeste d'orange râpé
15 mL (1 c. à s.) de rhum
50 mL ou 60 g (1/4 de tasse) de beurre fondu, refroidi
325 mL ou 250 g (1 1/3 tasse) de semoule de blé dur
7 mL (1 1/2 c. à t.) de levure chimique
chapelure fine
6 figues mûres

1 Faites chauffer le four à 160 °C (325 °F). Taillez la gousse de vanille dans le sens de la longueur et raclez ses graines. Mélangez le yaourt, les œufs, le sucre, les graines de vanille, une pincée de sel, le zeste d'orange, le rhum et le beurre. Mélangez la semoule et la levure chimique, et ajoutez à la préparation en remuant.

2 Badigeonnez d'un corps gras un moule à charnière de 25 mL (10 po) et saupoudrez-en le fond de chapelure. Versez la pâte. Taillez les figues en quartiers, déposez-les sur la pâte et laissez-les s'y enfoncer. Faites cuire au four pendant 45 à 50 minutes, ou jusqu'à ce que le gâteau soit doré. Laissez refroidir dans le moule avant de le démouler et de le trancher en 12 parts.

!! **REMARQUE** : Vous pouvez remplacer les figues fraîches par des figues séchées. Il faut cependant les mettre à tremper dans de l'eau ou du rhum une heure avant de préparer la recette, après quoi vous les ferez égoutter, vous les épongerez avec un essuie-tout et vous les taillerez en quartiers.

Quatre-quarts anglais

Glucides	●●	20 minutes
Matières grasses	●●●	(+ 45 minutes de cuisson)

Environ 166 calories par portion
3 g de protéines • 11 g de gras • 15 g de glucides

POUR 12 PORTIONS :
chapelure fine
125 mL ou 125 g (1/2 tasse) de beurre
30 mL (2 c. à s.) de sucre
2 œufs
300 mL ou 150 g (1 1/4 tasse) de farine
10 mL (2 c. à t.) de levure chimique
75 mL ou 100 g (1/3 de tasse) de sauce aux canneberges entières, de préférence sucrée avec autre chose que du sucre
5 mL (1 c. à t.) de poudre de cacao non sucré
le jus et le zeste d'un citron
cannelle moulue

1 Faites chauffer le four à 160 °C (325 °F). Badigeonnez d'huile les parois d'un moule rond ou d'un moule à savarin de 20 cm (8 po) et saupoudrez-y de la chapelure. Fouettez le beurre, le sucre et les œufs jusqu'à l'obtention d'une consistance crémeuse et lisse. Mélangez la farine et la levure chimique, et incorporez la sauce aux canneberges. En remuant, ajoutez la poudre de cacao, le zeste et le jus de citron, et un soupçon de cannelle.

2 Déposez le moule sur une clayette fixée sur la seconde rainure à partir du fond du four et faites-le cuire pendant 45 minutes. Laissez le gâteau refroidir pendant cinq minutes, démoulez-le et laissez-le refroidir complètement sur une grille à pâtisserie. Taillez-le en 12 parts et servez.

!! **REMARQUE** : La saveur des canneberges sera plus prononcée si vous attendez au lendemain avant de servir ce gâteau. Lorsqu'il aura refroidi, posez-le sous une cloche à gâteau ou dans une boîte métallique, ou emballez-le afin qu'il conserve son humidité.

En haut : Cake au yaourt et aux figues fraîches
En bas : Quatre-quarts anglais

Flan
à la rhubarbe

Glucides ●●◐	20 minutes
Matières grasses +	(+ 1 h d'attente)
	(+ 45 à 50 minutes de cuisson)

Environ 290 calories par portion
8 g de protéines • 15 g de gras • 21 g de glucides

POUR 12 PORTIONS :

POUR FAIRE LA CROÛTE :

500 mL ou 250 g (2 tasses) de farine de blé entier
grossièrement moulue

2 mL (1/2 c. à t.) de levure chimique

45 mL (3 c. à s.) de sucre

pincée de sel

125 mL ou 125 g (1/2 tasse) de margarine

2 mL (1/2 c. à t.) de zeste de citron râpé

1 gros œuf

POUR FAIRE LA GARNITURE :

150 mL ou 750 g (2/3 de tasse) de rhubarbe finement
tranchée

125 mL ou 150 g (1/2 tasse) de confiture de fraises
(60 pour cent de fruits)

2 œufs, les jaunes séparés des blancs

75 mL ou 100 g (1/3 de tasse) de miel liquide

125 mL ou 125 g (1/2 tasse) de fromage blanc ou de purée
de fromage cottage allégé

325 mL ou 100 g (1 1/2 tasse) d'amandes moulues

pincée de cannelle moulue

1 Mélangez la farine, la levure chimique, le sucre, le sel, la margarine, le zeste de citron et l'œuf entier. Pétrissez la pâte et emballez-la sous pellicule plastique pour la réfrigérer pendant une heure.

2 Mélangez la rhubarbe et la confiture de fraises; réservez. Faites monter les blancs d'œufs en neige et réfrigérez-les. Fouettez les jaunes d'œufs avec le miel jusqu'à ce qu'ils soient mousseux. Ajoutez en remuant le fromage blanc, les amandes et la cannelle.

3 Faites chauffer le four à 160 °C (325 °F). À l'aide d'un rouleau à pâtisserie, abaissez la pâte sur un plan de travail fariné jusqu'à ce qu'elle soit mince. Découpez un cercle de 25 cm (10 po) et déposez-le dans un moule à charnière de 25 cm (10 po). Modelez le reste de la pâte en un colombin et posez-le le long des côtés du moule. Étendez la préparation à la rhubarbe sur la pâte. Incorporez les blancs d'œufs à la préparation au fromage blanc et étendez-les sur la rhubarbe. Faites cuire au four pendant 40 à 45 minutes. Laissez refroidir avant de tailler en 12 parts.

Torte au sarrasin
et aux groseilles rouges

Glucides ●◐	20 minutes
Matières grasses ●	(+ 40 minutes de cuisson)
	(+ 3 h 15 de réfrigération)

Environ 115 calories par portion
5 g de protéines • 5 g de gras • 13 g de glucides

POUR 12 PORTIONS :

POUR FAIRE LE GÂTEAU :

3 œufs, les jaunes séparés des blancs

sel

60 mL ou 50 g (4 c. à s.) de sucre

le jus et le zeste d'un demi-citron

125 mL ou 60 g (1/2 tasse) de farine de sarrasin

POUR FAIRE LA CRÈME ET LA GARNITURE :

1 1/2 sachet de gélatine non aromatisée (7 g, 1/4 d'oz ou
1 c. à s.)

50 mL (1/4 de tasse) d'eau froide

300 mL (1 1/4 tasse) de groseilles rouges

15 mL (1 c. à s.) de sucre

400 mL ou 400 g (1 2/3 tasse) de yaourt allégé

édulcorant

125 mL ou 100 g (1/2 tasse) de crème à fouetter

1 Faites chauffer le four à 160 °C (325 °F). Ajoutez une pincée de sel aux blancs d'œufs et faites-les monter en neige; mettez-les au frigo. Mélangez les jaunes d'œufs et le sucre et fouettez-les jusqu'à l'obtention d'une consistance crémeuse et lisse. Mélangez le zeste de citron, 45 mL (3 c. à s.) de jus de citron et la farine. Incorporez délicatement les blancs d'œufs à la pâte.

2 Chemisez de papier sulfurisé le fond d'un moule à charnière de 20 cm (8 po) et versez-y la pâte. Faites cuire au four pendant 15 minutes. Couvrez d'un papier aluminium et faites-le cuire pendant 25 minutes de plus. À l'aide d'un couteau tranchant, détachez le gâteau du moule et renversez-le sur une grille à pâtisserie pour le laisser refroidir.

3 Saupoudrez la gélatine sur l'eau froide et faites-la se dissoudre en la posant au-dessus de l'eau bouillante. Mélangez les deux tiers des groseilles au sucre et ajoutez le yaourt en remuant. Versez un peu de préparation au yaourt dans la gélatine, puis versez la gélatine sur le yaourt. Ajoutez de l'édulcorant selon votre goût. Fouettez la crème et incorporez-la. Réfrigérez pendant 15 minutes.

4 Taillez le gâteau en deux à l'horizontale et déposez-en une part dans une assiette à gâteau. Étendez la moitié de la préparation au yaourt. Posez l'autre part de gâteau dessus et garnissez-la du yaourt qui reste. Réfrigérez le gâteau pendant deux à trois heures. Garnissez-le des groseilles qui restent et taillez-le en 12 morceaux.

En haut : Flan à la rhubarbe

En bas : Torte au sarrasin et aux groseilles rouges

Brioches à l'abricot

Glucides	●●	40 minutes
Matières grasses	●	(+ 1 h 50 d'attente) (+ 25 à 30 minutes de cuisson)

Environ 148 calories par portion
4 g de protéines • 5 g de gras • 21 g de glucides

POUR 10 BRIOCHES :
POUR FAIRE LA PÂTE :
500 mL ou 250 g (2 tasses) de farine de blé entier
45 mL (3 c. à s.) de sucre
1 sachet de levure vivante (7 g, 1/4 d'oz ou 2 1/4 c. à t.)
30 mL (2 c. à s.) d'huile végétale
5 mL (1 c. à t.) de margarine fondue
50 mL ou 25 g (1/4 de tasse) de noisettes hachées
Pour faire la crème pâtissière :
125 mL (1/2 tasse) de lait écrémé
5 mL (1 c. à t.) de fécule de maïs
1 gousse de vanille
1 jaune d'œuf
édulcorant
POUR FAIRE LA GARNITURE :
5 petits abricots

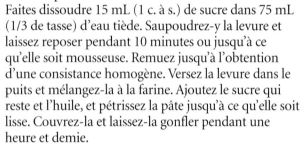

1 Tamisez la farine au-dessus d'un grand bol et faites un puits en son centre. Faites dissoudre 15 mL (1 c. à s.) de sucre dans 75 mL (1/3 de tasse) d'eau tiède. Saupoudrez-y la levure et laissez reposer pendant 10 minutes ou jusqu'à ce qu'elle soit mousseuse. Remuez jusqu'à l'obtention d'une consistance homogène. Versez la levure dans le puits et mélangez-la à la farine. Ajoutez le sucre qui reste et l'huile, et pétrissez la pâte jusqu'à ce qu'elle soit lisse. Couvrez-la et laissez-la gonfler pendant une heure et demie.

2 Faites chauffer le lait à feu doux. Délayez la fécule de maïs dans 15 mL (1 c. à s.) d'eau froide. Taillez la gousse de vanille dans le sens de la longueur, raclez ses graines et ajoutez-les au lait. Amenez à ébullition. d'édulcorant en remuant. Laissez refroidir.

3 De nouveau, pétrissez vigoureusement la pâte et aplanissez-la pour former un rectangle de 20 sur 30 cm (8 sur 12 po). Étendez la margarine et saupoudrez les noisettes. Partant du côté le plus court, roulez la pâte et tranchez-la en 10 parts. Posez les brioches sur une plaque à pâtisserie chemisée d'un papier sulfurisé, couvrez-les et laissez-les gonfler pendant 20 minutes.

4 Faites chauffer le four à 160 °C (325 °F). Taillez les abricots en deux et dénoyautez-les. Faites une légère dépression au centre de chaque brioche. Déposez 5 mL (1 c. à t.) de crème pâtissière et la moitié d'un abricot posé à plat sur chacune. Faites cuire au four pendant 25 à 30 minutes.

Paris-Brest aux fruits tropicaux

Glucides	●●	40 minutes
Matières grasses	+	(+ 25 à 30 minutes de cuisson)

Environ 280 calories par portion
10 g de protéines • 17 g de gras • 23 g de glucides

POUR 6 PORTIONS :
125 mL (1/2 tasse) d'eau
25 mL ou 25 g (2 c. à s.) de beurre
sel
5 mL (1 c. à t.) de sucre
150 mL ou 75 g (2/3 de tasse) de farine
2 œufs
1 papaye mûre
1 petite banane
1 petite orange
1 carambole
jus de citron
125 mL ou 100 g (1/2 tasse) de chedar ou de cottage allégé
édulcorant
125 mL ou 100 g (1/2 tasse) de crème à fouetter
sucre glace

1 Faites chauffer le four à 200 °C (400 °F). Déposez le beurre, une pincée de sel et le sucre dans une grande casserole que vous amènerez à ébullition à feu moyen. À l'aide d'un fouet ou d'un batteur, ajoutez la farine en remuant sans cesse et poursuivez la cuisson jusqu'à ce que la pâte se détache des parois de la casserole et qu'une peau se forme au fond de celle-ci. Versez la pâte dans un bol et laissez-la refroidir un peu. Ajoutez les œufs un à un et fouettez jusqu'à l'obtention d'une pâte lisse et lustrée.

2 À l'aide d'une poche dotée d'une grosse douille étoilée, dessinez un anneau de 7,5 cm (3 po) d'épaisseur et de 20 cm (8 po) de diamètre sur une plaque à pâtisserie chemisée de papier sulfurisé. Faites cuire au four pendant 25 à 30 minutes. Laissez refroidir avant de tailler à l'horizontale, détachez les deux demi-cercles et réservez-les.

3 Pelez les fruits avant de les tailler et de les arroser de jus de citron.

4 Mélangez le chedar, l'édulcorant et quelques gouttes de jus de citron; remuez jusqu'à obtention d'une consistance homogène. Faites monter la crème à fouetter et incorporez-la à la préparation au fromage. Garnissez la base du Paris-Brest de cette préparation. Posez la partie supérieure et saupoudrez du sucre glace, si vous le désirez. Déposez des fruits au centre de la pâtisserie. Taillez-la en six parts et servez.

 REMARQUE : Vous pouvez garnir cette pâtisserie de n'importe quel fruit en saison.

À droite : Paris-Brest aux fruits tropicaux

Flan à la limette et aux amandes

Glucides	●◖	20 minutes
Matières grasses	●●●	(+ 3 h 20 minutes de réfrigération)
		(+ 40 minutes de cuisson)

Environ 186 calories par portion
6 g de protéines • 10 g de gras • 18 g de glucides

POUR 12 PORTIONS :

POUR FAIRE LA CROÛTE :

300 mL ou 150 g (1 1/4 tasse) de farine de blé entier grossièrement moulue

50 mL ou 50 g (1/4 de tasse) sucre

sel

1 jaune d'œuf

100 mL ou 100 g (7 c. à s.) de margarine froide

125 mL ou 60 g (1/2 tasse) d'amandes moulues

POUR FAIRE LA GARNITURE :

1 sachet de gélatine non aromatisée (7 g, 1/4 d'oz ou 1 c. à s.)

125 mL (1/2 tasse) d'eau froide

100 mL ou 100 g (7 c. à s.) de fromage blanc ou de purée de fromage cottage allégé

500 mL (2 tasses) de babeurre

le jus et le zeste râpé d'une limette

édulcorant

brins de mélisse-citronnelle

1 Mélangez la farine, le sucre et une pincée de sel. Faites un puits au centre du mélange et déposez-y le jaune d'œuf. Posez dessus de petites mottes de margarine. Pétrissez vite la pâte avant de l'emballer sous pellicule plastique et de la réfrigérer pendant une heure. Faites dorer les amandes sans corps gras dans une poêle antiadhésive et laissez-les refroidir.

2 Faites chauffer le four à 180 °C (350 °F). À l'aide d'un rouleau à pâtisserie, abaissez la pâte sur un plan de travail fariné jusqu'à ce qu'elle soit mince. Taillez la pâte à l'aide d'un moule à charnière de 25 cm (10 po). Déposez-la au fond du moule et piquez-la à l'aide d'une fourchette. Modelez le reste de pâte en un colombin et déposez-le le long de la paroi du moule. Faites cuire au four pendant 10 minutes. Laissez refroidir sur une grille à pâtisserie pendant 45 minutes.

3 Faites tremper la gélatine dans l'eau froide pendant cinq minutes, puis faites-la se dissoudre en la posant au-dessus de l'eau bouillante. Ajoutez le fromage blanc, le babeurre, le jus et le zeste de limette en remuant jusqu'à l'obtention d'une consistance homogène. Versez l'édulcorant et réfrigérez pendant 20 minutes, ou jusqu'à ce que la gélatine commence à figer.

4 Déposez la croûte dans une assiette de présentation et garnissez-la de préparation au fromage. Réfrigérez pendant au moins deux heures. Garnissez de mélisse-citronnelle, taillez en 12 parts et servez.

Gâteau aux baies et à la crème fouettée vanillée

Glucides	●●●	25 minutes
Matières grasses	+	(+ 35 à 40 minutes de cuisson)

Environ 230 calories par portion
5 g de protéines • 16 g de gras • 15 g de glucides

POUR 12 PORTIONS :

4 œufs, les jaunes séparés des blancs

45 mL (3 c. à s.) de sucre

45 mL (3 c. à s.) de rhum

100 mL ou 100 g (7 c. à s.) de beurre fondu, refroidi

sel

300 mL ou 150 g (1 1/4 tasse) de farine

une pincée de levure chimique

800 mL ou 500 g (3 1/4 tasses) de baies mélangées : fraises, framboises, bleuets, etc.

175 mL ou 200 g (3/4 de tasse) de crème à fouetter

les graines d'une demi-gousse de vanille

5 mL (1 c. à t.) de sucre glace

édulcorant

15 mL (1 c. à s.) d'amandes effilées

1 Fouettez les jaunes d'œufs avec le sucre et le rhum jusqu'à ce qu'ils moussent. Ajoutez le beurre en remuant. Fouettez les blancs d'œufs et une pincée de sel pour les faire monter en neige et déposez-les sur les jaunes d'œufs. Tamisez la farine et la levure chimique sur les œufs et incorporez-les.

2 Faites chauffer le four à 160 °C (325 °F). Chemisez de papier sulfurisé le fond d'un moule à charnière de 25 cm (10 po). Divisez la pâte en deux. Incorporez environ le tiers des baies à une partie de la pâte avant de la verser dans le moule et de l'étendre au fond. Versez le reste de la pâte et lissez bien la surface. Faites cuire au four pendant 35 à 40 minutes. Laissez refroidir quelque peu. Démoulez le gâteau et déposez-le sur une grille à pâtisserie.

3 Fouettez la crème pour la faire monter. Ajoutez les graines de vanille et le sucre glace. Fouettez jusqu'à ce que la crème soit ferme et ajoutez l'édulcorant. Faites dorer les amandes sans corps gras dans une poêle antiadhésive et laissez-les refroidir. Incorporez le reste des fruits à la crème fouettée et glacez le gâteau ou alors décorez-le avec les fruits qui restent. Saupoudrez les amandes. Taillez en 12 parts et servez.

 REMARQUE : Remplacez les amandes par des copeaux de chocolat mi-amer.

En haut : Flan à la limette et aux amandes
En bas : Gâteau aux baies et à la crème fouettée vanillée

Strudel aux cerises et au fromage blanc

| Glucides | ●●● | 50 minutes |
| Matières grasses | ●●● | (+ 30 à 40 minutes de cuisson) |

Environ 266 calories par portion
10 g de protéines • 10 g de gras • 34 g de glucides

POUR 4 PORTIONS :
175 mL ou 175 g (3/4 de tasse) de fromage blanc ou de purée de fromage cottage allégé
1 jaune d'œuf
2 mL (1/2 c. à t.) de vanille
édulcorant
398 mL (14 oz) de cerises aigres en conserve
22 mL ou 20 g (1 1/2 c. à s.) de beurre
100 g (3 1/2 oz) de pâte à strudel ou de pâte phyllo
50 mL (1/4 de tasse) de chapelure fine
2 mL (1/2 c. à t.) de cannelle moulue
30 mL (2 c. à s.) de sucre

1 Mélangez le fromage blanc, le jaune d'œuf, le sucre vanillé et l'édulcorant. Faites égoutter les cerises. Faites fondre le beurre. Roulez la pâte à strudel sur un torchon à vaisselle. Enlevez toute fécule de maïs à l'aide d'un pinceau. Badigeonnez la pâte d'un peu de beurre.

2 Faites chauffer le four à 200 °C (400 °F). Mélangez la chapelure, la cannelle et le sucre, et saupoudrez-les sur la pâte. Garnissez la pâte de la préparation au fromage, puis déposez les cerises. Servez-vous du torchon à vaisselle pour vous aider à enrouler la pâte sur elle-même. Déposez-la sur une plaque à pâtisserie chemisée d'un papier sulfurisé. Froncez les extrémités.

3 Faites cuire au four pendant 30 à 40 minutes, ou jusqu'à ce que la pâte soit dorée. Badigeonnez de beurre pendant que le strudel est chaud et taillez-le en quatre parts. Servez chaud ou froid.

! ! REMARQUES : Lors du temps des cerises, faites bouillir des Morello ou une autre variété de cerises aigres dénoyautées avec quelques gouttes d'édulcorant. Faites-les égoutter et servez-vous-en pour remplacer les cerises en conserve. Vous pouvez congeler ce strudel et le réchauffer pendant 15 minutes dans un four à 180 °C (350 °F).

Gâteau au fromage et à l'abricot

| Glucides | ● | 20 minutes |
| Matières grasses | ●●● | (+ 50 minutes de cuisson) |

Environ 171 calories par portion
9 g de protéines • 10 g de gras • 12 g de glucides

POUR 10 PORTIONS :
125 mL ou 100 g (1/2 tasse) de beurre mou
2 œufs
50 mL (1/4 de tasse) de sucre
les graines d'une demi-gousse de vanille
2 mL (1/2 c. à t.) de zeste d'orange râpé
15 mL (1 c. à s.) de rhum
500 mL ou 500 g (2 tasses) de fromage blanc ou de purée de fromage cottage allégé
75 mL ou 50 g (1/3 de tasse) de semoule de blé dur
175 mL ou 100 g (3/4 de tasse) d'abricots séchés (non soufrés, de préférence)

1 Faites chauffer le four à 160 °C (325 °F). Fouettez le beurre en crème. À l'aide d'un fouet, ajoutez les œufs et le sucre jusqu'à l'obtention d'une consistance crémeuse et épaisse. Ajoutez la vanille, l'écorce d'orange, le rhum, le fromage blanc et la semoule.

2 Enduisez d'un corps gras les parois d'un moule à charnière de 20 cm (8 po) et saupoudrez-y un peu de semoule. Versez-y la pâte et lissez sa surface. Taillez les abricots en quartiers et répartissez-les uniformément sur la pâte en appuyant légèrement dessus. Lissez bien la surface de la pâte.

3 Faites cuire au four pendant 50 minutes. Éteignez le feu, ouvrez la porte du four et laissez refroidir le gâteau ainsi. Taillez-le en 10 parts et servez.

! ! REMARQUE : Les fruits séchés contiennent quantité de minéraux et de fibres mais aussi de sucre. Ce gâteau sera aussi savoureux si vous le préparez avec 250 mL (1 tasse) de fruits frais tels que des poires ou des mandarines. Si vous employez des cerises, des bleuets, des pêches ou des abricots en conserve, faites-les d'abord égoutter.

En haut : Strudel aux cerises et au fromage blanc
En bas : Gâteau au fromage et à l'abricot

Gâteaux à la semoule et aux bleuets

Glucides ●◖	25 minutes
Matières grasses ●	(+ 1 h de cuisson)

Environ 106 calories par portion
13 g de protéines • 4 g de gras • 14 g de glucides

POUR 10 PORTIONS :
300 mL (1 1/4 tasse) de lait écrémé
5 clous de girofle
125 mL ou 75 g (1/2 tasse) de semoule de blé dur
30 mL (2 c. à s.) de beurre
45 mL (3 c. à s.) de sucre
5 mL (1 c. à t.) de sucre vanillé
2 œufs, les blancs séparés des jaunes
le jus et le zeste d'un citron
325 mL ou 200 g (1 1/3 tasse) de bleuets

1 Faites chauffer le four à 160 °C (325 °F). Enduisez d'un corps gras les parois d'un moule à charnière de 20 cm (8 po) et saupoudrez-y de la farine. Amenez le lait et les clous de girofle à ébullition. Retirez du feu et enlevez les clous. Versez la semoule dans le lait chaud et faites mijoter à feu doux jusqu'à épaississement. Laissez refroidir quelque peu.

2 Fouettez le beurre avec le sucre et le sucre vanillé jusqu'à ce qu'il soit crémeux et pâle. Ajoutez en fouettant les jaunes d'œufs, le jus et le zeste de citron. Versez en remuant la semoule tiède.

3 À l'aide de batteurs propres, dans un bol exempt de corps gras, faites monter les blancs d'œufs en neige. Incorporez délicatement les bleuets et les blancs d'œufs à la pâte. Versez dans le moule apprêté et faites cuire au four pendant une heure. Taillez en 10 parts et servez.

! ! REMARQUE : Les bleuets sauvages ont meilleur goût et sont plus sucrés que les bleuets cultivés. Si vous employez des bleuets sauvages, n'ajoutez pas de sucre vanillé.

Flan à l'orange et au riz

Glucides ●●	2 h
Matières grasses ●●●	(+ 30 minutes d'atttente)
	(+ 18 minutes de cuisson) (+ 2 h de réfrigération)

Environ 208 calories par portion
5 g de protéines • 11 g de gras • 24 g de glucides

POUR 12 PORTIONS :
POUR FAIRE LA CROÛTE :
75 mL ou 80 g (1/3 de tasse) de margarine froide
300 mL ou 150 g (1 1/4 tasse) de farine de blé entier-grossièrement moulu
sucre
POUR FAIRE LA GARNITURE :
500 mL (2 tasses) de lait
sel
5 mL (1 c. à t.) de vanille
150 mL ou 130 g (2/3 de tasse) de riz brun
1 sachet de gélatine non aromatisée (7 g, 1/4 d'oz ou 1 c. à s.)
50 mL (1/4 de tasse) d'eau froide
50 mL (1/4 de tasse) d'eau bouillante
le zeste et le jus de deux oranges
150 mL ou 150 g (2/3 de tasse) de yaourt allégé
édulcorant
125 mL ou 125 g (1/2 tasse) de crème à fouetter
2 oranges pour la garniture

1 Taillez la margarine en petites mottes et pétrissez-la avec la farine et un peu de sucre. Versez quelques gouttes d'eau froide si la pâte est trop friable (elle ne doit pas devenir collante). Emballez-la sous pellicule plastique et réfrigérez-la pendant 30 minutes.

2 Mélangez le lait, une pincée de sel, la vanille et amenez à ébullition. Saupoudrez le riz et faites-le cuire à couvert pendant 50 à 60 minutes à feu doux. Laissez-le refroidir.

3 Faites chauffer le four à 180 °C (350 °F). À l'aide d'un rouleau à pâtisserie, abaissez la pâte pour qu'elle couvre l'intérieur d'un moule à charnière de 25 cm (10 po) et déposez-la en son fond. Piquez la pâte à l'aide d'une fourchette. Faites cuire au four pendant 18 minutes, ou jusqu'à ce que la croûte soit dorée. Déposez-la sur une grille à pâtisserie.

4 Saupoudrez la gélatine sur l'eau froide. Versez l'eau bouillante et remuez jusqu'à ce qu'elle soit dissoute. Mélangez le jus et le zeste d'orange, le yaourt, le riz cuit et l'édulcorant. Fouettez la crème et incorporez-la à la préparation.

5 Répartissez la préparation au riz uniformément sur la croûte et réfrigérez-la pendant au moins deux heures, jusqu'à ce qu'elle soit ferme. Garnissez le flan des quartiers et du zeste de deux oranges. Taillez en 12 parts et servez.

En haut : Gâteaux à la semoule et aux bleuets
En bas : Flan à l'orange et au riz

Gâteau au fromage et à la mandarine

Glucides	●◖	20 minutes
Matières grasses	●●●	(+ 30 minutes d'attente)
(+ 18 à 20 minutes de cuisson)		(+ 1 h 30 de réfrigération)

Environ 208 calories par portion
6 g de protéines • 14 g de gras • 16 g de glucides

POUR 10 PORTIONS :

POUR FAIRE LA CROÛTE ET LA GARNITURE :

250 mL ou 100 g (1 tasse) de farine à pâtisserie

300 mL ou 100 g (1 1/4 tasse) d'amandes blanchies moulues

45 mL (3 c. à s.) de sucre

sel

2 mL (1/2 c. à t.) de zeste d'orange râpé

50 mL ou 50 g (1/4 de tasse) de beurre

1 œuf

POUR FAIRE LA GARNITURE :

310 mL (11 oz) de mandarines en conserve

125 mL ou 100 g (1/2 tasse) de fromage à la crème allégé

2 mL (1/2 c. à t.) de zeste d'orange râpé

édulcorant

125 mL ou 100 g (1/2 tasse) de crème à fouetter

1 1/2 sachet de gélatine non aromatisée (7 g, 1/4 d'oz ou 1 c. à s.)

1 Mélangez la farine, les amandes, le sucre, une pincée de sel, le zeste d'orange, le beurre et l'œuf jusqu'à l'obtention d'une pâte ferme. Enveloppez-la sous pellicule plastique et laissez-la reposer pendant 30 minutes.

2 Faites chauffer le four à 180 °C (350 °F). À l'aide d'un rouleau, aplanissez deux cercles de pâte de 20 cm (8 po) de diamètre. Déposez-les sur une plaque à pâtisserie chemisée de papier sulfurisé et faites-les cuire au four pendant 18 à 20 minutes. Laissez refroidir. Réduisez l'une des croûtes en miettes et réservez.

3 Déposez l'autre croûte dans un plat de service et entourez-la d'un anneau à gâteau. Faites égoutter les mandarines et réservez leur jus. Mélangez le fromage à la crème, le jus de mandarines, le zeste d'orange et un peu d'édulcorant jusqu'à l'obtention d'une consistance homogène. Fouettez la crème pour qu'elle soit ferme et incorporez-la au mélange.

4 Faites tremper la gélatine dans 50 mL (1/4 de tasse) d'eau froide. Ajoutez 50 mL (1/4 de tasse) d'eau bouillante et remuez afin de la dissoudre. Ajoutez en remuant un peu de préparation à la crème, puis mélangez la gélatine à la crème. Réfrigérez pendant 30 minutes. Disposez les quartiers de mandarines sur la croûte. Étalez la préparation gélatineuse sur les fruits. Réfrigérez pendant une heure, après quoi vous saupoudrerez la chapelure qui reste. Taillez en 10 parts.

Gâteau au fromage et aux raisins

Glucides	●◖	30 minutes
Matières grasses	●●	(+ 30 minutes d'attente)
(+ 20 minutes de cuisson)		(+ 2 h de réfrigération)

Environ 209 calories par portion
7 g de protéines • 11 g de gras • 19 g de glucides

POUR 12 PORTIONS :

POUR FAIRE LA CROÛTE :

250 mL ou 100 g (1 tasse) de farine à pâtisserie

150 mL ou 50 g (2/3 de tasse) d'amandes blanchies moulues

15 mL (1 c. à s.) de sucre

une pincée de sel

50 mL ou 50 g (1/4 de tasse) de beurre

1 petit œuf

POUR FAIRE LA GARNITURE :

250 mL ou 250 g (1 tasse) de fromage blanc ou de purée de fromage cottage allégé

30 mL (2 c. à s.) de sucre glace

5 mL (1 c. à t.) de zeste d'orange râpé

édulcorant

175 mL ou 200 g (3/4 de tasse) de crème à fouetter

1 1/2 sachet de gélatine non aromatisée (7 g, 1/4 d'oz ou 1 c. à s.)

50 mL (1/4 de tasse) d'eau froide

50 mL (1/4 de tasse) d'eau bouillante

750 mL ou 300 g (3 tasses) de raisins assortis sans pépins

30 mL (2 c. à s.) de liqueur à l'orange

quelques brins de mélisse-citronnelle (facultatif)

1 Mélangez la farine, les amandes, le sucre, le sel, le beurre et l'œuf jusqu'à l'obtention d'une consistance homogène. Pétrissez la pâte, emballez-la sous pellicule plastique et réfrigérez-la pendant 30 minutes.

2 Faites chauffer le four à 180 °C (350 °F). Badigeonnez d'un corps gras les parois d'un moule à charnière de 25 cm (10 po). Abaissez la pâte et déposez-la dans le moule. Couvrez-la d'un papier sulfurisé et de poids à tarte, et faites-la cuire au four pendant 20 minutes, ou jusqu'à ce qu'elle soit dorée. Laissez-la refroidir et retirez les poids et le papier.

3 Mélangez le fromage blanc, le sucre glace, le zeste d'orange et un peu d'édulcorant. Fouettez la crème jusqu'à ce qu'elle monte et incorporez-la au fromage. Saupoudrez la gélatine sur l'eau froide. Versez l'eau bouillante et remuez sans cesse jusqu'à ce qu'elle soit dissoute. Ajoutez la liqueur en remuant. Versez un peu de préparation au fromage dans la gélatine et mélangez vite la gélatine au reste de préparation au fromage. Réservez 12 raisins. Versez la moitié de la garniture sur la croûte, déposez les raisins et versez le reste de la garniture en lissant la surface. Réfrigérez pendant deux heures, jusqu'à ce que la consistance soit ferme. Garnissez des raisins que vous aviez réservés et d'un brin de mélisse-citronnelle, si vous le désirez.

À droite : Gâteau au fromage et aux raisins

Flan aux nectarines et aux fraises

Glucides	●◖	45 minutes
Matières grasses	●●●	(+ 15 minutes de cuisson)
		(+ 40 minutes de réfrigération)

Environ 190 calories par portion
4 g de protéines • 12 g de gras • 16 g de glucides

POUR 12 PORTIONS :
POUR FAIRE LA CROÛTE :
250 mL ou 125 g (1 tasse) de farine à pâtisserie
pincée de levure chimique
pincée de sel
les graines d'une demi-gousse de vanille
45 mL (3 c. à s.) de sucre
1 mL (1/4 de c. à t.) de zeste d'orange râpé
50 mL ou 50 g (1/4 de tasse) de beurre
1 jaune d'œuf
POUR FAIRE LA GARNITURE :
400 mL ou 400 g (1 2/3 tasse) de yaourt
5 mL (1 c. à t.) de zeste de citron râpé
30 mL (2 c. à s.) de jus de citron
édulcorant
2 sachets de gélatine non aromatisée (7 g, 1/4 d'oz ou 1 c. à s.)
175 mL ou 200 g (3/4 de tasse) de crème à fouetter
50 mL (1/4 de tasse) de jus d'orange frais
15 mL (1 c. à s.) de confiture de fraises
2 nectarines
325 mL ou 200 g (1 1/3 tasse) de fraises

1 Mélangez la farine, la levure chimique, le sel, la vanille, le sucre, le zeste d'orange, le beurre et le jaune d'œuf pour en faire une pâte que vous pétrirez jusqu'à ce qu'elle soit homogène. Emballez-la et réfrigérez-la pendant 30 minutes. Faites chauffer le four à 180 °C (350 °F). Badigeonnez d'un corps gras un moule à charnière de 25 cm (10 po). Abaissez la pâte et tapissez-en le fond du moule et la moitié des parois latérales. Piquez la pâte à l'aide d'une fourchette. Couvrez-la d'un papier sulfurisé sur lequel vous poserez des poids à tarte. Faites cuire au four pendant 15 minutes. Laissez refroidir, retirez les poids et le papier mais laissez l'anneau du moule en place.

2 Mélangez le yaourt, le zeste et le jus de citron jusqu'à l'obtention d'une consistance homogène; ajoutez l'édulcorant. Faites tremper un sachet et demi de gélatine dans 50 mL (1/2 tasse) d'eau froide. Versez 50 mL (1/4 de tasse) d'eau bouillante et remuez pour que la gélatine se dissolve. Ajoutez en remuant un peu de préparation au yaourt, puis mélangez la gélatine au reste de yaourt. Réfrigérez pour figer.

3 Fouettez la crème et incorporez-la au yaourt. Tartinez la croûte. Réfrigérez pendant 30 minutes ou jusqu'à ce qu'elle soit ferme. Faites tremper le demi-sachet de gélatine qui reste dans 30 mL (2 c. à s.) d'eau froide. Mélangez le jus d'orange et la confiture de fraises et faites-les chauffer. Faites dissoudre la gélatine dans la préparation à l'orange. Réfrigérez un peu avant d'en tartiner le dessus du gâteau et de remettre au frigo. Au moment de servir, pelez, dénoyautez et tranchez les nectarines, taillez les fraises en quartiers et disposez-les sur le gâteau.

Galette de groseilles

Glucides	●●◖	50 minutes
Matières grasses	●●●	(+ 30 minutes d'attente)
		(+ 45 minutes de cuisson)

Environ 256 calories par portion
8 g de protéines • 12 g de gras • 29 g de glucides

POUR 12 PORTIONS :
POUR FAIRE LA CROÛTE :
400 mL ou 200 g (1 2/3 tasse) de farine de blé entier grossièrement moulue
30 mL ou 30 g (2 c. à s.) de beurre
1 œuf
45 mL (3 c. à s.) de sucre
pincée de sel
2 mL (1/2 c. à t.) de zeste de citron râpé
50 mL (1/4 de tasse) de lait
POUR FAIRE LA GARNITURE :
75 mL ou 30 g (1/3 de tasse) d'amandes moulues
2 mL (1/2 c. à t.) de cannelle moulue
1 L ou 600 g (4 tasses) de groseilles
125 mL ou 125 g (1/2 tasse) de fromage blanc ou de purée de fromage cottage allégé
2 œufs
les graines d'une demi-gousse de vanille
quelques gouttes d'essence d'amandes amères
édulcorant
15 mL (1 c. à s.) d'amandes effilées

1 Mélangez la farine, le beurre, l'œuf, le sucre, le sel, le zeste de citron et le lait pour en faire une pâte que vous pétrirez. Enveloppez-la d'une pellicule plastique et réfrigérez-la pendant 30 minutes. Faites chauffer le four à 180 °C (350 °F). Enduisez d'un corps gras les parois d'un moule à charnière de 25 cm (10 po). Abaissez la pâte pour qu'elle soit un peu plus grande que le moule; déposez-la au fond du moule et tapissez-en les parois jusqu'à mi-hauteur. Piquez-la à l'aide d'une fourchette, couvrez-la d'un papier sulfurisé sur lequel vous déposerez des poids à tarte. Faites-la cuire pendant 15 minutes. Laissez-la refroidir avant de retirer les poids et le papier.

2 Mélangez les amandes moulues et la cannelle; saupoudrez-les sur la croûte, puis répartissez les groseilles. Mélangez les œufs, le fromage blanc, la vanille, l'essence d'amandes et l'édulcorant. Versez-les sur les groseilles et étendez-les. Saupoudrez les amandes effilées. Faites cuire au four pendant 30 minutes. Laissez refroidir. Taillez en 12 parts et servez.

En haut : Flan aux nectarines et aux fraises
En bas : Galette aux groseilles

Gâteau à l'orange

| Glucides ●◖ | 20 minutes |
| Matières grasses + | (+ 1 h 10 de cuisson) |

Environ 211 calories par portion
2 g de protéines • 15g de gras • 18 de glucides

POUR 10 TRANCHES :
CHAPELURE
150 mL ou 150 g (2/3 de tasse) de beurre
125 mL ou 100 g (1/2 tasse) de sucre
2 œufs
2 gousses de vanille
30 mL (2 c. à s.) de levure chimique
le jus et le zeste râpé d'une orange
175 mL ou 80 g (3/4 de tasse) de farine

1 Faites chauffer le four à 160 °C (325 °F). Badigeonnez d'un corps gras un moule à pain de 23 sur 13 cm (9 sur 5 po) et saupoudrez la chapelure. Fouettez le beurre et le sucre jusqu'à obtention d'une substance crémeuse et lisse. Ajoutez les œufs un à la fois. Taillez les gousses de vanille dans le sens de la longueur et raclez-en les graines. En remuant, ajoutez la levure chimique et les graines de vanille à la farine. Ajoutez ensuite la préparation au beurre, toujours en remuant, ainsi que le zeste et le jus d'orange. Mélangez vigoureusement.

2 Versez la pâte dans le moule apprêté et lissez la surface. Insérez la clayette dans la seconde rainure à partir du fond du four et posez-y le moule; faites cuire le gâteau pendant 1 h 10, ou jusqu'à ce qu'il soit doré. Laissez-le

refroidir pendant cinq minutes, démoulez-le et posez-le sur une grille à pâtisserie où il refroidira. Taillez en 10 parts et servez.

Tarte aux pommes et au riz

Glucides ●●◖	1 h
Matières grasses ●●●	(+ 30 minutes d'atttente)
	(+ 55 à 60 minutes de cuisson)

Environ 231 calories par portion
6 g de protéines • 9 g de gras • 29 de glucides

POUR 12 PORTIONS :
POUR FAIRE LA PÂTE :
300 mL ou 150 g (1 1/4 tasse) de farine
30 mL (2 c. à s.) de sucre
pincée de sel
1 œuf
50 mL ou 50 g (1/4 de tasse) de beurre
POUR LA GARNITURE :
1 gousse de vanille
500 mL (2 tasses) de lait
pincée de sel
15 mL (1 c. à s.) de sucre
175 mL ou 150 g (3/4 de tasse) de riz brun
1 zeste de citron
3 œufs, les jaunes séparés des blancs
4 pommes sures
2 clous de girofle, 1 bâton de cannelle
50 mL (1/4 de tasse) de vin blanc sec et autant d'eau
édulcorant
45 mL (3 c. à s.) d'amandes effilées

1 Mélangez la farine, le sucre, l'œuf, le beurre et pétrissez la pâte jusqu'à ce qu'elle soit homogène. Emballez-la et réfrigérez-la pendant 30 minutes. Faites chauffer le four pendant 180 °C (350 °F). Badigeonnez d'un corps gras un moule à charnière de 25 cm (10 po). Abaissez la pâte de sorte qu'elle recouvre le fond et les parois latérales du moule. Piquez à l'aide d'une fourchette. Couvrez-la d'un papier sulfurisé sur lequel vous déposerez des poids à tarte et faites-la cuire pendant 15 minutes. Laissez-la refroidir.

2 Taillez la gousse de vanille pour en racler les graines. Mélangez le lait, le sel, le sucre, le riz, le zeste de citron, les graines et la gousse de vanille. Amenez à ébullition en remuant sans cesse. Laissez mijoter à feu doux jusqu'à ce que le riz soit cuit. Laissez refroidir, retirer la gousse de vanille et le zeste de citron. Fouettez deux jaunes d'œufs et ajoutez-les au riz en remuant. Faites monter les blancs d'œufs en neige et incorporez-les à la préparation.

3 Pelez les pommes et taillez-les en quartiers; faites-les cuire avec les clous de girofle, la cannelle, le vin, l'eau et l'édulcorant jusqu'à ce qu'elles soient presque fondantes. Faites-les égoutter et laissez-les refroidir; retirez alors les clous et le bâtonnet de cannelle.

4 Étendez la moitié de la préparation au riz sur la croûte en partie cuite. Posez les quartiers de pommes et ajoutez ce qui reste de riz. Fouettez le jaune d'œuf qui reste pour en badigeonner le dessus de la tarte. Saupoudrez les amandes effilées. Faites cuire au four pendant 40 à 45 minutes. Laissez refroidir.

À droite : Tarte aux pommes et au riz

Tarte aux poires et aux noix

Glucides	●●	1 h
Matières grasses	++	(+ 30 minutes d'attente)
		(+ 45 minutes de cuisson)

Environ 314 calories par portion
25 g de protéines • 21g de gras • 24 de glucides

POUR 12 PORTIONS :

POUR FAIRE LA CROÛTE :

250 mL ou 125 g (1 tasse) de farine à pâtisserie

325 mL ou 125 g (1 1/3 tasse) de noisettes moulues

5 mL (1 c. à t.) de levure chimique

45 mL (3 c. à s.) de sucre

pincée de sel

5 mL (1 c. à t.) de zeste d'orange râpé

75 mL ou 80 g (1/3 de tasse) de beurre

1 œuf

POUR LA GARNITURE :

5 poires moyennes (environ 900 g ou 2 lb)

175 mL (3/4 de tasse) de vin blanc sec

15 mL (1 c. à s.) de sucre

1 petit zeste de citron

175 mL ou 100 g (3/4 de tasse) de noix hachées

50 mL ou 50 g (1/4 de tasse) de crème fraîche ou sure

1 œuf

1 Mélangez la farine, les noisettes moulues, la levure chimique, le sucre, le sel, le zeste d'orange, le beurre et l'œuf. Pétrissez la pâte jusqu'à ce qu'elle soit homogène. Emballez-la sous pellicule plastique et réfrigérez-la pendant 30 minutes. Faites chauffer le four à 180 °C (350 °F). Enduisez d'un corps gras un moule à charnière de 25 cm (10 po). Abaissez la pâte de sorte qu'elle soit plus grande que le moule dans une proportion de 66 pour cent. Tapissez-en le fond et les parois latérales. Couvrez-la de papier sulfurisé sur lequel vous poserez des poids à tarte et faites-la cuire au four pendant 20 minutes. Faites-la refroidir avant d'enlever les poids et le papier.

2 Pelez les poires et taillez-les en tranches pour les pocher dans le vin avec le zeste de citron et le sucre. Laissez-les cuire pendant cinq minutes, égouttez-les et laissez-les refroidir.

3 Saupoudrez les noix sur la croûte cuite en partie, puis disposez les tranches de poires. Fouettez la crème fraîche et l'œuf, et versez sur les poires.

4 Abaissez ce qui reste de pâte pour qu'elle puisse couvrir le moule et déposez-la sur la garniture. Appuyez sur la bordure afin de bien sceller et pratiquez plusieurs incisions sur le dessus de la tarte. Faites cuire au four pendant 25 minutes. Laissez refroidir. Taillez en 12 parts et servez.

Pain complet aux fruits

Glucides	●●	30 minutes
Matières grasses	●●●	(+ 1 h de cuisson)

Environ 211 calories par portion
6 g de protéines • 12 g de gras • 20 glucides

POUR 12 TRANCHES :

375 mL ou 200 g (1 1/2 tasse) de fruits séchés mélangés (non soufrés, de préférence)

175 mL ou 100 g (3/4 de tasse) de noisettes blanchies, sans leur pelure

50 mL ou 50 g (1/4 de tasse) de beurre mou

2 œufs, les jaunes séparés des blancs

5 mL (1 c. à t.) de zeste de citron râpé

5 mL (1 c. à t.) de zeste d'orange râpé

2 mL (1/2 c. à t.) de graines de coriandre moulues

2 mL (1/2 c. à t.) de cannelle moulue

pincée de piment de la Jamaïque moulu

175 mL ou 100 g (3/4 de tasse) de farine de blé entier grossièrement moulue

300 mL ou 100 g (1 1/4 tasse) de flocons d'avoine à cuisson rapide

10 mL (2 c. à t.) de levure chimique

sel

45 mL ou 300 g (3 c. à s.) d'amandes blanchies en moitiés

1 Faites tremper les fruits et les noisettes dans de l'eau chaude pendant une heure; faites-les égoutter et réservez l'eau de trempage. Taillez les fruits en petits morceaux.

2 Fouettez le beurre et les jaunes d'œufs jusqu'à ce qu'ils soient en crème. Ajoutez les zestes de citron et d'orange, la coriandre moulue, la cannelle et le piment de la Jamaïque. Ajoutez la farine, les flocons d'avoine et la levure chimique en remuant. Versez autant d'eau de trempage qu'il le faudra pour faire une pâte homogène.

3 Faites chauffer le four à 160 °C (325 °F). Enduisez d'un corps gras un moule à pain de 25 sur 15 cm (10 sur 6 po). Ajoutez une pincée de sel aux blancs d'œufs et faites-les monter en neige. Incorporez les blancs d'œufs à la pâte avec les fruits et les noisettes. Versez dans le moule, lissez la surface et garnissez de moitiés d'amandes. Faites cuire au four pendant une heure. Laissez refroidir quelque peu avant de démouler le pain pour le laisser refroidir sur une grille à pâtisserie. Emballez-le dans un papier aluminium et réfrigérez-le pendant au moins une journée afin que se révèlent les saveurs. Taillez en 12 parts et servez.

En haut : Tarte aux poires et aux noix
En bas : Pain complet aux fruits

Index

Index des valeurs nutritives

Afin de bien calculer vos combinaisons alimentaires, voici une liste des valeurs nutritives des trois éléments clé contenus dans les recettes de *Simple et délicieux*.

GLUCIDES		MATIÈRES GRASSES		FIBRES	
moins de 4 g	-	moins de 4 g	-	moins de 2 g	-
4 - 8 g	◖	4 - 6 g	●	2 - 4 g	●
9 - 12 g	●	7 - 9 g	●●	5 - 7 g	●●
13 - 19 g	●◖	10 - 14 g	●●●	plus de 6 g	●●●
20 - 24 g	●●	15 - 19 g	+		
25 - 31 g	●●◖	20 - 29 g	++		
32 - 36 g	●●●	30 - 39 g	+++		
37 - 43 g	●●●◖				
44 - 48 g	●●●●				
49 - 54 g	●●●●◖				
55 - 60 g	●●●●●